JEAN PAUL

Dr. Katzenbergers
Badereise

ANMERKUNGEN VON
MAX MEIER
NACHWORT VON
OTTO MANN

PHILIPP RECLAM JUN. STUTTGART

Universal-Bibliothek Nr. 18 [3]
Alle Rechte vorbehalten. © 1961, 1986 Philipp Reclam jun., Stuttgart
Durchgesehene sowie um Anmerkungen erweiterte Ausgabe 1986
Gesamtherstellung: Reclam, Ditzingen. Printed in Germany 1986
ISBN 3-15-000018-1

Dr. Katzenbergers
Badereise;

nebst

einer Auswahl

verbesserter Werkchen,

von

Jean Paul.

Erstes Bändchen.

Zweite, verbesserte und vermehrte Auflage.

Breslau,

im Verlage von Josef Max und Komp.

1823.

Vorrede

zum ersten und zweiten Bändchen der ersten Auflage

Mit den Taschenkalendern und Zeitschriften müssen die kleinen vermischten Werkchen so zunehmen – weil die Schriftsteller jene mit den besten Beiträgen zu unterstützen haben –, daß man am Ende kaum ein großes mehr schreibt. Selber der Verfasser dieses Werks (obwohl noch manches großen) ist in acht Zeitschriften und fünf Kalendern ansässig mit kleinen Niederlassungen und liegenden Gründen.

Dies frischte im Jahre 1804 in Jena die Voigtische Buchhandlung an, »kleine Schriften von Jean Paul Friedrich Richter«, ohne mich und ihr Gewissen zu fragen, in den zweiten Druck zu geben.

Sie frischt wieder mich an, ihre kleinen Schriften von J. P., gleichfalls ohne zu fragen, hier ans Licht zu stellen. Gelassen lass' ich hier die Handlung über Nachdruck des Nachdrucks, über Nachverlag des Nachverlags schreien und mache mit diesem Sünden-Bekenntnis gern das Publikum zum heiligen Stroppinus, welcher der Beichtvater Christi ist.* Denn will Voigt klagen, daß ich ihm seinen Verlagartikel unbrauchbar gemacht und verdorben hätte durch völlige Verbesserung und Umarbeitung desselben: so versetz' ich, daß nur ein Sechstel dieses Buchs aus jenem genommen ist. Das zweite Sechstel sammelte ich aus Zeitschriften, woraus er noch nichts von mir gesammelt.

Das zweite und das dritte Drittel dieses Buchs sind ganz neu, nämlich *Dr. Katzenbergers Badreise* und Geschichte, so wie die Schluß-Polymeter; aber hierüber sei ein Beichtwort an den Leser vergönnt, würd' es ihm auch schwerer, zum zweiten Male der heilige Stroppinus zu sein. Und doch sind über das folgende leichter vergebende Beichtväter zu haben

---

* Kotzebues Reise nach Italien, B. II.

als Beichtmütter. Es betrifft den Zynismus des Doktors Katzenberger.

Es gibt aber viererlei Zynismen. Der *erste* ist der rohe in
Betreff des *Geschlechts*, wie ihn Aristophanes, Rabelais,
Fischart, überhaupt die alten, obwohl keuschen Deutschen
und die Ärzte haben. Dieser ist nicht sowohl gegen Sittlich-
keit als gegen Geschmack und Zeit.

Der *zweite* Zynismus, den die Vernunftlehre annimmt,
ist der subtile der Franzosen, der, ähnlich dem subtilen
Totschlag und Diebstahl der alten Gottesgelehrten, einen
zarten subtilen Ehebruch abgibt; dieser glatte nattergiftige
Zynismus, der schwarze Laster zu glänzenden Sünden aus-
malt und welcher, die Sünde verdeckend und erweckend,
nicht als Satiriker die spanischen Fliegen etwan zu Ableit-
schmerzen auflegt, sondern welcher als Verführer die Kanthariden zu Untergangs-Reizen innerlich eingibt; dieser
zweite Zynismus nimmt freilich, wie Kupfer, bei der Aus-
stellung ins Freie bloß die Farbe des *Grüns* an, das aber
vergiftet, indes der erste schwere, gleich Blei, zur *schwarzen* verwittert.

Von dem zweiten Zynismus unterscheidet sich überhaupt
der erste so vorteilhaft-sittlich, wie etwan (um undeutlicher
zu sprechen) Epikurs Stall von der Sterkoranisten Stuhl,
worin das Gottgewordne nicht Mensch wird; oder auch so
wie boue de Paris (Lutetiae) oder caca du Dauphin von des
griechischen *Diogenes* offizinellem album graecum verschieden ist.

– Beinahe macht die Rechtfertigung sich selber nötig; ich
eile daher zum

dritten Zynismus, welcher bloß über natürliche, aber
geschlechtlose Dinge natürlich spricht, wie jeder Arzt ebenfalls. Was kann aber hier die jetzt-deutsche Prüderie und
Phrasen-Kleinstädterei erwidern, wenn ich sage: daß ich bei
den besten Franzosen (z. B. Voltaire) häufig den cul, derrière
und das pisser angetroffen, nicht zu gedenken der filles-à-
douleur? In der Tat ein Franzose sagt manches, ein Engländer
gar noch mehr. Dennoch wollen wir Deutsche das an uns

Deutschen nicht leiden, was wir an solchen Briten verzeihen und genießen, als hier hintereinander gehen: Butler, Shakespeare, Swift, Pope, Sterne, Smollet, der kleinern wie Donne, Peter Pindars und anderer zu geschweigen. Aber nicht einmal
5 noch hat ein Deutscher so viel gewagt als die sonst in Sitten, Sprechen, Geschlecht- und Gesellschaft-Punkten und in weißer Wäsche so zart-bedenklichen Briten. Der reinliche, so wie keusche Swift drückte eben aus Liebe für diese geistige und leibliche Reinheit die Patienten recht tief in sein satiri-
10 sches Schlammbad. Seine Zweideutigkeiten gleichen unsern Kaffeebohnen, die nie aufgehen können, weil wir nur halbe haben. Aber wir altjüngferlichen Deutschen bleiben die seltsamste Verschmelzung von Kleinstädterei und Weltbürgerschaft, die wir nur kennen. Man bessere uns! Nur ists schwer;
15 wir vergeben leichter ausländische Sonnenflecken als inländische Sonnenfackeln. Unser salvo titulo und unser salva venia halten wir stets als die zu- und abtreibenden Rede-Pole den Leuten entgegen.

Der *vierte* (vielleicht der beste) Zynismus ist der meinige,
20 zumal in der Katzenbergerschen Badgeschichte. Dies schließ' ich daraus, weil er bloß in der reinlichsten Ferne sich in die gedachten britischen Fußstapfen begibt und sich wenig erlaubt oder nichts, sondern immer den Grundsatz festhält, daß das Komische jene Annäherung an die Zensur-Freiheiten
25 der Arzneikunde verstatte, verlange, verziere, welche hier, wie natürlich, in der Badgeschichte eines Arztes nicht fehlen konnte. Schon Lessing hat in seinem Laokoon das Komisch-Ekle (das Ekel-Komische ist freilich etwas anderes) in Schutz genommen durch Gründe und durch Beispiele, z. B. aus des
30 feinen Lord Chesterfield Stall- und Küchenstück einer hottentottischen Toilette.

Genug davon! Damit mir aber der gute Leser nicht so sehr glaube: so versichere ich ausdrücklich, daß ich ihn mit der ganzen Einteilung von vier Zynismen gleichsam wie mit hei-
35 lendem Vierräuberessig bloß vorausbesprenge, um viel größere Befürchtungen vor Katzenberger zu erregen, als wirk-

lich eintreffen, weil man damit am besten die eingetroffnen
entschuldigt und verkleinert.

Gebe der Himmel, daß ich mit diesen zwei Bändchen das
Publikum ermuntere, mich zu recht vielen zu ermuntern.

Baireuth, den 28. Mai 1808.   5

Jean Paul Fr. Richter.

Vorrede zur zweiten Auflage

Die Badreise wurde 1807 und 1808 schon geschrieben und
1809 zuerst gelesen, in Jahren, wo das alte Deutschland das
Blutbad seiner Kinder zu seiner stärkenden Verjüngung   10
gebrauchte; indes wurde das Buch mitten in der schwülen
Kurzeit heiter ausgedacht und heiter aufgenommen.

Die neue Auflage bringt unter andern Zusätzen mehre neue
Auftritte des guten Katzenbergers mit, welche ich eigentlich
schon in der alten nicht hätte vergessen sollen, weil ich durch   15
diese Vergeßlichkeit seinem Charakter manchen liebenswürdigen Zug benommen. Was hingegen die Malerei des Ekels
anlangt, an der einige keinen besondern Geschmack finden
wollten, so ist sie ganz unverändert geblieben.

Denn wo sollte man aufhören wegzulassen? Die Ärzte –   20
und folglich starke Leser derselben wie ich – schauen im wissenschaftlichen Ätherreich herab und unterscheiden durch
ihre Vogelperspektive des untern Unrats sich ungemein von
Hofdamen, die alles zu nahe nehmen. Und zweitens kommen
denn nicht alle die verschiedenen Leser mit allen ihren ver-   25
schiedenen Antipathien zum Bücherschreiber, so daß er
ringsum von Leuten umstanden ist, deren jedem er etwas
nicht schildern soll, dem einen nicht das Schneiden in Kork,

dem andern nicht Abrauschen auf Atlas oder Glasklirren,
dem dritten nicht (z. B. mir selber) das Abbeißen vom Papier,
dem vierten vollends am wenigsten etwa Kreuzspinnen und
so fort? – Wenn nun der vierte, wie z. B. der freundliche
5 *Tieck* im »*Phantasus*«, mit einem wahren Abscheu gegen die
Figur der Kanker dasteht, so muß ihm freilich erbärmlich
werden, wenn er dem Dr. Katzenberger zusehen soll, wie
dieser die Spinnen vor Liebe gar so leicht verschluckt als ein
anderer Fliegen. Und doch könnte der Doktor immer die
10 Seespinnen, die Krebse und die Austern und andere tafelfä-
hige Mißgestalten für sich sprechen lassen und überhaupt
nebenher die naturhistorische Bemerkung machen, daß die
Tiere desto ungestalter ausfallen, je näher am Erdboden sie
leben – so die chaotischen Anamorphosen und Kalibane
15 des Meers und die Erdbohrer des Wurmreichs und die krie-
chende Insektenwelt – und daß hingegen – wie z. B. die
letzte als fliegende und das schwebende Vogelreich und
die hochaufgerichteten Tiere bis zum erhabnen Menschen
hinauf beweisen – sich im Freien alles verschönere und
20 veredle.

Der Hauptpunkt aber ist wohl dieser, daß das flüchtige
Salz des Komischen manche Gegenstände, die wie ketzeri-
sche Meinungen in übelm Geruche stehen, so schnell zersetzt
und verflüchtigt, daß der Empfindung gar keine Zeit zur
25 Bekanntschaft mit ihnen gelassen wird. Da das Lachen alles in
das kalte Reich des Verstandes hinüberspielt: so ist es (weit
mehr noch als selber die Wissenschaft) das große Menstruum
(Zersetz- und Niederschlagmittel) aller Empfindungen, sogar
der wärmsten; folglich auch der ekeln.

30 – Freilich etwas ganz anderes wär' es gewesen, wenn ich im
Punkte des Ekels den zarten Wieland zum Muster genommen
hätte und, wie er* auf einer Vignette, statt unseres Katzenber-

---

* In der ersten Ausgabe seiner Beiträge zur geheimen Geschichte der Mensch-
heit wurde eine Rede über den moralischen Anstoß, den der Leser an gewissen
Behauptungen nehmen würde, mit einer Vignette beschlossen, die ihn mit der
letzten Wirkung eines Brechpulvers darstellt.

gers, dem über nichts übel wird, einen Leser hätte aufgestellt, der sich über den Doktor und das Gelesene öffentlich erbricht. Aber zum Glücke ist im ganzen Werke von allen Lesern kein einziger in Kupfer gestochen und kann also die andern auf dem Stuhle seßhaften nicht anstecken.   5

Baireuth, den 16. Oktober 1822.

Jean Paul Fr. Richter.

Dr. Katzenbergers
Badegeschichte

Erste Abteilung

1. Summula

Anstalten zur Badreise.

»Ein Gelehrter, der den ersten Juli mit seiner Tochter in seinem Wagen mit eignen Pferden ins Bad *Maulbronn* abreiset, wünscht einige oder mehre Reisegesellschafter.« – Dieses ließ der verwittibte ausübende Arzt und anatomische Professor *Katzenberger* ins Wochenblatt setzen. Aber kein Mensch auf der ganzen Universität *Pira* (im Fürstentume Zäckingen) wollte mit ihm gern ein paar Tage unter Einem Kutschenhimmel leben; jeder hatte seine Gründe – und diese bestanden alle darin, daß niemand mit ihm wohlfeil fuhr als zuweilen ein hinten aufgesprungener Gassenjunge; gleichsam als wäre der Doktor ein ansässiger Posträuber von innen, so sehr kelterte er muntere Reisegefährten durch Zu- und Vor- und Nachschüsse gewöhnlich dermaßen aus, daß sie nachher als lebhafte Köpfe schwuren, auf einem Eilboten-Pferde wollten sie wohlfeiler angekommen sein und auf einer Krüppelfuhre geschwinder.

Daß sich niemand als Wagen-Mitbelehnter meldete, war ihm als Mittelmanne herzlich einerlei, da er mit der Anzeige schon genug dadurch erreichte, daß mit ihm kein Bekannter von Rang umsonst mitfahren konnte. Er hatte nämlich eine besondere Kälte gegen Leute von höherem oder seinem Range und lud sie deshalb höchst ungern zu Dîners, Goûters, Soupers ein und gab lieber keine; leichter besucht' er die ihrigen zur Strafe und ironisch; – denn er denke (sagte er) wohl von nichts gleichgültiger als von Ehren-Gastereien, und er wolle ebenso gern à la Fourchette des Bajonetts gespeiset sein, als feurig wetteifern mit den Großen seiner Stadt im Gastieren, und er lege das Tischtuch lieber auf den Katzentisch. Nur einmal – und dies aus halbem Scherz – gab er ein Goûter oder Dégoûter, indem er um 5 Uhr einer Gesellschaft seiner verstorbnen Frau seinen Tee einnötigte, der Kamillen-Tee war. Man gebe ihm aber, sagte er, Lumpenpack, Aschenbrödel, Kotsassen, Soldaten auf Stelzfüßen: so wüßt' er, wem er gern

zu geben habe; denn die Niedrigkeit und Armut sei eine hart-
näckige Krankheit, zu deren Heilung Jahre gehören, eine
Töpfer- oder Topf-Kolik, ein nachlassender Puls, eine fal-
lende und galoppierende Schwindsucht, ein tägliches Fieber;
– venienti aber, sage man, currite morbo, d. h. man gehe doch   5
dem herkommenden Lumpen entgegen und schenk' ihm
einen Heller, das treueste Geld, das kein Fürst sehr herabset-
zen könne.

    Bloß seine einzige Tochter *Theoda*, in der er ihres Feuers
wegen als Vater und Witwer die vernachlässigte Mutter   10
nachliebte, regte er häufig an, daß sie – um etwas Angeneh-
meres zu sehen als Professoren und Prosektoren – Tee-
gesellschaften, und zwar die größten, einlud. Er drang ihr
aber nicht eher diese Freude auf, als bis er durch Wetter-
glas, Wetterfisch und Fußreisen sich völlig gewiß gemacht,   15
daß es gegen Abend stürme und gieße, so daß nachher nur
die wenigen warmen Seelen kamen, die fahren konnten.
Daher war Katzenbergers Einwilligen und Eingehen in
einen Tee eine so untrügliche Prophezeiung des elenden
Wetters als das Hinuntergehen des Laubfrosches ins Was-   20
ser. Auf diese Weise aber füllte er das liebende Herz der
Tochter aus; denn diese mußte nun, nach dem närrischen
Kontrapunkt und Marschreglement der weiblichen Visiten-
welt, von jeder einzelnen, die nicht gekommen war, zum
Gutmachen wieder eingeladen werden; und so konnte sie   25
oft ganz umsonst um sieben verschiedne Teetische herum
sitzen, mit dem Strumpf in der Hand. Indes erriet die
Tochter den Vater bald und machte daher ihr Herz lieber
bloß mit ihrer innersten einzigen Freundin *Bona* satt.

    Auch für seine Person war Katzenberger kein Liebhaber   30
von persönlichem Umgang mit Gästen: »Ich sehe eigentlich«,
sagte er, »niemand gern bei mir, und meine besten Freunde
wissen es und können es bezeugen, daß wir uns oft in Jahren
nicht sehen; denn wer hat Zeit? – Ich gewiß nicht.« Wie wenig
er gleichwohl geizig war, erhellt daraus, daß er sich für zu   35
freigebig ansah. Das wissenschaftliche Licht verkalkte näm-

lich seine edeln Metalle und äscherte sie zu Papiergeld ein;
denn in die Bücherschränke der Ärzte, besonders der Zergliederer, mit ihren Foliobänden und Kupferwerken leeren sich
die Silberschränke aus, und er fragte einmal ärgerlich:
5 »Warum kann das Pfarrer- und Poetenvolk allein für ein
Lumpengeld sich sein gedrucktes Lumpenpapier einkaufen,
das ich freilich kaum umsonst haben möchte?« – Wenn er
vollends in schönen Phantasien sich des Pastors Göze Eingeweidewürmerkabinett ausmalte – und den himmlischen
10 Abrahams-Schoß, auf dem er darin sitzen würde, wenn er ihn
bezahlen könnte – und das ganze wissenschaftliche Arkadien
in solchem Wurmkollegium, wovon er der Präsident wäre –,
so kannte er, nach dem Verzichtleisten auf eine solche zu
teuere Brautkammer physio- und pathologischer Schlüsse,
15 nur ein noch schmerzlicheres und entschiedeneres, nämlich
das Verzichtleisten auf des Berliner Walters Präparaten-Kabinett, für ihn ein kostbarer himmlischer Abrahams-Tisch,
worauf Seife, Pech, Quecksilber, Öl und Terpentin und
Weingeist in den feinsten Gefäßen von Gliedern aufgetragen
20 wurden samt den besten trockensten Knochen dazu; was aber
half dem anatomischen Manne alles träumerische Denken an
ein solches Feld der Auferstehung (Klopstockisch zu singen),
das doch nur ein König kaufen konnte? –

Der Doktor hielt sich daher mit Recht für freigebig, da er,
25 was er seinem Munde und fremdem Munde abdarbte, nicht
bloß einem teuern Menschen-Kadaver und lebendigen
Hunde zum Zerschneiden zuwandte, sondern sogar auch seiner eignen Tochter zum Erfreuen, so weit es ging.

Diesesmal ging es nun mit ihr nach dem Badorte Maul-
30 bronn, wohin er aber reisete, nicht um sich – oder sie – zu
baden, oder um da sich zu belustigen, sondern sein Reise-
zweck war die

2. Summula

Reisezwecke.

Katzenberger machte statt einer Lustreise eigentlich eine Geschäftreise ins Bad, um da nämlich seinen Rezensenten beträchtlich auszuprügeln und ihn dabei mit Schmähungen an der Ehre anzugreifen, nämlich den Brunnen-Arzt *Strykius*, der seine drei bekannten Meisterwerke – den Thesaurus Haematologiae, die de monstris epistola, den fasciculus exercitationum in rabiem caninam anatomico-medico-curiosarum* – nicht nur in sieben Zeitungen, sondern auch in sieben Antworten oder Metakritiken auf seine Antikritiken überaus heruntergesetzt hatte.

Indes trieb ihn nicht bloß die Herausgabe und kritische Rezension, die er von dem Rezensenten selber durch neue Lesarten und Verbesserung der falschen vermittelst des Ausprügelns veranstalten wollte, nach Maulbronn, sondern er wollte auch auf seinen vier Rädern einer Gevatterschaft entkommen, deren bloße Verheißung ihm schon Drohung war. Es stand die Niederkunft einer Freundin seiner Tochter vor der Türe. Bisher hatte er hin und her versucht, sich mit dem Vater des Droh-Patchens (einem gewissen *Mehlhorn*) etwas zu überwerfen und zu zerfallen, ja sogar dessen guten Namen ein bißchen anzufechten, eben um nicht den seinigen am Taufsteine herleihen zu müssen. Allein es hatte ihm das Erbittern des gutmütigen Zollers und Umgelders** Mehlhorn nicht besonders glücken wollen, und er machte sich jede Minute auf eine warme Umhalsung gefaßt, worin er die Gevatterarme nicht sehr von Fangkloben und Hummerscheren unterscheiden konnte. Man verüble dem Doktor aber doch nicht alles; erstlich hegte er einen wahren Abscheu vor allen Gevatterschaften überhaupt, nicht bloß der Ausgaben

---

* Für Leserinnen nur ungefähr übersetzt: 1. über die Blutmachung, 2. über die Mißgeburten, 3. über die Wasserscheu.
** So heißen in Pira, wie in einigen Reichsstädten, Umgeld- und Zoll-Einnehmer.

halber – was für ihn das Wenigste war, weil er das Wenigste
gab –, sondern wegen der geldsüchtigen Willkür, welche ja in
Einem Tage zwanzig Mann stark von Kreißenden alles Stan-
des ihn anpacken und aderlassend anzapfen konnte am Tauf-
5 becken. Zweitens konnt' er den einfältigen Aberglauben des
Umgelders Mehlhorn nicht ertragen, geschweige bestärken,
welcher zu Theoda, da unter dem Abendmahl-Genuß gerade
bei ihr der Kelch frisch eingefüllt wurde***, mehrmal listig-
gut gesagt hatte: »So wollen wir doch sehen, geliebts Gott,
10 meine Mademoiselle, ob die Sache eintrifft und Sie noch dieses Jahr zu Gevatter stehen; ich sage aber nicht bei wem.« –
Und drittens wollte Katzenberger seine Tochter, deren Liebe
er fast niemand gönnte als sich, im Wagen den Tagopfern und
Nachtwachen am künftigen Kindbette entführen, von wel-
15 chen die Freundin selber sonst, wie er wußte, nicht
abbringen konnte. »Bin ich und sie aber abgeflogen«, dacht'
er, »so ists doch etwas, und die Frau mag kreißen.«

3. Summula

Ein Reisegefährte.

20 Wider alle Erwartung meldete sich am Vorabend der Abreise
ein Fremder zur Mitbelehnschaft des Wagens.

Während der Doktor in seinem Mißgeburten-Kabinette
einiges abstäubte von ausgestopften Tierleichen, durch Räu-
chern die Motten (die Teufel derselben) vertrieb und den
25 Embryonen in ihren Gläschen Spiritus zu trinken gab: trat ein
fremder feingekleideter und feingesitteter Herr in die Wohn-
stube ein, nannte sich Herr von *Nieß* und überreichte der
Tochter des Doktors, nach der Frage, ob sie Theoda heiße,
ein blaueingeschlagenes Briefchen an sie; es sei von seinem

*** Nach dem Aberglauben wird der zu Gevatter gebeten, bei welchem der
Priester den Kelch von neuen nachfüllt.

Freunde, dem Bühnen-Dichter *Theudobach*, sagte er. Das
Mädchen entglühte hochrot und riß zitternd mit dem
Umschlag in den Brief hinein (die Liebe und der Haß zerrei-
ßen den Brief, so wie beide den Menschen verschlingen wollen) und durchlas hastig die Buchstaben, ohne ein anderes   5
Wort daraus zu verstehen und zu behalten als den Namen
Theudobach. Herr von Nieß schaute unter ihrem Lesen
scharf und ruhig auf ihrem geistreichen beweglichen Gesicht
und in ihren braunen Feuer-Augen dem Entzücken zu, das
wie ein weinendes Lächeln aussah; einige Pockengruben leg-   10
ten dem beseelten und wie Frühling-Büsche zart- und glän-
zend-durchsichtigen Angesicht noch einige Reize zu, um
welche der Doktor Jenner die künftigen Schönen bringt. »Ich
reise«, sagte der Edelmann darauf, »eben nach dem Badeorte,
um da mit einer kleinen deklamierenden und musikalischen   15
Akademie von einigen Schauspielen meines Freundes auf
seine Ankunft selber vorzubereiten.« Sie blieb unter der
schweren Freude kaum aufrecht; den zarten, nur an leichte
Blüten gewohnten Zweig wollte fast das Fruchtgehänge nie-
derbrechen. Sie zuckte mit einer Bewegung nach Nießens   20
Hand, als wollte sie die Überbringerin solcher Schätze küssen, streckte ihre aber – heiß und rot über ihren, wie sie
hoffte, unerratenen Fehlgriff – schnell nach der entfernten
Türe des Mißgeburten-Kabinettes aus und sagte: »Da drin ist
mein Vater, der sich freuen wird.«   25
    Er fuhr fort: er wünsche eben ihn mehr kennen zu lernen,
da er dessen treffliche Werke, wiewohl als Laie, gelesen. Sie
sprang nach der Türe. »Sie hörten mich nicht aus – sagte er
lächelnd –. Da ich nun im Wochenblatte die schöne Möglichkeit gelesen, zugleich mit einer Freundin meines Freundes   30
und mit einem großen Gelehrten zu reisen:« – Hier aber
setzte sie ins Kabinett hinein und zog den räuchernden Katzenberger mit einem ausgestopften Säbelschnäbler in der
Hand ins Zimmer. Sie selber entlief ohne Schal über die
Gasse, um ihrer schwangern Freundin Bona die schönste   35
Neuigkeit und den Abschied zu sagen.

Sie mußte aber jubeln und stürmen. Denn sie hatte vor
einiger Zeit an den großen Bühnendichter Theudobach – der
bekanntlich mit Schiller und Kotzebue die drei deutschen
Horatier ausmacht, die wir den drei tragischen Curiatiern
5 Frankreichs und Griechenlands entgegensetzen – in der
Kühnheit des langen geistigen Liebetrankes der Jugendzeit
unter ihrem Namen geschrieben, ohne Vater und Freundin zu fragen, und hatte ihm gleichsam in einem warmen
Gewitterregen ihres Herzens alle Tränen und Blitze ge-
10 zeigt, die er wie ein Sonnengott in ihr geschaffen und gesammelt hatte. Selig, wer bewundert und den unbekannten
Gott schon auf der Erde als bekannten antrifft! – Im Briefchen hatte sie noch über ein umlaufendes Gerücht seiner
Badreise nach Maulbronn gefragt und die seinige unter die
15 Antriebe der ihrigen gesetzt. Alle ihre schönsten Wünsche
hatte nun sein Blatt erfüllt.

4. Summula

Bona.

Bona – die Frau des Umgelders Mehlhorn – und Theoda
20 blieben zwei Milchschwestern der Freundschaft, welche
Katzenberger nicht auseinandertreiben konnte, er mochte
an ihnen so viel scheidekünsteln, als er wollte. Theoda nun
trug ihr brausendes Saitenspiel der Freude in die
Abschiedsstunde zur Freundin; und reichte ihr Theudo-
25 bachs Brief, zwang sie aber, zu gleicher Zeit dessen Inhalt
durchzusehen und von ihr anzuhören. Bona suchte es zu
vereinigen und blickte mehrmals zuhorchend zu ihr auf,
sobald sie einige Zeilen gelesen: »So nimmst du gewiß einen
recht frohen Abschied von hier?« sagte sie. »Den frohe-
30 sten«, versetzte Theoda. – »Sei nur deine Ankunft auch so,
du springfedriges Wesen! Bringe uns besonders dein
beschnittenes aufgeworfenes Näschen wieder zurück und

dein Backenrot! Aber dein deutsches Herz wird ewig französisches Blut umtreiben«, sagte Bona. Theoda hatte eine Elsas-
serin zur Mutter gehabt. – »Schneie noch dicker in mein
Wesenchen hinein!« sagte Theoda. »Ich tu' es schon, denn ich
kenne dich«, fuhr jene fort. »Schon ein Mann ist im ganzen   5
ein halber Schelm, ein abgefeinerter Mann vollends, ein Thea-
terschreiber aber ist gar ein fünfviertels Dieb; dennoch wirst
du, fürchte ich, in Maulbronn vor deinem teuern Dichter mit
deinem ganzen Herzen herausbrausen und -platzen und hundert ungestüme Dinge tun, nach denen freilich dein Vater   10
nichts fragt, aber wohl ich.«

    »Wie, Bona, fürcht' ich denn den großen Dichter nicht?
Kaum ihn anzusehen, geschweige anzureden wag' ich!« sagte
sie. »Vor Kotzebue wolltest du dich auch scheuen; und tatest
doch dann keck und mausig«, sagte Bona. – »Ach, innerlich   15
nicht«, versetzte sie.

    Allerdings nähern die Weiber sich hohen Häuptern und
großen Köpfen – was keine Tautologie ist – mit einer weniger
blöden Verworrenheit als die Männer; indes ist hier Schein in
allen Ecken; ihre Blödigkeit vor dem Gegenstande verkleidet   20
sich in die gewöhnliche vor dem Geschlecht; – der Gegenstand der Verehrung findet selber etwas zu verehren vor sich –
und muß sich zu zeigen suchen, wie die Frau sich zu decken; –
und endlich bauet jede auf ihr Gesicht; »man küßt manchem
heiligen Vater den Pantoffel, unter den man ihn zuletzt selber   25
bekommt«, kann die jede denken.

    »Und was wäre es denn«, fuhr Theoda fort, »wenn ein
dichtertolles Mädchen einem Herder oder Göthe öffentlich
auf einem Tanzsale um den Hals fiele?« –

    »Tu' es nur deinem Theudobach«, sagte Bona, »so weiß   30
man endlich, *wen* du heiraten willst!« – »Jeden – versprech'
ich dir –, der nachkommt; hab' ich nur einmal meinen männlichen Gott gesehen und ein wenig angebetet: dann spring' ich
gern nach Hause und verlobe mich in der Kirche mit seinem
ersten besten Küster oder Balgtreter und behalte jenen im   35
Herzen, diesen am Halse.«

Bona riet ihr, wenigstens den Herrn von Nieß, wenn er
mitfahre, unterwegs recht über seinen Freund Theudobach
auszuhorchen, und bat sie noch einmal um weibliche
Schleichtritte. Sie versprachs ihr und deshalb noch einen täg-
5 lichen Bericht ihrer Badreise dazu. Sie schien nach Hause zu
trachten, um zu sehen, ob ihr Vater den Edelmann in seine
Adoptionloge der Kutsche aufgenommen. Unter dem langen
festen Kusse, wo Tränen aus den Augen beider Freundinnen
drangen, fragte Bona: »Wann kommst du wieder?« – »Wenn
10 du niederkommst. – Meine Kundschafter sind bestellt. –
Dann laufe ich im Notfalle meinem Vater zu Fuße davon, um
dich zu pflegen und zu warten. O, wie wollt' ich noch zehnmal froher reisen, wär' alles mit dir vorüber.« – »Dies ist
leicht möglich«, dachte Bona im andern Sinne und zwang sich
15 sehr, die wehmütigen Empfindungen einer Schwangern, die
vielleicht zwei Todespforten entgegengeht, und die Gedanken: dies ist vielleicht der Abschied von allen Abschieden,
hinter weinende Wünsche zurückzustecken, um ihr das
schöne Abendrot ihrer Freude nicht zu verfinstern.

20   5. Summula

                          Herr von Nieß.

Wer war dieser ziemlich unbekannte Herr von Nieß? Ich
habe vor, noch vor dem Ende dieses Perioden den Leser zu
überraschen durch die Nachricht, daß zwischen ihm und dem
25 Dichter Theudobach, von welchem er das Briefchen mitgebracht, eine so innige Freundschaft bestand, daß sie beide
nicht bloß Eine Seele in zwei Körpern, sondern gar nur in
Einem Körper ausmachten, kurz Eine Person. Nämlich Nieß
hieß Nieß, hatte aber als auftretender Bühnen-Dichter um
30 seinen dünnen Alltagnamen den Festnamen Theudobach wie
einen Königmantel umgeworfen und war daher in vielen
Gegenden Deutschlands weit mehr unter dem angenomme-

nen Namen als unter dem eignen bekannt, so wie von dem
hier schreibenden Verfasser vielleicht ganze Städte, wenn
nicht Weltteile, es nicht wissen, daß er sich *Richter* schreibt,
obgleich es freilich auch andre gibt, die wieder seinen Parade-
Namen nicht kennen. Gleichwohl gelangten alle Mädchen-   5
briefe leicht unter der Aufschrift Theudobach an den Dichter
Nieß – bloß durch die Oberzeremonienmeister oder Hof-
marschälle der Autoren; man macht nämlich einen Umschlag
an die Verleger.

Nun hatte Nieß als ein überall berühmter Bühnen-Dichter   10
sich längst vorgesetzt, einen Badeort zu besuchen, als den
schicklichsten Ort, den ein Autor voll Lorbeeren, der gern
ein lebendiges Pantheon um sich aufführte, zu erwählen hat,
besonders wegen des vornehmen Morgen-Trinkgelags und
der Maskenfreiheiten und des Kongresses des Reichtums und   15
der Bildung solcher Örter. Er erteilte dem Bade Maulbronn,
das seine Stücke jeden Sommer spielte, den Preis jenes Besu-
ches; nur aber wollt' er, um seine Abenteuer pikanter und
scherzhafter zu haben, allda inkognito unter seinem eignen
Namen Nieß anlangen, den Badegästen eine musikalische   20
deklamatorische Akademie von Theudobachs Stücken geben;
und dann gerade, wenn der sämtliche Hörzirkel am Angelhaken der Bewunderung zappelte und schnalzte, sich unversehens langsam in die Höhe richten und mit Rührung und
Schamröte sagen: endlich muß mein Herz überfließen und   25
verraten, um zu danken; denn ich bin selbst der weit über-
schätzte Theater-Dichter Theudobach, der es für unsittlich
hält, so aufrichtige Äußerungen, statt sie zu erwidern, an der
Türe der Anonymität bloß zu behorchen. Dies war sein leichter dramatischer Entwurf. In einigen Zeitungen veranlaßte er   30
deshalb noch den Artikel: der bekannte Theater-Dichter
Theudobach werde, wie man vernehme, dieses Jahr das Bad
Maulbronn gebrauchen.

Da es gegen meine Absicht wäre, wenn ich durch das
Vorige ein zweideutiges Streiflicht auf den Dichter würfe: so   35
versprech' ich hier förmlich, weiter unten den Lauf der

Geschichte aufzuhalten, um auseinanderzusetzen, warum ein
großer Theater-Dichter viel leichter und gerechter ein großer
Narr wird als ein andrer Autor von Gewicht; wozu schon
meine Beweise seines größern Beifalls, hoff' ich, ausreichen
5 sollen.

Nieß wußte also recht gut, was er war, nämlich eine Bra-
vour-Arie in der dichterischen Sphärenmusik, ein geistiger
Kaisertee, wenn andere (z. B. viele unschuldige Leser dieses)
nur braunen Tee vorstellen. Es ist überhaupt ein eignes
10 Gefühl, ein großer Mann zu sein – ich berufe mich auf der
Leser eignes – und den ganzen Tag in einem angebornen geistigen Cour- und Kuranzuge umherzulaufen; aber Nieß hatte
dieses Gefühl noch stärker und feiner als einer. – Er konnte
sein Haar nicht auskämmen, ohne daran zu denken, welchen
15 feurigen Kopf der Kamm (seinen Anbeterinnen vielleicht so
kostbar als ein Gold-Kamm) regle, lichte, egge und beherr-
sche, und wie eben so manches Gold-Haar, um welches sich
die Anbeterinnen für Haar-Ringe raufen würden, ganz
gleichgültig dem Kamm in Zähnen stecken bleibe als sonst
20 dem Mexiko das Gold. – Er konnte durch kein Stadttor einfahren, ohne es heimlich zu einem Triumphtor seiner selber
und der Einwohner unter dem Schwibbogen auszubauen,
weil er aus eigner jugendlicher Erfahrung noch gut wußte,
wie sehr ein großer Mann labe – und sah daher zuweilen dem
25 Namen-Registrator des Tors stark ins Gesicht, wenn er
gesagt: Theudobach, um zu merken, ob der Tropf jetzt außer
sich komme oder nicht. – Ja er konnte zuletzt in Hotels voll
Gäste schwer auf einem gewissen einsitzigen Orte sitzen,
ohne zu bedenken, welches Eden vielleicht mancher mit ihm
30 zugleich im Gasthofe übernachtenden Jünglingseele, die
noch jugendlich die Autor-Achtung übertreibt, zuzuwenden
wäre, wenn sie sich darauf setzte und erführe, wer früher da
gewesen. »O, so gern will ich jeden Winkel heiligen zum
gelobten Lande für Seelen, die etwas aus meiner machen –
35 und mit jedem Stiefelabsatze auf dem schlimmsten Wege
wie ein Heiliger verehrte Fußstapfen ausprägen auf meiner

Lebensbahn, sobald ich nur weiß, daß ich Freude errege.«

Sobald Nieß Theodas Brief erhalten – worin die zufällige
Hochzeit der Namen Theoda und Theudobach ihn auf beiden
Fußsohlen kitzelte –, so nahm er ohne weiteres mit einer
Hand voll Extrapostgeld den Umweg über Pira, um der   5
Anbeterin, wie ein homerischer Gott, in der anonymen
Wolke zu erscheinen; und sobald er vollends in der vorletzten
Station im Piraner Wochenblatte die Anzeige des Doktors
gelesen: so war er noch mehr entschieden; dazu nämlich, daß
sein Bedienter reiten und sein Wagen heimlich nachkommen   10
sollte.

In diesen weniger geld- als abgabenreichen Zeiten mag es
vielleicht Nießen empfehlen, wenn ich drucken lasse, daß er
Geld hatte und darnach nichts fragte, und daß er für seinen
Kopf und für seine Köpfe ein Herz suchte, das durch Liebe   15
und Wert ihn für alle jene bezahlte und belohnte.

Mit dem ersten Blick hatte er den ganzen Doktor ausge-
gründet, der mit schlauen grauen Blitz-Augen vor ihn trat,
den Säbelschnäbler streichelnd; Nieß legte – nach einer kurzen Anzeige seiner Person und seines Gesuchs – ein Röllchen 20
Gold auf den Nähtisch mit dem Schwure: »Nur unter dieser
Bedingung aller Auslagen nehm' er das Glück an, einem der
größten Zergliederer *gegenüber* zu sein.« – »Fiat! Es gefällt
mir ganz, daß Sie *rückwärts* fahren, ohne zu vomieren; dazu
bin ich verdorben durch die Jahre.« Der Doktor fügte noch   25
bei, daß er sich freue, mit dem Freunde eines berühmten Dichters zu fahren, da er von jeher Dichter fleißig gelesen, obwohl
mehr für physiologische und anatomische Zwecke und oft
fast bloß zum Spaße über sie. »Es soll mir überhaupt lieb
sein«, fuhr er fort, »wenn wir uns gegenseitig fassen und wie 30
Salze einander neutralisieren. Leider hab' ich das Unglück,
daß ich, wenn ich im Wagen oder sonst jemand etwas soge-
nanntes Unangenehmes sage, für satirisch verschrien werde,
als ob man nicht jedem ohne alle Satire das ins Gesicht sagen
könnte, was er aus Dummheit ist. Indes gefällt Ihnen der   35
Vater nicht, so sitzt doch die Tochter da, nämlich meine, die

nach keinem Manne fragt, nicht einmal nach dem Vater; miß-
lingt der Winterbau, sagen die Wetterkundigen, so gerät der
Sommerbau. Ich fands oft.«

Dem Dichter Nieß gefiel dieses akademische Petrefakt
unendlich, und er wünschte nur, der Mann trieb' es noch
ärger, damit er ihn gar studieren und vermauern könnte in ein
Possenspiel als komische Maske und Karyatide. »Vielleicht
ist auch die Tochter zu verbrauchen in einem Trauerspiele«,
dacht' er, als Theoda eintrat, die von nachweinender Liebe
und von Jugendfrische glänzte, und die durch die frohe
Nachricht seiner Mitfahrt neue Strahlen bekam. Jetzo wollte
er sich in ein interessantes Gespräch mit ihr verwickeln; aber
der Doktor, dem die Aussicht auf einen Abendgast nicht heiter vorkam, schnitt es ab durch den Befehl, sie solle sein
Kästchen mit Pockengift, Fleischbrühtafeln und Zergliede-
rungzeuge packen. »Wir brechen mit dem Tage auf«, sagte er,
»und ich lege mich nach wenigen Stunden nieder. Sic vale!«

Der Menschenkenner Nieß entfernte sich mit dem eiligsten
Gehorsam; er hatte sogleich heraus, daß er für den Doktor
keine Gesellschaft sei – leichter dieser für ihn. Allerdings
äußerte Katzenberger gern einige Grobheit gegen Gäste, bei
denen nichts Gelehrtes zu holen war, und er gab sogar den
Tisch lieber her als die Zeit. Es war für jeden angenehm zu
sehen, was er bei einem Fremden, der, weder besonders aus-
gezeichnet durch Gelehrsamkeit noch durch Krankheit, gar
nicht abgehen wollte, für Seitensprünge machte, um ihn zum
Lebewohl und Abscheiden zu bringen; wie er die Uhr auf-
zog, in Schweigen einsank oder in ein Horchen nach einem
nahen lautlosen Zimmer, oder wie er die unschuldigste Bewegung des Fremden auf dem Kanapee sogleich zu einem Vorläufer des Aufbruchs verdrehte und scheidend selber in die
Höhe sprang, mit der Frage, warum er denn so eile. Beide
Meckel hingegen, die Anatomen, Vater und Sohn zugleich,
hätte der Doktor tagelang mit Lust bewirtet.

6. Summula

Fortsetzung der Abreise durch Fortsetzung des Abschieds.

Am Morgen tat oder war Theoda in der weiblichen Weltge-schichte nicht nur das achte Wunder der Welt – sie war näm-lich so früh fertig als die Männer –, sondern auch das neunte, sie war noch eher fertig. Gleichwohl mußte man auf sie war-ten – wie auf jede. Es war ihr nämlich die ganze Nacht vorge-kommen, daß sie gestern sich durch ihren Freudenungestüm und ihre reisetrunkne Eilfertigkeit bei einem Abschiede von einer Freundin vollends versündigt, deren helle ungetrübte Besonnenheit bisher die Leiterin ihres Brauseherzens gewe-sen – so wie wieder die Leiterin des zu überwölkten Gatten-kopfs – und welche ihre versteckte Wärme immer bloß in ein kaltes Lichtgeben eingekleidet; – und von dieser Freundin so nahe an der Klippe des weiblichen Lebens eilig und freudig geschieden zu sein – dieser Gedanke trieb Theoda gewaltsam noch einmal in der Morgendämmerung zu ihr. Sie fand das Haus offen (Mehlhorn war früh verreiset), und sie kam unge-hindert in Bonas Schlafgemach. Blaß wie eine von der Nacht geschlossene Lilie ruhte ihr stilles Gesicht im altväterischen Stuhle umgesunken angelehnt. Theoda küßte eine Locke – dann leise die Stirn – dann, als sie zu schnarchen anfing, gar den Mund.

Aber plötzlich hob die Verstellte die Arme auf und umschlang die Freundin: »Bist du denn schon wieder zurück, Liebe – sagte wie traumtrunken Bona –, und bloß wohl, weil du deinen Dichter nicht da gefunden?«

»O, spotte viel stärker über die Sünderin, tue mir recht innig weh, denn ich verdiene es wohl von gestern her!« ant-wortete sie und nannte ihr alles, was ihr feuriges Herz drückte. Bona legte die Wange an ihre und konnte, vom vor-frühen Aufstehen ohnehin sehr aufgelöset, nichts sagen, bis Theoda heftig sagte: »Schilt oder vergib!«, so daß jener die heißen Tränen aus den Augen schossen, und nun beide sich in Einer Entzückung verstanden. »O jetzo möchte ich«, sagte

Theoda, »mein Blut, wie dieses Morgenrot, vertropfen lassen
für dich. Ach, ich bin eigentlich so sanft; warum bin ich denn
so wild, Bona?« – »Gegen mich bist du gerade recht«, erwiderte sie; »nur einmal das beste Wesen kann dein wildes ver-
dienen. Bloß gegen andere sei anders!« – »Ich vergesse«, sagte
Theoda, »bloß immer alles, was ich sagen will oder leider
gesagt habe; nur ein Ding wie ich konnte es gestern zu sagen
vergessen, daß ich mich am innigsten nach der erleuchteten
Höhle in Maulbronn wie nach dem Sternenhimmel meiner
Kindheit sehne, meiner guten Mutter halber.« Ihr war nämlich ein unauslöschliches Bild von der Stunde geblieben, wo
ihre Mutter sie als Kind in einer großen, mit Lampen erhellten
Zauberhöhle des Orts – ähnlich der Höhle im Bade Lieben-
stein – umhergetragen hatte.

Beide waren nun Ein ruhiges Herz. Bona hieß sie zum
Vater eilen – wiederholte ihren Rat der Vorsicht mit aller ihr
möglichen Ruhe (ist sie fort, dachte sie, so kann ich gerührt
sein, wie ich will), vergaß sich aber selber, als Theoda wei-
nend mit gesenktem Kopfe langsam von ihr ging, daß sie
nachrief: »Mein Herz, ich kann nur nicht aufstehen vor
besonderer Mattigkeit und dich begleiten; aber kehre ja
deshalb nicht wieder um zu mir!« Aber sie war schon
umgekehrt und nahm, obwohl stumm, den dritten
Abschiedkuß; und so kam sie mit der Augenröte des
Abschiedes und mit der Wangen- und Morgenröte des Tags
laufend bei den Abreisenden an.

7. Summula

Fortgesetzte Fortsetzung der Abreise.

Da der Doktor neben dem Edelmanne auf ihre Ankunft war-
tete: so ließ er noch ein Werk der Liebe durch *Flex* ausüben,
seinen Bedienten. Er griff nämlich unter seine Weste hinein
und zog einen mit Branntwein getränkten Pfefferkuchen her-

vor, den er bisher als ein Magen-Schild zum bessern Verdauen auf der Herzgrube getragen: »Flex«, sagte er, »hier bringe mein Stärkmittel drüben den untern Gerberskindern; sie sollen sich aber redlich darein teilen.« – Der Edelmann stutzte.

»Meiner Tochter, Herr von Nieß«, sagte er, »dürfen Sie nichts sagen; – sie hat ordentlich Ekel vor dem Ekel – wiewohl ich, für meine Person, finde hierin weder einfachen noch doppelten nötig. Alles ist Haut am Menschen, und meine am Bauche ist nur die fortgesetzte von der an den Wangen, die ja alle Welt küßt. Vor den Augen der Vernunft ist das Pflaster ein Pfefferkuchen wie jeder andere im Herzogtume, ja mir ein noch geistigerer.«

»Ich gestehe – versetzte der sich leicht ekelnde Dichter schnell, um nur dem bösen Bilde zu entspringen –, daß mich Ihr Bedienter mit seinem langen Schlepp-Rocke fast komisch interessiert. Wie ich ihm nachsah, schien er mir ordentlich auf Knien zu gehen, wie sonst ein Sieger zum Tempel des Jupiter capitolinus, oder aus der Erde zu wachsen.«

Freundlich antwortete Katzenberger: »Ich habe es gern, wenn meine Leute mir oder andern lächerlich vorkommen, weil man doch etwas hat alsdann. Mein Flex trägt nun von Geburt an glücklicherweise kurze Dachs-Beine, und auch diese sogar äußerst zirkumflektiert, daß, wenn sein Rock lang genug ist, sein Steiß und sein Weg, ohne daß er nur sitzt, halb beisammen bleiben. Diesen komischen Schein seiner Trauerschleppe nütz' ich ökonomisch. Ich habe nämlich einen und denselben längsten Lakaienrock, den jeder tragen muß, Goliath wie David. Diese Freigebigkeit entzweite mich oft mit dem Piraner Prosektor, sonst mein Herzensfreund, aber ein geiziger Hund, der Leute en robe courte – aber nicht en longue robe – hat, und denen er die Röcke zu kurzen neumodischen Westen (nicht zu altmodischen) einschnurren läßt. Setz' ich nun seinem Geize mein Muster entgegen: so verweiset er mich auf die anatomischen Tafeln, nach denen unter den Gegenmuskeln der Hand der Muskel, der sie _zuschließe_, stets

viel stärker sei als der, welcher sie *aufmacht*, und zu jenem
Muskel gehöre noch die Seele, wenn Geld damit zu halten sei.
Daher die Freunde auch die Hände leichter gegeneinander
ballen als ausstrecken. Etwas ist daran.«

Als Theoda kam, hatte der Doktor, der im Vordersitz war-
tete, daß er durch einen Hüften-Nachbar fester gepackt
würde, den verdrüßlichen Anblick, daß das Paar nach langer
Session-Streitigkeit sich ihm gegenüber setzte. Die Tochter
tat es aus Höflichkeit gegen Nieß und aus Liebe gegen ihren
Vater, um ihn anzusehen und seine Wünsche aufzufangen.
Zuletzt sagte dieser im halben Zorn: »Du willst dich sonach
an das Steißbein und Rückgrat des Kutschers lehnen und läßt
ruhig deinen alten Vater, wie ein Weberschiffchen, von einem
Kissen zum andern werfen, he?«

Da erhielt er endlich an seiner hinüberschreitenden Tochter seinen Füllstein, zur höchsten Freude des rücksässigen
Edelmanns, dessen Blicke sich nun wie ein Paar Fliegen
immer auf ihre Augen und Wangen setzen konnten.

8. Summula

Beschluß der Abreise.

Sie fuhren ab . . .

. . . . Aber jetzo fängt für den Absender der Hauptperso-
nen, für den Verfasser, nicht die beste Zeit von Lesers Seite
an; denn da dieser nun alle Verwickelungen weiß, so wird er
mit seiner gewöhnlichen Heftigkeit die sämtlichen Entwicke-
lungen in den nächsten Druckbogen haben wollen und die
Forderung machen, daß in den nächsten Summuln der Rezensent ausgeprügelt werde, dessen Namen er noch nicht
einmal weiß – daß Herr von Nieß seine Larve, als sei er bloß
ein Freund Theudobachs, abwerfe und dieser selber werde –
und daß Theoda darüber erstaune und kaum wisse, wo ihr der
Kopf steht, geschweige das Herz. Tu' ich nun dem Leser den

Gefallen und prügle, entlarve und verliebe, was dazu gehört: so ist das Buch aus, und ich habe erbärmlich in wenig Summuln ein Feuerwerk oder Luftfeuer abgebrannt, das ich nach so großen Vorrüstungen zu einem langen Steppenfeuer von unzähligen Summuln hätte entzünden können. Ich will aber Katzenberger heißen, entzünd' ichs nicht zu einem.

Von jetzt an wird sich die Masse meiner Leser in zwei große Parteien spalten: die eine wird zugleich mich und die andere und diesen Druck-Bogen verlassen, um auf dem letzten nachzusehn, wie die Sachen ablaufen; es sind dies die Kehraus-Leser, die Valetschmauser, die Jüngstentag-Wähler, welche an Geschichten, wie an Fröschen, nur den Hinterteil verspeisen und, wenn sie es vermöchten, jedes treffliche Buch in zwei Kapitel einschmelzten, ins erste und ins letzte, und jedem Kopfe von Buch, wie einem aufgetragnen Hechte, den Schwanz ins Maul steckten, da eben dieser an Geschichten und Hechten die wenigsten Gräten hat; Personen, die nur so lange bei philosophierenden und scherzenden Autoren bleiben, als das Erzählen dauert, wie die Nordamerikaner nur so lange dem Predigen der Heidenbekehrer zuhorchen, als sie Branntwein bekommen. Sie mögen denn reisen, diese Epilogiker. Was hier bei mir bleibt – die zweite Partei –, dies sind eben meine Leute, Personen von einer gewissen Denkart, die ich am langen Seile der Liebe hinter mir nachziehe. Ich heiße euch alle willkommen; wir wollen uns lange gütlich miteinander tun und keine Summuln sparen – wir wollen auf der Bad-*Reise* die Einheit *des Ortes* beobachten, so wie die des Interesse, und häufig uns vor Anker legen. Langen wir doch nach den längsten verzögerlichen Einreden und Vexierzügen endlich zu Hause und am Ende an, wo die Kehraus-Leser hausen: so haben wir unterwegs alles, jede Zoll- und Warntafel und jeden Gasthofschild, gelesen und jene nichts, und wir lachen herzlich über sie.

9. Summula

Halbtagfahrt nach St. Wolfgang.

Theoda konnte unmöglich eine Viertelstunde vor dem Edelmanne sitzen, ohne ihn über Inner- und Äußerlichkeiten seines Freundes Theudobach, von dem Zopfe an bis zu den Sporen, auszufragen. Er schilderte mit wenigen Zügen, wie einfach er lebe und nur für die Kunst, und wie er, ungeachtet seiner Lustspiele, ein gutmütiges liebendes Kind sei, das ebenso oft geliebt als betrogen werde; und im Äußern habe er so viel Ähnlichkeit mit ihm selber, daß er darum sich oft Theudobachs Körper nenne. Himmel! mit welchem Feuer schauete die Begeisterte ihm ins Gesicht, um ihren Autor ein paar Tage früher zu sehen! »Ich habe doch in meinem Leben nicht zwei gleichähnliche Menschen gesehen«, sagte Theoda, der einmal in einem glänzenden Traume Theudobach ganz anders erschienen war als sein vorgebliches Nachbild. »Soll er meiner Tochter gefallen«, bemerkte der Doktor, »so muß die Nasenwurzel des Poeten und die Nasenknorpel samt dem Knochenbau etwas stärker und breiter sein als bei Ihnen, nach ihren phantastischen Voraussetzungen aus seinen Büchern.« Wenn also der Schleicher etwa, wie ein Doppeladler, zwei Kronen durch seine Namen-Maske auf den Kopf bekommen wollte, eine jetzige und eine künftige: so ging er sehr fehl, daß er den Menschen ein paar Tage vor dem Schriftsteller abgesondert vorausschickte; denn jener verhärtete in Theodas Phantasie und ließ sich spröde nicht mehr mit diesem verarbeiten und verquicken, indes umgekehrt bei einer gleichzeitigen ungeteilten Vorführung beider das Schriftstellerische sogleich das Menschliche mit Glimmer durchdrungen hätte.

Nieß warf ohne Antwort die Frage hin, wie ihr sein beziehlich-bestes Stück: »Der Ritter einer bessern Zeit« gefallen, mit welchem er eben in Maulbronn die deklamatorische Akademie anfangen wolle. Da ein Autor bei einem Leser, der ihn wegen eines halben Dutzend Schriften anbetet, stets voraussetzt, er habe alle Dutzende gelesen: so erstaunte er ein wenig über Theodas Freude, daß sie etwas noch Ungelesenes von ihm werde zu hören bekommen. Sie mußte ihm nun – so wenig wurd’ er auf seinem Selberfahrstuhl von Siegwagen des schönen Aufzugs satt – sagen, was sie vorzüglich am Dichter liebe; »großer Gott«, versetzte sie, »was ist vorzüglich zu lieben, wenn man liebt? Am meisten aber gefällt mir sein Witz – am meisten jedoch seine Erhabenheit – freilich am meisten sein zartes heißes Herz – und mehr als alles andere, was ich eben lese.« – »Was lesen Sie denn eben von ihm?« fragte Nieß. »Jetzo nichts«, sagte sie.

Der Edelmann brauchte kaum die Hälfte seiner feinen Fühlhörner auszustrecken, um es dem Doktor abzufühlen, daß er mit seinem verschränkten Gesichte ebenso gut unter dem Balbiermesser freundlich lächeln könnte als unter einem für ihn so widerhaarigen Gespräche; er tat daher – um allerlei aus ihm herauszureizen, worüber er bei der künftigen Erkennsszene recht erröten sollte – die Frage an ihn, was er seines Orts vom Dichter für das Schlechteste halte. »Alles«, versetzte er, »da ich die Schnurren noch nicht gelesen. Mich wunderts am meisten, daß er als Edelmann und Reicher etwas schreibt; sonst taugen in Papiermühlen wohl die groben Lumpen zu Papier, aber nicht die seidnen.« Nieß fragte: ob er nicht in der Jugend Verse gemacht? »Pope – gab er zur Antwort – entsann sich der Zeit nicht, wo er keine geschmiedet, ich erinnere mich derjenigen nicht, wo ich dergleichen geschaffen hätte. Nur einmal mag ich, als verliebter Geßners-Schäfer und Primaner, so wie in Krankheiten sogar die Venen pulsieren, in Poetasterei hineingeraten sein, vor einem dummen Ding von Mädchen – Gott weiß, wo die Göttin jetzt ihre Ziegen melkt. – Ich stellte ihr die schöne Natur vor, die schon dalag, und warf die Frage auf: Sieh, Suse, blüht nicht alles vor uns wie wir, der Wiesenstorchschnabel und die große Gänse-blume und das Rindsauge und das Gichtrose und das Lungen-kraut bis zu den Schlehengipfeln und Birnenwipfeln hinauf? Und überall bestäuben sich die Blumen zur Ehe, die jetzt dein Vieh frißt! – Sie antwortete gerührt: Wird Er immer so an

mich denken, Amandus? Ich versetzte wild: Beim Henker! an
uns beide; wohin ich künftig auch verschlagen und verfahren
werde, und in welchen fernen Fluß und Bach ich auch einst
schauen werde – es sei in die Schweina in Meiningen – oder in
die Besau und die Gesau im Henneberg – oder in die wilde Sau
in Böhmen – oder in die Wampfe in Lüneburg – oder in den
Lumpelbach in Salzburg – oder in die Sterzel in Tyrol – oder
in die Kratza oder in den Galgenbach in der Oberpfalz – in
welchen Bach ich, schwör' ich dir, künftig schauen werde,
stets werd' ich darin mein Gesicht erblicken und dadurch auf
deines kommen, das so oft an meinem gewesen, Suse. – Jetzt
freilich, Herr von Nieß, sprech' ich prosaischer.«

Nieß griff feurig nach des Doktors Hand und sagte: »Das
scherzhafte Gewand verberge ihm doch nicht das weiche
Herz darunter.« – »Ich muß auch durchaus früherer Zeit zu
weich und flüssig gewesen sein – versetzte dieser –, weil ich
sonst nicht gehörig hart und knöchern hätte werden können;
denn es ist geistig wie mit dem Leibe, in welchem bloß aus
dem Flüssigen sich die Knochen und alles Harte erzeugt, und
wenn ein Mann seine Eiszapfenworte ausstößt, so sollte dies
wohl der beste Beweis sein, wie viel weiche Tränen er sonst
vergossen.« – »Immer schöner!« rief Nieß; »o Gott nein!«
rief Theoda im gereizten Tone.

Der Edelmann schob sogleich etwas Schmeichelndes, nämlich einen neuen Zug von Theudobach ein, den er mit ihm
teile, nämlich den Genuß der Natur. »Also auch des Maies?«
fragte der Doktor; Nieß nickte. Hierauf erzählte dieser: Darüber hab' er seine erste Braut verloren; denn er habe, da sie an
einem schönen Morgen von ihren Maigenüssen gesprochen,
versetzt, auch er habe nie so viele gehabt als in diesem Mai
wegen der unzähligen Maikäfer; als er darauf zum Beweise
einige von den Blättern abgepflückt und sie vor ihren Augen
ausgesogen und genossen: so sei er ihr seitdem mehr greuels-
als liebenswürdig vorgekommen, und er habe durch seine
Röselsche Insektenbelustigungen Brautkuchen und Honig-
wochen verscherzt und vernascht.

Nieß aber, sich mehr zur Tochter schlagend, fuhr kühn mit dem Ernste des Naturgenusses fort und schilderte mehre schöne Aussichten ab, die man sah, und von manchen erhabenen Wolken-Partien lieferte er gute Rötelzeichnungen: – als endlich die Partien zu regnen anfingen und selbst herunterkamen. Sogleich rief der Doktor den langröckigen Flex in den Wagen herein als einen Füllstein für Nieß. Diesem entfuhr der Ausruf: »Dies zarte Gefühl hat auch unser Dichter für seine Leute, Theoda!« – »Es ist«, antwortete ihr Vater, »zwar weniger der Mensch da als sein langer Rock zu schonen; aber zartes Gefühl äußert sich wohl bei jedem, den der Wagen verdammt stößt.« Bald darauf kamen sie in *St. Wolfgang* an.

10. Summula

Mittags-Abenteuer.

Gewöhnlich fand der Doktor in allen Wirtshäusern bessere Aufnahme als in denen, wo er schon einmal gewesen war. Nirgends traf er aber auf eine so verzogne Empfangs-Physiognomie als bei der verwittibten, nett gekleideten Wirtin in St. Wolfgang, bei der er jetzt zum zwölften Male ausstieg. Das zweitemal, wo sie in der Halbtrauer um ihre eheliche Hälfte und in der halben Feiertags-Hoffnung auf eine neue ihrem medizinischen Gaste mit Klagen über Halsschmerzen sich genähert, hatte dieser freundlich sie in seiner Amtsprache gebeten: sie möge nur erst den Unterkiefer niederlassen, er wolle ihr in den Rachen sehen. Sie ging wütig-erhitzt und mit vergrößerten Halsschmerzen davon und sagte: »Sein Rachen mag selber einer sein; denn kein Mensch im Hause frißt Ungeziefer als Er.« Sie bezog sich auf sein erstes Dagewesensein. Er hatte nämlich, zufolge allgemein-bestätigter Erfahrungen und Beispiele, z. B. de la Lande's und sogar der Demoiselle Schurmann – welche nur naturhistorischen Laien Neuigkeiten sein können –, im ganzen Wirtshause (dem Kell-

ner schlich er deshalb in den Keller nach) umhergestöbert und
-gewittert, um fette runde Spinnen zu erjagen, die für ihn (wie
für das obengedachte Paar) Landaustern und lebendige Bouil-
lon-Kugeln waren, die er frisch aß. Ja er hatte sogar – um den
allgemeinen Ekel des Wirtshauses, wo möglich, zurechtzu-
weisen – vor den Augen der Wirtin und der Aufwärter reife
Kanker auf Semmelschnitte gestrichen und sie aufgegessen,
indem er Stein und Bein dabei schwur – um mehr anzukö-
dern –, sie schmeckten wie Haselnüsse.

Gleichwohl hatte er dadurch weit mehr den Abscheu als
den Appetit in Betreff der Spinnen und Seiner-Selbst vermehrt, und zwar in solchem Grade, daß er selber der ganzen
Wirtschaft als eine Kreuz-Spinne vorkam, und sie sich als
seine Fliegen. Als er daher später einmal versuchte, dem Kell-
ner nachzugehen, um unten aus den Kellerlöchern seine
mensa ambulatoria, sein Kanarienfutter zu ziehen: so blickte
ihn der Pursche mit fremdem wie geliehenem Grimme an und
sagte: »Fress' Er sich wo anders dick als im Keller!« –

Nichts bekümmerte ihn aber weniger als sauere Gesichter;
der gesunde Sauerstoff, der den größeren Bestandteil seines in
Worte gebrachten Atems ausmachte, hatte ihn daran gewöhnt.

Die Wirtin gab sich alle Mühe, unter dem frohen Gast-
mahle ihn von Theoda und Nieß recht zu unterscheiden zu
seinem Nachteile; er nahm die Unterscheidung sehr wohl auf
und zeigte große Lust, nämlich Eßlust; und ließ, um weniger
der Wirtin als seinen Leuten etwas zu schenken, diesen nichts
geben als seine Tafelreste. Die Wirtin ließ er zusehen, wie er
mit derselben Butter zugleich seine Brotscheiben und seine
Stiefel-Glatzen bestrich, und wie er den Zuckerüberschuß zu
sich steckte, unter dem Vorwande, er hole aus guten Gründen
den Zucker erst hinter dem Kaffee nach im Wagen.

Dennoch schlug ihm eine feine Krieglist, von deren Beob-
achtung er durch Verhaßtwerden abzuziehen suchte, ganz
fehl. Er hatte nämlich unter einer Winkeltreppe ein schätzba-
res Katzennest entdeckt, aus welchem er etwan einen oder

zwei Nestlinge auszuheben gedachte, um sie abends im
Nachtlager, wo er so wenig für die Wissenschaft zu tun
wußte, aufzuschneiden, nachdem er vorher ihnen in der
Tasche aus Mitleiden, zum Abwenden aller Kerkerfieber, die
Köpfe einigemal um den Hals gedreht hätte. Es muß aber   5
wohl von seinem eilften Besuche, wo die Wirtin gerade nach
seiner Entfernung auch die Entfernung einer treuen Mutter
mehrer Kätzchen wahrnahm, hergekommen sein, daß sie,
überall von weiten ihn wie einen Schwanzstern beobachtend,
gerade in der Minute ihm aufstoßen konnte, als er eben ein   10
Kätzchen einsteckte. – »Hand davon, mein Herr! – schrie
sie – nun wissen wir doch alle, wo voriges Jahr meine Kätzin
geblieben – und ich war so dumm und sah das liebe Tier in
Ihrer Tasche arbeiten – o Sie – –.« Den Beinamen verschluckte sie als Wirtin. Aber wahrhaft gefällig nahm er statt 15
des Kätzchens ihre Hand und ging daran mit ihr in die Stube
zurück. »Sie soll da besser von mir denken lernen«, sagte er.
Und hier erzählt' er weitläufig mit Berufen auf Theoda, daß
er selber mehre Katzenmütter halte und solche, anstatt sie zu
zerschneiden, väterlich pflege, damit er zur Ranzzeit gute   20
starke Kater durch die in einer geräumigen Hühnersteige
seufzenden Kätzinnen auf seinen Boden verlocke und diese
Siegwarte neben den Klostergittern ihrer Nonnen in Teller-
oder Fuchseisen zu fangen bekomme; denn er müsse als Professor durchaus solche Siegwarte, teils lebendig, teils abge-   25
würgt, für sein Messer suchen, da er ein für seine Wissenschaft vielleicht zu weiches Herz besitze, das keinen Hund
totmachen könne, geschweige lebendig aufschneiden wie
Katzen. Die Wirtin murmelte bloß: »Führt den Namen mit
der Tat, ein wahrer abscheulicher Katzen-Berger und -Wür-   30
ger.« – Nieß fragte nicht viel darnach, sondern da das erste,
was er an jedem Orte und Örtchen tat, war, nachzusehen,
was von ihm da gelesen und gehalten wurde: so fand er zu
seiner Freude nicht nur im elenden Leihbücher-Verzeichnis
seine Werke, sondern auch in der Wirtsstube einige geliehene 35
wirkliche. Sich gar nicht zu finden, drückt berühmte Männer

stärker, als sie sagen wollen. Nieß erteilte seinen Leihwerken aus Liebe für den Wolfgangischen Leihbibliothekar auf der Stelle einen unbeschreiblichen Liebhaber-Wert (pretium affectionis) bloß dadurch, daß ers einem Voltaire, Diderot und D'Alembert gleichtat, indem er, wie sie, Noten in die Werke machte mit Namens-Unterschrift; – die künftige Entzückung darüber konnte er sich leicht denken.

Während Theoda zwischen dem Dichter und der Freundin hin und her träumte: kam auf einmal der Mann der letzten, der arme Mehlhorn, matt herein, der nicht den Mut gehabt, seinen künftigen Gevatter um einen Kutschensitz anzusprechen. Der Zoller war zwar kein Mann von glänzendem Verstande – er traute seiner Frau einen größern zu –, und seine Ausgaben der Langenweile überstiegen weit seine Einnahme derselben; aber wer Langmut im Ertragen, Dienstfertigkeit und ein anspruchloses redliches Leben liebte, der sah in sein immer freudiges und freundliches Gesicht und fand dies alles mit Lust darin. Theoda lief auf ihn entzückt zu und fragte selbvergessen, wie es ihrer Freundin ergangen, als sei er später abgereiset. Er verzehrte ein dünnes Mittagmahl, wozu er die Hälfte mitgebracht: »Man muß wahrhaftig – sagt' er sehr wahr – sich recht zusammennehmen, wenn man noch zwei Stunden nach *Huhl* hat, und doch nachts wieder zu Hause sein will; es ist aber kostbares Wetter für Fußgänger.«

Theoda zog ihren Vater in ein Nebenzimmer und setzte alle weibliche Röst-, Schmelz- und Treibwerke in Gang, um ihn so weit flüssig zu schmelzen, daß er den Zoller bis nach Huhl mit einsitzen ließ. Er schüttelte kaltblütig den Kopf und sagte, die Gevatterschaft fürchtend: »Auch nähm' ers am Ende gar für eine Gefälligkeit, die ich ihm etwa beweisen wollte.« Sie rief den Edelmann zum Bereden zu Hülfe; dieser brach – mehr aus Liebe für die Fürsprecherin – gar in theatralische Beredsamkeit aus und ließ in seinem Feuer sich von Katzenberger ganz ohne eines ansehen. Dem Doktor war nämlich nichts lieber, als wenn ihn jemand von irgend einem Entschlusse mit tausend beweglichen Gründen abzubringen

anstrebte; seiner eignen Unbeweglichkeit versichert, sah er
mit desto mehr Genuß zu, wie der andere, jede Minute des Ja
gewärtig, sich nutzlos abarbeitete. Ich versinnliche mir dies
sehr, wenn ich mir einen umherreisenden Magnetiseur und
unter dessen Händen das Gesicht eines an menschlichen
Magnetismus ungläubigen Autors, z. B. Biesters, vorstelle,
wie jener diesen immer ängstlicher in den Schlaf hineinzu-
streichen sucht, und wie der Bibliothekar Biester ihm unaufhörlich ein aufgewecktes Gesicht mit blickenden Augen still
entgegenhält. »Gern macht' ich selber«, sagte Nieß, »noch
den kurzen Weg zu Fuß.« – »Und ich mit«, sagte Theoda.
»O! – sagte Nieß und drückte recht feurig die Katzenbergeri-
sche Hand – ja es bleibt dabei, Väterchen, nicht?« – »Natürlich – versetzte letztes –, aber Sie können denken, wie richtig
meine Gründe sein müssen, wenn sie sogar von Ihnen nicht
überwogen werden.« Man schien auf seiten des Paars etwas
betroffen; »auch möcht' ich den guten Umgelder ungern ver-
späten«, setzte der Doktor hinzu, »da wir erst nach dem
Pferde-Füttern aufbrechen, er aber sogleich fortgeht.«

Als sie sämtlich zurückkamen, stand der Mann schon
freundlich da, mit seinem Abschiede reisefertig wartend.
Theoda begleitete ihn hinaus und gab ihm hundert Grüße an
die Freundin mit und den Schwur, daß sie schon diesen
Abend das Tagebuch an sie anfange: »Könnt' ich für Sie
gehen, guter Mann!« sagte sie; und er schied mit einem langen
Dankpsalm, ohne sie sonderlich zu verstehen, so wie sie selber, setz' ich dazu, ebenso wenig den Doktor. Sie wußt' es
aus langer Erfahrung, daß er zudringende Bitten gewöhnlich
abschlug als Anfälle auf seine Freiheit; sie tat sie aber doch
immer wieder und brachte vollends heute den Auxiliar-Poeten mit. Mehlhorn war ihm nicht am meisten als Gevatterbit-
ter verdrießlich, sondern als eine Art Ja-Herr gegen die Frau
und ein Ja-Knecht gegen alle Welt; schwachmütige Männer
aber, sogar gutmütige, konnt' er nicht gut sich gegenüber
sehen, besonders einen halben Tag lang auf dem Rücksitz.

Bald darauf, als die Pferde abgefüttert waren und die Gewinn- und Verlustrechnung abgetan, gab Katzenberger das Zeichen des Abschieds; – es bestand darin, daß er heimlich die Körke seiner bezahlten Flaschen einsteckte. Er führte Gründe für diese letzte Ziehung aus der Flasche an: »Es sei erstlich ein Mann in Paris bloß dadurch ein Millionär geworden, daß er auf allen Kaffeehäusern sich auf ein stilles Korkziehen mit den Fingern gelegt, wobei er freilich mehr ans Stehlen gedacht als an erlaubtes Einstecken; zweitens sei jeder, der eine Flasche fodere, Herr über den Inhalt derselben, wozu der Stöpsel als dessen Anfang am ersten gehöre, den er mit seinem eigenen Korkzieher zerbohren oder auch ganz lassen und mitnehmen könne, als eine elende Kohle aus dem niedergebrannten Weinfeuer.« Darüber suchte Nieß zu lächeln ohne vielen Erfolg.

11. Summula

Wagen-Sieste.

Im ganzen sitzt ohnehin jeder Kutschenklub in den ersten Nachmittagstunden sehr matt und dumm da; das junge Paar aber tat es noch mehr, weil Katzenbergers Gesicht, seitdem er dem armen Schreckens-Gevatter die Wagentüre vor der Nase zugeschlagen, kein sonderliches Rosental und Paradies für jugendlich-gutmütige Augen war, die in das Gesicht hinein und auf den sandigen Weg hinaus sahen. Er selber litt weniger; ihn verließ nie jene Heiterkeit, welche zeigen konnte, daß er sich den Stoikern beigesellte, welche verboten, etwas zu bereuen, nicht einmal das Böse. Indes ist dieser höhere Stoizismus, der den Verlust der unschätzbaren höheren Güter noch ruhiger erträgt als den der kleinern, bei Gebildeten nicht so selten, als man klagt.

Nach einigen Minuten Sandfahrt senkte Katzenberger sein Haupt in Schlaf. Jetzo bekränzte Theoda ihren Vater mit allen

möglichen Redeblumen, um dem Freund ihres Dichters ihre
Tochter-Augen für ihn zu leihen. Besonders hob sie dessen
reines Feuer für die Wissenschaft heraus, für die er Leben und
Geld verschwende, und beklagte sein Los, ein gelehrter einsa-
mer Riese zu sein. Da der Edelmann gewiß voraussetzte, daß   5
die Augen-Sperre des Riesen nichts sei als ein Aufmachen von
ein Paar Dionysius-Ohren, wie überhaupt *Blinde* besser
hören: so fiel er ihr unbedingt bei und erklärte, er staune über
Katzenbergers Genie. Dieser hörte dies wirklich und hatte
Mühe, nicht aus dem Schlafe heraus zu lächeln wie ein Kind,   10
womit Engel spielen. Des blinden optischen Schlafes bedient
er sich bloß, um selber zu hören, wie weit Nieß sein Verlieben
in Theoda treibe; und dann etwa bei feurigen Welt- und
Redeteilen rasch aufzuwachen und mit Schnee und Scherz
einzufallen. Jetzo ging Theoda, die an den Schlummer   15
glaubte, weil ihr Vater sich selten die Mühe der Verstellung
gab, noch weiter und sagte dem Edelmanne frei: »Sein Kopf
lebt zwar dem Wissen, wie ein Herz dem Lieben, aber Sie
springen zu ungestüm mit seiner Natur um. – In der Tat Sie
legen es ordentlich darauf an, daß er sich über Gefühle recht   20
seltsam und ohne Gefühle ausdrücke. Täte dies wohl Ihr
Theudobach?« – »Gewiß – sagt' er –, aber in meinem Sinne.
Denn Ihren Vater, liebreiche Tochter, nehm' ich viel besser
als der Haufe. Mich hindert seine satirische Enkaustik nicht,
darhinter ein warmes Herz zu sehn. Recht geschliffnes Eis ist   25
ein Brennglas. Man ist ohnehin der alltäglichen Liebfloskeln
der Bücher so satt! O dieser milde Schläfer vor uns ist vielleicht wärmer, als wir glauben, und ist seiner Tochter so
wert!« Katzenberger, eben warm und heiß vom nahen Nach-
mittagschlummer, hätt' etwas darum gegeben, wenn ihm sein   30
Gesicht von einem Gespenste wäre gegen den Rücken und
das Kutschen-Fensterchen gedreht gewesen, damit er ungesehen hätte lächeln können; wenigstens aber schnarchte ihn.

   Theoda indes, nie mit einer lauen oder höflichen Überzeugung zufrieden, suchte den Poeten für den Vater noch stärker   35
anzuwärmen durch das Berichten, wie dieser bei dem Scheine

einer geizigen Laune ganz uneigennützig als heilender Arzt
Armen öfter als Vornehmen zu Hülfe eile und dabei lieber in
den seltensten gefahrvollsten als in gefahrlosen Krankheiten
der Schutzengel werde. Jedes Wort war eine Wahrheit; aber
5 die Tochter voll kindlicher und jeder Liebe kam freilich nicht
darhinter, daß ihm eigentlich die Wissenschaft, nicht der
Kranke höher stand als Geld und daß er mit einer gewaltigen
Gegnerin von kranker Natur am liebsten das medizinische
Schach spielte, weil aus der größern Verwicklung die größere
10 Lehrbeute zu holen war; ja er würde für eine stichhaltige
Versicherung der bloßen Leichenöffnung jeden umsonst in
die Kur genommen haben aus Liebe zur Anatomie.

»Vollends aber die Güte, womit mein genialer Vater alle
Wünsche erfüllt, mit welchen ich nicht gerade seinen wissen-
15 schaftlichen Eifer störe, und was er alles für meine Bildung
getan, das kann ich als Tochter leichter in meinem Herzen
verehren als durch Worte andern enthüllen; aber schmerzen
muß es mich jederzeit, wenn ich ihn bei andern, da er Stand
und fremdes Urteil gar zu wenig achtet, ordentlich darauf
20 ausgehen sehe, verkannt zu werden«, beschloß Theoda. – Du
warme Verblendete! – So wie wir alle merken, bildet sie sich
ein, den Poeten Nieß durch Preisen für ihren Vater zu gewinnen, für einen Mann, der ihm doch ins Gesicht gesagt, seine
Nasenwurzel sei zu dünn. Schwerlich sind *Wurzelwörter*
25 eines solchen Ärgers je auszuziehen, und aus der Nasenwurzel wird in Nieß – da es etwas anderes sein würde, wäre statt
der Eitelkeit bloß sein Stolz beleidigt worden – immer etwas
Stechendes gegen den Doktor wachsen.

Dafür aber zog sich aller Weihrauch, den die Tochter für
30 den Vater anbrannte, auf sie selber zurück in Nießens Nase,
und am Ende konnt’ er sie kaum anhören vor Anblicken; so
daß ihm nichts fehlte zu einer poetischen Umhalsung Theodas als der wahre Schlaf des schnarchenden Fuchses. Indes
ging er auf andere Weisen über, Lieben auszusprechen, und
35 legte solche an einem bekannten Theudobachischen Schauspiel: »Die scheue Liebe« zergliedernd auseinander. Ein Büh-

nen-Dichter vieler Stücke oder ein Kunstrichter aller Stücke
hat oder ist leicht eine Schiff- und Eselbrücke in ein Weiberherz. Darüber versank doch der Doktor vor Langweile aus
dem vorgeträumten Schlaf in einen echten, und zwar bald
nach Nießens schönen wahren Worten: »Jungfräuliche Liebe   5
schlummert wohl, aber sie träumt doch.«

Als er ganz spät aufwachte, sagt' er, halb im Schlafe:
»Natürlich schläft sie und träumt darauf.« Nur Nießen war
dieser ihm zugehörige Sinnspruch deutlich und erinnerlich,
und er dachte leise: »Seht den Dieb!«   10

Eben watete ihnen im Sande ein Bekannter der Familie
entgegen, der sogleich sich umkehrte und in die Taschen griff,
als er den Wagen erblickte. Es ist bekannt, daß es der Winkel-
Schul-Direktor *Würfel* war, ein feines Männchen. Der Doktor ließ ihm schnell nachfahren, um das Umwenden zu   15
begreifen. Eingeholt kehrte der Direktor sich wieder um und
verbeugte sich stufenweise vor jedem. Der Doktor fragte,
warum er immer so umkehre. »Er sei«, sagte er, »so unglücklich gewesen, sein Taschenbuch in Huhl zu vergessen; und
jetzt so glücklich geworden, indem ers hole, eine solche   20
Gesellschaft immer vor Augen, wenn auch von weitem, zu
haben.« – »So nehmen Sie hier Rücksitz und Stimme«, sagte
der Doktor zu Nießens Verwunderung.

Der Winkel-Schul-Direktor war lange, wohl zehnmal,
adeliger Haus- und Schloß-Lehrer gewesen – hatte mehr als   25
hundert Hausbällen zugeschaut und getraute sich, jede ade-
lige Schülerin noch anzureden, wenn sie mannbar geworden –
wie der alte Deutsche im Trunke keusch blieb, so war er stets
mitten unter den feinsten Dessertweinen nicht nur keusch,
sondern auch nüchtern geblieben, weil er den schlechtesten   30
bekam – und war überhaupt an den Tischen seiner Herren
tafelfähig, wenn auch nicht stimmfähig gewesen. Dieses
Durchwälzen durch die feine Welt hatt' an ihm so viele ele-
gante Sitten zurückgelassen, als er zu oft an Spezial-, ja an
Generalsuperintendenten vermißte; so daß ihm öfter nichts   35
zum vollständigsten feinsten Fat fehlte als der Mut; aber er

glich dem Prediger, welcher auf der Kanzel mitten zwischen seinen heiligsten Erhebungen über die Erde und deren Gaben von Zeit zu Zeit die Dose aufmacht und schnupft. Dabei hatte er durch langes Erziehen fast alle Sprachen und Wissenschaf-
5 ten samt übriger Bildung in den Kopf bekommen, die ihm, wie einem armen Postknechte Reichtümer und Prinzen, zu nichts halfen, als daß er sie weiter zu schaffen hatte. Da er indes kein Wort sagte, das nicht schon einen Verleger und Verfasser gehabt hätte: so hörte man seine Schüler lieber als
10 ihren Lehrer.

Dieser Winkelschul-Direktor hatte nun einst mit Theoda Theudobachs Stücke ins Englische und sich dabei (da sie nur eine Bürgerliche war) in einen Liebhaber und in den Himmel übertragen. Eben deshalb hatte ihm der Doktor, der in Herz-
15 sachen Scherz verstand und suchte, einen Sitz neben dem zweiten Liebhaber Nieß ausgeleert: »Ich sehe«, sagte er, »nichts lieber miteinander spielen als zwei Hasen, ausgenommen den Fuchs mit dem Hasen.«

Es ging anders. Theoda stellte vor allen Dingen den Viel-
20 wisser Würfel – dem sie freudig alles schenkte, sich ausgenommen – unserem Freunde des ins Englische verdolmetsch-
ten Dichters vor. Da fing das lange Zergliedern des Dichters (Nieß war der Prosektor) an, jedes Glied wurde durch kriti-
sches Zerschneiden vervielfacht und vergrößert und zum Prä-
25 parat der Ewigkeit ausgespritzt und mit Weingeist beseelt. Bloß der Hör-Märterer Katzenberger litt viel bei der ganzen Sache und war der einzige Mann in diesem feurigen Ofen, der sich nicht mit Singen helfen konnte. Nieß zeigte überall die leichte Weltmanns-Wärme eines feurigen Juwels. Würfel
30 zeigte eine Schmelzofenglut, als wären in seiner die poeti-
schen Gestalten erst fertig zu gießen; Theoda zeigte eine Französin, eine Deutsche und eine Jungfrau und ein Sich. Indes sah der helle Edelmann aus jedem Worte Würfels, wie dieser den Theudobachischen Sockus und Kothurn nur in ein
35 Fahrzeug verkehre, um darin auf einer von den schönen Freundschaft-Inseln Theodas anzulanden; je mehr daher der

Direktor den Dichter erhob, desto mehr erboste sich der
Edelmann. Doch blieben beide, Nieß und Theudobach, so
fest und fein und studierten die Menschen und wollten weniger die Schuldner einer (dichterischen) Vergangenheit sein als
einer (prosaischen) Gegenwart; Nieß wollte zugleich als   5
Münzer und als Münze gelten.

Vom Dichten kommt man leicht aufs Lieben, und indem
man ideale Charaktere kritisiert, produziert man leicht den
eigenen, und ein gedruckter Roman wird das Getriebe und
Leitzeug eines lebendigen. Würfel stach hier mehr durch   10
Feinheit hervor, Nieß durch Keckheit. Jener zeigte einen
Grad von romantischer Delikatesse, der seinen Stand verriet,
nämlich den mittlern. Ich kann hier aus eigner Erfahrung die
Weiber der höhern Stände versichern, daß, wenn sie eine
romantischere zärtere Liebe kennen wollen als die galante,   15
höhnende, atheistische ihrer Weltleute, sie solche in meinem
Stande finden können, wo mehr Begeisterung, mehr Dichter-
Liebe, und weniger Erfahrung herrscht; und es sollte diese
Bemerkung mich um so mehr freuen, wenn ich durch sie zum
Glücke manches Hofmeisters und dessen hoher Prinzipalin   20
etwas beigetragen hätte; meines wäre mir denn Belohnung
genug.

Niemand war wiederum in der Kutsche zu bedauern als der
Blutzeuge Katzenberger, dem solche Diskurse so mild in die
Ohren eingingen wie einem Pferde der Schluck Arzenei, den   25
man ihm durch die Nasenlöcher einschüttet. Um aber mit
irgend etwas seinem Ohre zu schmeicheln, brachte er einen
feinen Iltispinsel heraus und steckte ihn in den rechten
Gehörgang bis nahe ans Paukenfell und wirbelte ihn darin
umher; er versicherte die Zuschauer, hierin sei er ganz der   30
Meinung der Sineser, wovon er die Sitte entlehne, welche
diesen Ohrenkitzel und Ohren-Schmaus für den Himmel auf
Erden halten.

Da aber die Menschen immer noch links hören, wenn sie in
Lust-Geschäften rechts taub sind: so vernahm er noch viel   35
vom Gespräch. Er fiel daher in dieses mit ein und berichtete:

Auch er habe sonst als Unverheirateter an Heiraten gedacht und nach der damaligen Mode angebetet – was man zu jener Zeit Adorieren geheißen –; doch sei einem Manne, der plötzlich aus dem strengen mathematisch-anatomischen Heerlager
5 ins Kindergärtchen des Verliebens hinein gemußt, damal zumute gewesen wie einem Lachse, der im Lenze aus seinem Salz-Ozean in süße Flüsse schwimmen muß, um zu laichen. Noch dazu wäre zu seiner Zeit eine bessere Zeit gewesen – damal habe man aus der brennenden Pfeife der Liebe polizei-
10 mäßig nie ohne Pfeifendeckel geraucht – man habe von der sogenannten Liebe nirgend in Kutschen und Kellern gesprochen, sondern von Haushalten, von Sich-Einrichten und Ansetzen. So gesteh' er z. B. seinerseits, daß er aus Scham nicht gewagt, seine Werbung bei seiner durch die ausgesognen
15 nen Maikäfer entführten Braut anders einzukleiden als in die wahrhaftige Wendung: nächstens gedenke er sich als Geburtshelfer zu setzen in Pira, wisse aber leider, daß junge Männer selten gerufen würden und schwache Praxis hätten, so lange sie unverehlicht wären. – »Freilich«, setzte er hinzu, »war ich
20 damals hölzern in der Liebe, und erst durch die Jahre wird man aus weichem Holze ein hartes, das nachhält.«

»Bei der Trennung von Ihrer Geliebten mag Ihnen doch im Mondscheine das Herz schwer geworden sein?« sagte der Edelmann. »Zwei Pfund – also halb so schwer als meine
25 Haut – ist meines wie Ihres bei Mond- und bei Sonnenlicht schwer«, versetzte der Doktor. »Sie kamen sonach über die empfindsame Epoche, wo alle jungen Leute weinten, leichter hinweg?« fragte Nieß. »Ich hoffe«, sagt' er, »ich bin noch darin, da ich scharf verdaue, und ich vergieße täglich so viele
30 stille Tränen als irgend eine edle Seele, nämlich vier Unzen den Tag; nur aber ungesehen (denn die Magenhaut ist mein Schnupftuch); unaufhörlich fließen sie ja bei heilen guten Menschen in den knochigen Nasenkanal und rinnen durch den Schlund in den Magen und erweichen dadrunten manches
35 Herz, das man gekäuet, und das zum Verdauen und Nachkochen da liegt.«

Ich weiß nicht, ob ich mich irre, aber mir kommt es vor, als ob der Doktor seit dem schlafwachen Anhören der Lobreden, welche Theoda seinem liebereichen Herzen vor dem Poeten Nieß gehalten, ordentlich darauf ausginge, mehr Essigsäuere, d. h. Sauersauer aufzuzeigen; – ähnlich säh' ihm dergleichen ganz, und lieber schien er aus Millionen Gründen härter als weicher.

Als daher Nieß, um den seltenen Seefisch immer mehr für seine dichterische Naturalienkammer aufzutrocknen, eine neue Frage tun wollte, fuhr Theoda ordentlich auf und sagte: »Herr von Nieß, Sie sind im Innerlichen noch härter als mein Vater selber.«

– »So«, sagte der Doktor, »noch härter als ich? Es ist wahr, die weibliche Sprache ist wie die Zunge weich und linde zu befühlen, aber diese sanfte Zunge hält sich hinter den Hundzähnen auf und schmeckt und spediert gern, was diese zerrissen haben.« Hier suchte der feine Würfel auf etwas Schöneres hin abzulenken und bemerkte, was bisher Theoda nicht gesehen: »Dort schreite schon lange Herr Umgelder Mehlhorn so tapfer, daß ihn der Kutscher schwerlich auf dem höckerigen Wege überhole.« Als dies der Kutscher vernahm, dem schon längst der nicht einzuholende Zoller eine bewegliche Schandsäule und Höllenmaschine gewesen: so fuhr er galoppierend in die

12. Summula

– die Avantüre –

hinein und warf an einem schiefgesunkenen Grenzstein leicht, wie mit einer Wurfschaufel, den Wagen in einen nassen Graben hinab. Katzenberger fuhr als Primo Ballerino zuerst aus der Schleudertasche des Kutschers, griff aber im Fluge in die Halsbinde des Schuldirektors wie in einen Kutschen-Lakaien-Riemen ein, um sich an etwas zu halten; – Würfel seines

Orts krallte nach Flexen hinaus und in dessen Fries-Ärmel ein und hatte unten im Graben den mitgebrachten Fries-Aufschlag in der Hand; – Nieß, das Gestirn erster Größe im Wagen, glänzte unten im Drachenschwanze seiner Laufbahn,
5 nahm aber mehr die Gestalt eines Haarsterns an, weil er die Theodasche Perücke nach sich gezogen, an die er sich laut wehklagend unterwegs hatte schließen wollen; – Theoda war durch kleines Nachgeben gegen den Stoß und durch Erfassen des Kutschenschlages diagonal im Wagen geblieben; – Flex
10 ruhte, den Kutscher noch recht umhalsend, bloß mit der Stirn im Kote, wie ein mit dem Gipfel vorteilhaft in die Erde eingesetzter Baum.

Erst unten im Graben und als jedermann angekommen war – konnte man wie in einem Unterhause auf Herauskommen
15 stimmen und an Einhelligkeit denken. Katzenberger votierte zuerst, indem er die Hand aus Würfels Halsbinde nahm und dann auf dem Rückgrate des Schuldirektors wie auf einer flüchtigen Schiffbrücke wegging, um nachher auf Flexen aufzufußen und sich von da, wie auf einem Gaukler-Schwung-
20 brett, leicht ans Ufer zu schwingen. Es gelang ihm ganz gut, und er stand droben und sah hernieder.

Hier konnte er nicht ohne wahre Ruhe und Lust so leicht bemerken, wie die andern Hechte im Graben-Wasser schnalzten, aus Verlegenheit. Flexens Rückgrats-Wirbel
25 wurden ein allgemeines, aber gutes Trottoir, und der Schuldirektor schlug willig diesen Weg ein. Am Ufer zog der Doktor ihn an der Halsbinde nach kurzem Erwürgen ans Ufer, wo er unaufhörlich sich und seinen Kleider-Bewurf besah und zurückdachte. Auch der untergepflügte Dichter bekroch Fle-
30 xen und bot dem Doktor die Hand, an deren Ohrfinger dieser ihn mit kleiner Verrenkung dadurch aufs Trockne zog, daß er selber sich rückwärts bog und umfiel, als jener aufstand. Was noch sonst aus dem Nilschlamme halb lebendig aufwuchs, waren nur Leute; aber diese waren am nötigsten zum Aufhel-
35 fen, sie waren die Flügel, die Maschinen-Götter, die Schutzheiligen, die Korkwesten des Wagens im Wasser.

Mehlhorn für seine Person war herbeigesprungen und
stand auf dem umgelegten Kutschenschlage fest, in welchen
er unaufhörlich seinen Hülf-Engels-Arm umsonst Theodan
hineinreichte, um sie um den Schlag herum- und aufzuzie-
hen – bis ihn der Kutscher von seinem Standort wegfluchte,   5
um den Wagen aufzustellen.

Delikate Gesellschaftknoten werden wohl nie zärter aufgelöset als von dem Wurfe in einen Graben, gleichsam in ein
verlängertes Grab, wobei das allgemeine Interesse wenig
verliert, wenn noch dazu Glieder der Mitglieder verrenkt   10
oder verstaucht sind oder beschmutzt. Die Freude ging allgemein wie eine Luna auf; das Städtchen Huhl lag vor der
Nase, und jeder mußte sich abtrocknen und abstäuben und
deshalb vorher übernachten. Nur Würfel, der aus dem Örtchen sein Taschenbuch zurückzuholen hatte, mußt' ver-   15
drüßlich daraus heimeilen mit der nassen Borke am besten
Vorderwestchen; eine halbe Nacht und einen ganzen Weg
voll Nachtluft mußt' er dazu nehmen, um so trocken anzu-
langen, als er abgegangen. Katzenberger machte weniger aus
dem Kot, von welchem er seine eigne Meinung hegte, wel-   20
che diese war, daß er ihn bloß als reine Adams-Erde, mit
heiligem Himmelwasser getauft, darstellte und dann die
Leute fragte: Was mangelt dem Dreck? Bloß den dachsbeini-
gen Flex schalt er über dessen schweres Schleppkleid so:
»Fauler Hund, hättest du dich nicht stracks aufrichten kön-   25
nen, sobald ich von dir aufgesprungen war? Warum ließest
du dich von allen immer tiefer eintreten? Und warum gabst
du dem unbedachtsamen Würfel nicht nach und ließest dich
vom Bocke herunterreißen, anstatt meines Livrei-Auf-
schlags? He, Mensch?« – »Das weiß ich nicht«, versetzte   30
Flex, »das fragen Sie einen andern.«

13. Summula

Theodas ersten Tages Buch.

Die Destillation hinabwärts (dest. per descens.), wie der
Doktor den Grabenfall nannte, brachte manches Leben in
den Abend. Er selber behielt alles an und war sein Selb-Trok-
kenseil.

Nieß konnte die Einsamkeit der abwaschenden Wiederge-
burt zum Nachschüren von neuem Brennstoff für Theoda
verwenden. Er sann nämlich lange auf treffliche Sentenzen
über die Liebe und grub endlich folgende in die Fenstertafel
seines Zimmers: »Das liebende Seufzen ist das Atmen des
Herzens. – Ohne Liebe ist das Leben eine Nacht in einer
Mondverfinsterung; wird aber diese Luna von keiner Erde
mehr verdeckt, so verklärt sich mild die Welt, die Nachtblu-
men des Lebens öffnen sich, die Nachtigallen tönen, und
überall ist Himmel. Theudobach, im Junius.«

Theoda schrieb eiligst folgende Tagebuchblätter, um sie
dem Mehlhorn noch mitzugeben:

»Du teures Herz, wie lange bin ich schon von dir weg
gewesen, wenn ich Zeit und Weg nach Seufzern messe! Und
wann werd' ich in dein Haus springen oder schleichen? Gott
verhüte letztes! Ein Zufall – eigentlich ein Fall in einen Graben – hält uns alle diese Nacht in Huhl fest; leider kommen
wir dann erst morgen spät in Maulbronn an; aber ich habe
doch die Freude, deinem guten Manne mein Geschreibsel
aufzupacken. Der Gute! Ich weiß wohl, warum du mir nichts
von seiner gleichzeitigen Reise gesagt; aber du hast nicht recht
gehabt. Mein Vater setzte auf eine Stunde den raffinierten
Zuckerhut Würfel in den Wagen; seine Weste litt sehr beim
Umwerfen. Insofern war mirs lieb, daß dein Mann nicht mit-
gefahren; wer steht für die Wendungen des Zufalls? – Ich
habe, Herzige, deinen Rat – denn in der Ferne gehorcht man
leichter als in der Nähe – treu befolgt und heute fast nichts
getan als Fragen an den Edelmann über den Dichter. Dieser
ist selber – höre – bloß die beste erste Ausgabe seiner Bücher,

eine Prachtausgabe, wenn nicht besser, wenigstens milder als
seine Stachelkomödien. Niemand hat sich vor seinem Auge
oder Herzen zu scheuen. Er lief schon als Kind gern auf Berge
und in die Natur; und so war er auch schon als Kind vor
seinem neunten Jahre unsterblich verliebt. Närrisch ists   5
doch, daß man dergleichen an großen Menschen als so etwas
Großes nimmt, da man ja bei sich und andern nicht viel daraus macht. – Herr von Nieß erzählte mir eine köstliche, längst
abgeschloßne Geschichte von seiner ersten Liebe, als eines
Knaben voll Zärte und Glut und Frömmigkeit; sie soll dir   10
einmal wohltun, wenn ich sie dir in dein Wochenbett hinein-
werfe. Nur machts der liebe Vater durch Mienen und Worte
jedem gar zu schwer, dergleichen vorzutragen – anzuhören
weniger, denn ich bin an ihn gewöhnt –; er wirft oft, wie du ja
weißt, Eisspitzen ins schönste Feuer, auf die niemand in ganz   15
Pira gefallen wäre, und bringt damit den Gerührtesten zum
Lachen. Er nennt unser ewiges Sprechen über unsern Dichter
ein holländisch-langes Glockenspiel. Freilich kennt ihn Herr
von Nieß nicht oder will es nicht; so seltsam fragt er ihn an.
Ich habe dir ihn überhaupt noch nicht gemalt, so mag er mir   20
denn sitzen auf dem Kutschenkissen. Recht klug wird man
nicht aus ihm; er wirft nicht sich, aber das Geld weg (fast zu
sehr) – Er schimmert und schneidet, wie der Demant in seinem Ringe; und ist doch weich dabei und stets auf der Jagd
nach warmen Augenblicken – Ein Held ist er auch nicht, ja   25
nicht einmal eine Heldin; vor dem kleinsten Stachelchen fährt
er in die Bienenkappe – wie ich der nachher meine eigne
Perücke als Beweis und Bienenkappe vorzeigen will – Übrigens hat er alle nachgiebige Bescheidenheit des Weltmannes,
der sich auf die Voraussetzung seines Werts verläßt – und   30
dabei fein-fein und *sonst mehr.* – Dies ist aber eben der Punkt:
von sich spricht er fast kein Wort, unaufhörlich von seinem
Jugendfreunde, dem Dichter, gleichsam als wäre sein Leben
nur die Grundierung für diese Hauptfigur. Auffallend ists,
daß er nicht mit dem feurigen Gefühl, wie etwan ich, von ihm   35
redet, sondern fast ohne Teilnahme (er berichtet bloß Tatsa-

chen), so daß es scheint, er wolle nur meinem Geschmacke zu
Gefallen reden und dabei unter der Hand für jemand anders
den Angelhaken auswerfen als für unsern Theudobach. Zwischen diesem Namen und dem meinigen find' er etymolo-
5 gisch, sagt' er, nur den Unterschied des Geschlechts, worüber ich ordentlich zusammenfuhr, weil ich nie darauf gefallen war. Aber, warum sagt er mir solches angenehme Zeug,
da er doch sieht, daß er mich nur durch ein ganz fernes Herz
in Flammen setzt? Eilte dein Mann nicht so fürchterlich:
10 wahrlich, ich wollte vernünftig schreiben. Ich sage dir don-
nerstags alles, wenn es auch der Freitag widerlegt. In der
Fremde ist man gegen Fremde (ja gegen Einheimische) weniger fremd als zu Hause; ich fragte geradezu Herrn von Nieß,
wie der Dichter aussehe. ›Wie stellen Sie sich ihn denn vor?‹
15 fragt' er. ›Wie die edleren Geschöpfe dieses Schöpfers selber
(versetzt' ich). Er soll und wird aussehen wie ein nicht zu
junger Ritter der alten Zeit – vorragend auch unter Männern –
Er muß Augen voll Dichter- und Kriegerfeuer haben, und
doch dabei solche Herzens-Lieblichkeit, daß er sein Pferd
20 ebenso gut streichelt als spornt und ein gefallnes Kindchen
aufhebt und abküßt, eh' ers der Mutter reicht – Auf seiner
Stirn müssen ohnehin alle Welten stehen, die er geschaffen,
samt den künftigen Weltteilen – Köstlich muß er aussehen –
Der Bergrücken seiner Nase . . . . . – (Hier, Bona, dacht' ich
25 an deinen Rat.) Nun Sie haben ja die Nase selber gesehen, und
ich gedenke, das auch zu tun.‹

  Hierauf versetzte Herr von Nieß: ›Vielleicht sollt' er,
Demoiselle, diese Gestalt nach Maler-Ideal haben; aber leider
sieht er fast so aus wie ich.‹
30   Gewiß hab' ich darauf ein einfältiges Staun-Gesicht gemacht und wohl gar die Antwort gegeben: ›Wie Sie?‹ –
Überhaupt schien meine zu lebhafte Vorschilderei seines
Freundes ihn nicht sonderlich zu ergötzen. – ›Theoda und
Theudobach – fuhr er fort – behalten ihre Ähnlichkeit sogar
35 in der Statur; denn Er ist so lang als ich.‹ – ›Nein‹, unterfuhr
ich, ›dann ist er kürzer als ich; eine Frau, die so lang ist als ein

Mann, ist länger als ein Mann.‹ – Es schwollen beinahe Gift-
blasen mir auf, gesteh' ich gern. Es verdroß mich das ewige
Prahlen mit der körperlichen Ähnlichkeit Theudobachs bei
so wenig geistiger. Ich denke an seine unritterliche Furcht
und an meine Perücke beim Wagen-Umwurf. Er wollte sich   5
an meinen Kopf anhalten, um seinen zu retten. Raufen aber
ist eine eigne Weise, einem Mädchen den Kopf zu verrücken.
Mein Vater wird ihn mit dieser Perücke, womit er in die
Grube gefahren, noch oft fegen, wie die Bedienten in Irland
damit die Treppen kehren.   10

   Freilich wars an ihn eine dumme Mädchenfrage, die ich
nachher getan, wie ich dir beichten will. Aber wer machts
denn anders? Die Leserinnen eines Dichters sind alle seine
heimlichen Liebhaberinnen – die Jünglinge machen es mit
Dichterinnen auch nicht besser –; und wir denken bei einem   15
Genie, der Ehre unseres Geschlechts wegen, zuerst an die
Frau, die der große Mann uns allen vorgezogen und die wir
als die Gesandtin unseres Geschlechts an ihn abgeschickt.
Auf seine Frau sind wir sogar neugieriger als auf seine Kinder,
die er ja nur bekommen und selten erzieht. Ob ich mich gleich   20
einmal tapfer gegen meinen Vater gewehrt, da er sagte, an
einem Poeten zögen wir den Kniefall dem Silbenfall vor, ein
Paar Freierfüße sechs Versfüßen, Schäferstunden den Schä-
ferliedern und wären gern die Hausehre einer Deutschlands-
Ehre: so hatt' er doch halb und halb recht. – Die dumme   25
Mädchenfrage war nämlich die: ob der Dichter eine Braut
habe. – ›Wenigstens bei meiner Abreise noch nicht‹, versetzte
Nieß. – ›O ich wüßte‹, sagt' ich, ›nichts Rührenderes, als eine
Jungfrau mit dem Edeln am Traualtare stehen zu sehen, welchen sie im Namen einer Nachwelt belohnen soll; sie sollte   30
mir meine heiligste Schwester sein, und ich wollte sie lieben
wie ihn.‹ – ›Wahrlich, Sie könnten es‹, sagte Nieß mit unnütz-
feiner Miene.

   O Gott, zanke nur hier über nichts, du Hellseherin. Ach
mein Gesicht-Lärvchen – wahrlich mehr eine komische als   35
tragische Maske – gibt mir keine Einbildungen, weil ich doch

damit keinem Manne gefallen kann als einem halbblinden, der, wie du, nichts verlangt als ein Herz; aber der freilich sollte dieses denn auch ganz haben, mit allen Kammern und Herzohren und Flämmchen darin, und mein kleines Leben hinterdrein.

Ich wollt', es gäbe gar keine Männer, sondern die göttlichsten Sachen würden bloß von Weibern geschrieben; warum müssen gerade jene einfältigen Geschöpfe so viel Genie haben, und wir nichts? – Ach, wie könnte man einen Rousseau liebhaben, wenn er eine Frau wäre!

Gute Nacht, meine Seele! So viel Himmel, als nur hineingeht, komme in dein Herzchen! Th.«

14. Summula

Mißgeburten-Adel.

Der Wirt, der die Gesellschaft immer hinter Büchern und Schreibfedern sah, vermutete, er könne sie als Ziehbrunnen benutzen und seinen Eimer einsenken; er brachte ein Werk in Folio und eins in Oktav zum Verkaufe getragen. Das kleinere war ein zerlesener Band von Theudobachs Theater. Aber der Doktor sagte, es sei kein Kauf für das Gewissen seiner Tochter, da das Buch vielleicht aus einer Leihbibliothek unrechtmäßig versetzt sei. Auch fragt' er sie, ob sie denn nicht glaube, daß in Maulbronn der Dichter selber sie als seine so warme Anbeterin und Götzen-Dienerin mit einem schönen Freiexemplare überraschen werde, das er wieder selber umsonst habe vom Verleger. »Ich komme ihm zuvor«, sagte Nieß, »ich habe von ihm selber fünf Prachtexemplare zum Geschenk und gebe gern eines davon um den Preis hin, den es mich kostet.« Theoda hatte Zweifel über das Annehmen, aber der Vater schlug alle nieder und sagte zum Edelmanne mit närrischen Grimassen: »Herr von Nieß, ich mache von so etwas Genießbaren Nießbrauch so wie von allen kostspieli-

gen Auslagen, die Sie bisher auf der Reise vorschossen, weil
Sie vielleicht wissen, daß ich ein schlechter Zahl- und Rechen-
meister bin; aber am Ende der Reise, hoff' ich, sollen Sie mich
kennen lernen.« Nieß bat Theoda in sein Zimmer zu folgen,
wo er ihr vom Dichter vielleicht noch etwas Lieberes zu   5
geben habe als das Gedruckte.

Er führte sie vor die oben gedachte Fensterscheiben-
Inschrift. Als sie die Theudobachische Hand und die schönen
Liebeworte erblickte und nun gewiß wußte, daß sie, den
Boden und die Nachbarschaft mit ihrem Helden teilend,   10
gleichsam in dessen Atmosphäre gekommen, wie die Erde in
die der Sonne*: so zitterte das Herz vor Lust, und die Prachtausgabe verlor fast gegen die Fenster-Schrift. Nieß sah das
feuchte Auge und hielt sich mit Gewalt, um nicht mit dem
Bekenntnis seines zweiten Namens ihr ans Herz zu fallen,   15
aber ihre Hand drückte er heftig und malte gerührt den Thea-
terstreich am Fenster nicht weiter aus.

Beide gingen halb trunken zum Doktor zurück. Dieser
hatte eben teuer den Folioband vom Wirte erhandelt, nämlich
Sömmerings Abbildungen und Beschreibungen einiger Miß-   20
geburten, die sich ehemals auf dem anatomischen Theater zu
Kassel befanden. Fol. Mainz 1791. Nicht nur das Paar, auch
der Wirt sah, mit welchem Entzücken er die Mißgeburten
verschlang. Da nun ein Wirt, wie jeder Handelmann, bei
jedem Käufer ungern aufhört zu verkaufen, so sagte der Wirt: 25
»Ich bin vielleicht imstande, einem Liebhaber mit einer der
veritabelsten ausgestopften Mißgeburten aufzuwarten, die je
auf acht Beinen herumgelaufen.« – »Wie, wo, wenn, was?«
rief der Doktor, auf den Gastwirt rennend. »Gleich!« versetzte dieser und entschoß.   30

»Gott gebe doch«, fing Katzenberger an, gegen den Edelmann sich wendend, »daß er etwas wahrhaft Mißgebornes
bringt. Ich weiß nicht, haben Sie meine de monstris epistola
gelesen oder nicht; inzwischen habe ich darin ohne Bedenken

---

* Das Zodiakal-Licht wird für den in die Laufbahn der Erde hineinreichenden
Dunstkreis der Sonne gehalten.

die allgemeine Gleichgültigkeit gegen echte Mißgeburten
gerügt und es sei frei heraus gesagt, wie man Wesen vernachläs-
sigt, die uns am ersten die organischen Baugesetze eben durch
ihre Abweichungen gotischer Bauart lehren können. Gerade
5 die Weise, wie die Natur zufällige Durchkreuzungen und
Aufgaben (z. B. zweier Leiber mit Einem Kopfe) doch orga-
nisch aufzulösen weiß, dies belehrt. Sagen Sie mir nicht, daß
Mißgeburten nicht bestehen, als widernatürlich; jede mußte
einmal natürlich sein, sonst hätte sie nicht bis zum Leben und
10 Erscheinen bestanden; und wissen wir denn, welche versteckte organische Mißteile und Überteile eben auch Ihrem
oder meinem Bestehen zuletzt die Ewigkeit nehmen? Alles
Leben, auch nur Einer Minute, hat ewige Gesetze hinter sich;
und ein Monstrum ist bloß ein Gesetzbuch mehrerer föderati-
15 ven Staatkörperchen auf einmal; auch die unregelmäßigste
Gestalt bildete sich nach den regelmäßigsten Gesetzen (unre-
gelmäßige Regeln sind Unsinn). Eben darum könnte aber aus
Mißgeburten als den höhern Haruspizien oder passiven Blut-
zeugen bei geschickter Zergliederung mehr Einsicht gewon-
20 nen worden sein als aus allem Alltagvieh, sobald man nur
besser diese Sehröhre und Operngucker ins Lebensreich hätte
zu richten verstanden, und wenn man überhaupt, Herr von
Nieß, so seltene Cicerone und Zeichendeuter, die eben gerade,
wie die Wandelsterne, in ihren Verfinsterungen am meisten
25 geistig erleuchten, sorgfältiger aufgehoben hätte. Wo ist aber-
mein elendes ausgenommen – noch ein ordentliches Mißge-
burtenkabinett? Welcher Staat hat noch Preise auf Einliefern
von monstris gesetzt, geschweige auf Erzeugung derselben,
wie doch bei Blumen geschehen? Geht ein Monstrum als ein
30 wahrer Solitär der Wissenschaft unter, so ist man noch gleichgültiger, als wäre ein Schock leicht zu zeugender Werkeltagllei-
ber an der Ruhr verschieden. Wer kann denn aber eine Mißgeburt, die sich so wenig als ein Genie fortpflanzt – denn sie ist
selber ein körperliches, eine Einzigperle – nicht einmal ein
35 Sonntagkind, sondern ein Schalttagkind –, ersetzen, ich bitte
jeden? Ich für meine Person könnte für dergleichen viel hin-

geben, ich könnte z. B. mit einer weiblichen Mißgeburt, wenn
sie sonst durchaus nicht wohlfeiler zu haben wäre, in den Stand
der Ehe treten; und ich will dirs nicht verstecken, Theoda – da
die Sache aus reiner Wissenschaftliebe geschah und ich gerade
an der Epistel de monstris schrieb –, daß ich an deiner sel.   5
Mutter während ihrer guten Hoffnung eben nicht sehr darauf
dachte, aufrechte Tanzbären, Affen oder kleine Schrecken und
meine Kabinetts-Pretiosen fern von ihr zu halten, weil sie doch
im schlimmsten Falle bloß mit einem monströsen Ehesegen
mein Kabinett um ein Stück bereichert hätte; aber *leider*,   10
hätt' ich beinah' gesagt, aber gottlob sie bescherte mir dich
als eine Bestätigung der Lavaterschen Bemerkung, daß die
Mütter, die sich in der Schwangerschaft vor Zerrgeburten
am meisten gefürchtet, gewöhnlich die schönsten gebären.
Ein Monstrum . . . . o, du guter Wirt kommst!«   15

Letzter kam an mit dem fast grimmig aussehenden Stadt-
apotheker und dieser mit einem gut ausgestopften, achtbeini-
gen Doppel-Hasen, den er wie ein Wickelkind im Arme trug
und an die Brust anlegte. Der Doktor sah den Hasen fast mit
geifernden Augen an und wollte wie ein Hasengeier auf ihn   20
stoßen. »Ich bin – sagte jener und sprang stirn-runzelnd seitwärts – Pharmazeutikus hiesiger Stadt und habe dieses
curiosum in Besitz. Besehen darf es werden, aber unmöglich
begriffen vor dem Einkauf. Ich will es aber auf alle Seiten
drehen, und wie es mir gut dünkt; denn es ist seinesgleichen   25
nicht im Lande oder auf Erden.« – »Um Verzeihung«, sagte
der Doktor, »im königlichen Kabinett zu Chantilly wurde
schon ein solcher Doppel-Hase aufbewahrt*, der sogar sich
an sich selber, wie an einem Bratenwender, hat umdrehen
und auf die vier Relais-Läufe werfen können, um auf ihnen   30
frisch weiterzureisen, während die vier ausgespannten in der
Luft ausruhten und selber ritten.« – »Das konnte meiner bei
Lebzeiten auch«, sagte der Apotheker , »und Ihr anderes
einfältiges Hasenstück hab' ich gar nicht gesehen und gebe

* Unterhaltungen aus der Naturgeschichte. Die Säugetiere I. B. S. 34.

nicht einen Löffel von meinem darum.« Jetzo nannte er den
Kaufschilling. Bekanntlich wurde unter dem minderjährigen
Ludwig XV. der Greisenkopf auf den alten Louisd'or von
Ludwig XIV. bloß durch den Druck eines Rades in den noch
5 lebendigen Kinderkopf umgemünzt; worauf sie 20 Livres
statt 16 galten. Für ein solches Geld-Kopfstück, und zwar für
ein vollwichtiges, wollte der Apotheker seinen Hasen mit 4
Löffeln, 2 Köpfen etc. hergeben. Nun hatte der Doktor wirklich ein solches bei sich; nur aber wars um viele Asse zu leicht
10 und ihm gar nicht feil. Er bot halb so viel an Silbergeld – dann
ebenso viel – dann streichelte er den Pharmazeutikus am dürren Arme herab, um in seinem Heißhunger nur, wie der
blinde Angelo den Torso, so den Pelz der Hasen zu befühlen,
die er wie ein Kalmucke göttlich verehrte. – Endlich zeigte er
15 noch seinen langen Hakenstock vor und zog aus dessen
Scheide, wie einen giftigen Bienenstachel, einen langen befie-
derten amerikanischen Giftpfeil vor und sagte, diesen Pfeil,
womit der Pharmazeutikus jeden Feind auf der Stelle erlegen
könnte, woll' er noch drein schenken. Bisher hatte dieser
20 immer drei Schritte auf und ab getan, kopfschüttelnd und
schweigend; jetzo trug er ohne weiteres seinen Hasenvielfuß
zur Türe hinaus und sagte bloß: »Bis morgen früh steht viel
feil ums Goldstück; aber mittags katz ab!« – »Es ist mein
Herzens-Gevatter«, sagte der Wirt, »und ein obstinater
25 Mann, aber dabei blitzwunderlich; ich sage Ihnen aber, Sie
kriegen ebenso wenig den Hasen einzupacken als den
Rathaus-Turm, wofern Sie kein solches Kopfstück ausbat-
zen; er hat seinen Kopf darauf gesetzt.« – »Gibts denn«, sagte
der Doktor, »einen größern Spitzbuben? Ich habe freilich
30 eins, aber es ist zu gut, zu vollötig für ihn – doch werd' ich
sehen.« – »So tue«, sagte der Wirt, »doch unser Herr Gott
sein Bestes und bringe zwei solche Herren zusammen!«

Der Poet Nieß hatte aus dem Vorfalle eine ganze Theater-
kasse voll Einfälle und Situationen erhoben; und auf der Stelle
35 den Plan zu einer komischen Oper entworfen, worin nichts
als Mißgeburten handeln und singen sollten.

15. Summula

Hasenkrieg.

Der Doktor hatte eine unruhigere Nacht als irgend einer seiner Heilkunden, weniger weil ein Goldstück für das Natur-Kunstwerk zu zahlen war, als weil dasselbe sehr zu leicht war. Endlich fiel ihm gegen Mitternacht der Kunstgriff eines christlichen Kaufmanns bei, der zu leichten Goldstücken nicht jüdisch durch Beschneidung, sondern vielmehr mit etwas Ohrenschmalz, als Taufe und Ölung, das alte Gewicht zurückgab. Er stand auf und nahm seine Gehörwerkzeuge und gab dem Louis XIV et XV d'or, ohne alle Reims-Fläschchen, so viele Salbung, bis er sein Gewicht hatte. Frühmorgens schickte er durch den Wirt die Nachricht in die Apotheke: er gehe den Kauf ein und werde bald vor ihr mit seinem Wagen halten. Man antwortete darauf zurück: »Gestern wär' es zwar ebenso gut abzumachen gewesen; aber meinetwegen!«

Der Doktor sann sich viele List- und Gewalt-Mittel – d. h. Frieden-Unterhandlungen und Krieglisten – aus, um die Föderativ-Hasen zu bekommen; und er war, im Falle gute Worte, nämlich falsche, nicht verfingen, zum Äußersten, zu Mord und Totschlag entschlossen; weshalb er seinen Arm mit dem giftigen Gemshornstock armierte.

Vor der Apotheke befahl er, aus dem Wagen springend, die Türe offen zu lassen und, sobald er gelaufen käme, fliegend mit ihm abzurennen. Er hatte sich vorgenommen, anfangs dem Fuchse zu gleichen, der so lange sich einem Hasen näher tanzt, bis der Hase selber in den Tanz einfällt, worauf der Fuchs ihn leicht in Totentänze hineinzieht.* Er stieg dann aus – hielt ein zweiköpfiges Goldstück bloß zwischen Mittelfinger und Daumen am Rande, um es mehr zu zeigen, und um nichts vom Folien-Golde wegzureiben – und war jedes Wor-

---

* Der Verfasser weiß nicht gewiß, ob er diese naturhistorische Bemerkung aus Bechsteins Werken oder aus dessen Munde hat.

tes gewiß, das er sagen wollte. Er konnte sich aber beim
Eintritte nicht viel Vorteil für seine Anrede oder Benevolenz-
Kaptanz von dem Umstande versprechen, daß gerade das
Subjekt** und der Provisor giftigen Bilsensamen in Mörser
stampften; da nach allen Giftlehrern dieses Giftkraut unter
dem Stoßen und Kochen den Arbeiter unter der Hand in ein
toll-erbostes, bissiges Wesen umsetzt. Indes fing er – mit dem
Goldstück in der Hand, wie ein venedischer Sbirre mit einem
auf der Mütze – sein freundschaftliches Anreden mit Vergnü-
gen an, weil er wußte, daß er stets mit der sanften Hirtenflöte
den, dem er sie vor tauben Ohren blies, leicht hinter dieselben
schlagen konnte.

»Herr Amtbruder«, sagt' er, »meine de monstris epistola
(Sendschreiben über Mißgeburten) kennen Sie wahrscheinlich früher als irgend ein Protomedikus und Obersanitätrat
in ganz größern Städten; sonst hätten Sie sich vielleicht
weniger auf Mißgeburten gelegt. Ihr Monstrum, gesteh' ich
Ihnen gern – denn es ist zu sehr gegen meine Sinnes-Art,
etwas herabzusetzen, bloß weil ich es erhandeln will –, ist,
wie Sie selber trefflich sagten, ein curiosum; in der Tat ist
Ihr Dioskuren-Hase (Sie verstehen mich leicht) wie ein
Doppel-Adler gleichsam eine lebendige Sozietät-Insel, ein
zusammengewachsenes Hasen-tête-à-tête. Sie wissen alles,
wenn nicht mehr. Sie sehen aus meinem Goldstück in der
Hand, ich gebe alles dafür; wär' es nur deshalb, um neben
meiner Wißbegierde noch die des Füsten im Maulbronner-
Bad, meines intimen dicken Freundes, zu befriedigen; ich
weiß zwar nicht, ob sie bei ihm dabei verlieren, daß Sie den
Doppel-Hasen früher aufgetrieben und besessen als ich;
aber ich weiß, daß Sie dabei gewinnen, und daß ich ihm
sagen werde, wie Sie sich schreiben, und daß nur Sie mir die
die Hasen abgelassen.«

»Ich will jetzt das Goldstück wägen«, versetzte der Apotheker und gab das Hasenpaar dem Provisor hin, der es mit

** Bekanntlich der Name eines pharmazeutischen Beigehülfen und Gesellen.

vorfechtenden Blicken als Schutzheiliger auf- und abtrug. –
Das Subjekt stieß feurig fort und sott ohne Not in eignen
Augenhöhlen seine Eiweiß-Augen krebsrot. – Der Prinzipal
stand im feuernden Krebs als Sonne und zitterte vor Hast, als
er die Goldwaage hielt. Die ganze Apotheke war die Sakristei
zu einer streitenden Kirche. –

Katzenberger aber zeigte sich mild und schien als kalte
Sonne im Steinbock.

»Mein Gold«, sagt' er, da es etwas in die Höhe ging, »ist
wohl überwichtig; denn Sie halten nicht fest genug, und so
fliegts auf und ab.« –

– »Wenn nicht Harn dran ist, ders schwer macht«, sagte der
Apotheker und berochs; worauf er das Goldstück versuchs-
weise ein wenig am Oberrockfutter zu scheuern begann.
Aber der Doktor fing seine Hand, damit er nicht die auf die
Goldmünze aufgetragne Schaumünze wegfeile, und sagte
ihm frei heraus: »Er halte ihn zwar für den ehrlichsten Mann
in der ganzen Apotheke, aber er könne deshalb doch nicht
vergessen, daß in verschiedenen Leipziger und Frankfurter
Messen Juden gestanden, welche ein feines Reibeisen im
Unterfutter eingenäht getragen, womit sie unter dem Vorwande der Reinigung von den besten Fürstend'or Goldstaub
abgekratzt und dann mitgenommen.«

»Fremder Herr! Mordieu! Ihr Geld (sagte der Mann) wird
ja immer leichter, je länger ich wäge. – Ein Aß ums andre
fehlt.«

»Wir wollen beide nichts daraus machen, Herr Amtbruder
– sagte der Doktor und klopfte auf dessen spitze Achsel –,
sondern als echte Freunde scheiden, zumal da man hinter uns
Bilsensamen stampft; Sie kennen dessen Einfluß auf Schläge-
reien, in denen ohnehin jeder Charakter, wie eine Sommer-
krankheit, leicht einen gewissen biliösen oder gallichten Charakter annimmt. Wir beide nicht also!«

»Sacker, zehnmal zu leicht! (rief der Apotheker, die Goldwaage hoch über den Kopf haltend) An keinen Hasen zu
denken!«

Aber der Doktor hatte schon daran gedacht; denn er hatte den aufs Gespräch horchenden Provisor mit dem Schnabelstocke, den er als ein Kammrad in dessen Zopf eingreifen lassen, rückwärts auf den Boden wie in einen Sarg niedergelegt und ihm im Umwerfen die Mißgeburt aus der Hand gezogen.

Wie ein Krebs trat er den Rückzug an, um mit dem Gemshornstock vorwärts in die Apotheke hineinzufechten. Der Landsturm darin organisierte sich bald. Wütig warf sich der Provisor herum und empor und feuerte (er konnte nicht wählen) mit Kräutersäckchen, Kirschkernsteinen, die erst zu extrahieren waren, mit alten Ostereiern voll angemalter Vergißmeinnicht dem Doktor auf die Backenknochen. – Der Apotheker hatte erstaunt das Goldstück fallen lassen und sucht' es unten mit Grimm. – Das Subjekt stocherte mit dem Stößel bloß auf dem Mörserrand und drehte sich selber fast den Kopf ab, um mehr zu sehen. –

Unten schrie der gebückte Apotheker: »Greift den Hasen, greift den Hund!« – »Nur auf ein ruhiges Wort, meine Herren!« rief Katzenberger ausparierend. »Das Bilsenkraut erhitzt uns alle, und am Ende müßte ich hier gar als Arzt verfahren und dagegen rezeptieren und geben, es sei nun, daß ich dem Patienten, der zu mir käme, entweder das Gemsenhorn meines äskulapischen Stabs als einen kühlenden Blutigel auf die Nasenflügel würfe, oder diese selber damit aufschlitzte, um ihm Luft zu machen, oder das Horn als einen flüchtigen Gehirnbohrer in seine Kopfnaht einsetzte. – – Aber den Hasen behalt' ich, Geliebte!«

Nun stieg die Krieglohe gen Himmel. Der Apotheker ging auf ihn mit einer langen Papierschere los, sie, wie ein Hummer die seinigen, aufsperrend; – Katzenberger indes hob ihm bloß mit dem Skalpier-Stock leicht eine Vorstecklocke aus; – der Provisor schnellte eine der feinsten chirurgischen Splitterscheren ab, die zum Glück nur in den langen Ärmel weit hinterfuhr. – Katzenberger aber ließ auf ihn durch den Druck einer Springfeder sein Gemsenhorn, woran noch die Vor-

stecklocke des Vorgesetzten hing, abfahren und schoß damit
die ganze linke Brustwarze des Provisors zusammen, wiewohl die Welt, da er mit ihr nichts säugte, dabei weniger
verlor als er selber. – Das Subjekt hielt im Nachtrabe den
Stößel in die Lüfte aufgehoben und drohte nach Vermögen. – –

Aber jetzt ersah der Pharmazeutikus den langen amerikanischen Giftpfeil nackt vorstechend und wollte hinter den Sub-
jekts-Hintergrund zurück. – »Um Gottes Willen, Leute«,
rief der Doktor, »rettet euch – springt insgesamt zurück – auf
wen ich diesen Giftpfeil zuwerfe, der fällt auf der Stelle tot
nieder, eh' er nur meinen Steiß erblickt!«

Da der Mensch stets *neue* Waffen und Gefahren mehr
scheut als die *gefährlichsten* bekannten: so ging die ganze
pharmazeutische Fechtschule rückwärts; und der Doktor
ohnehin, bis er auf diese Weise mit seinem Hasen und dem
zielenden Wurfspieß und seinem Rücken an den Fußtritt seines Wagens gelangte. Darauf fiel zwar die erhitzte Apotheke
wieder von ferne aus – der Apotheker begleitete den Siegwagen wie einen römischen mit Schimpfworten – der Provisor
schleuderte präparierte Gläser voll Kühltränke dem Hasen-
diebe nach und zerrte vor Wut, um die Brustwarze und die
Splitterschere gebracht zu sein, mit beiden Zeigefingern die
beiden Mundwinkel bis an den Backenbart auseinander, um
allgemeines Grausen auszubreiten – und das Subjekt hieb in
der Weite mit der Mörserkeule heftig in das Stein-Pflaster
und kegelte noch mit den Füßen Steine nach; inzwischen
Katzenberger und die Hasen fuhren ab, und er lachte mun-
ter zurück.

So aber, ihr Menschen, schnappen öfters Krieg-Trubeln
passabel ab, und am Friedenfeste sagt der eine: ich bin noch
der Alte und wie neugeboren – und der zweite: verflucht! wir
leben ja ordentlich wieder auf – und der dritte: ich hätte mehr
wissen sollen, ich hätte mich weniger gefürchtet; denn mein
Herz sitzt wohl auf dem rechten Fleck – und der vierte: aber
die Hasen haben wir doch in diesem Kriege verloren.

Indes hat darin außer dem Doktor, der nicht durch einen Doppeladler, sondern einen Doppeladler selber gewann, noch eine Person viel erbeutet, welche dem Leser die nächste ist, nämlich ich hier. Zweite Auflagen haben den Vorzug, daß man darin Sachen sagen kann, welche durchaus in keiner ersten vorzubringen sind; so konnt' ich in der ersten dieses Werks gar nicht die schöne Nachricht mitteilen, daß der berühmte Zergliederer Johann Friedrich *Meckel* in Halle – der Erbe und Mehrer des Reiches von väterlichem Ruhm – mir im Jahr 1815 seinen de duplicitate monstrosa commentarium nicht nur geschenkt, sondern auch zugeeignet, und zwar in einem schönern Latein, als ich noch erlernen kann. Niemand aber hab' ich diese lateinische Triumphpforte zu verdanken als – laut der Zuneigung – den Grundsätzen und Krieglisten des Dr. Katzenbergers, der jetzo den kenntnisvollen und scharfsinnigen Commentarius selber längst in Händen haben und sich über Buch und sich und mich erfreuen muß. Und hiemit erhalte Meckel nach dem geschriebnen Dank auch den gedruckten für sein Foliobändchen über den organischen Dualis oder die monströse Doppelheit, die an Körpern ebenso selten als widrig ist, indes die häufigere Doppelheit an Seelen weit angenehmer wirkt und sich auf die Zunge einschränkt durch Doppelzüngigkeit, Doppelsinn u.s.w.

16. Summula

Ankunft-Sitzung.

Niemand fuhr wohl jemals froher mit Hasen als Katzenberger mit seinen. Es war ihm ein leichtes und ein Spaß, mit seiner Mißgeburt im Arm jedes Wort auszudauern, das Nieß von erster Jugendliebe, dem Frühgottesdienst gegen weibliche Göttinnen und von Theudobachs seligmachendem Glauben an diese ihm an die Ohren warf; denn er wußte, was er

hatte. Süßlich durchtastete er den Hasen-Zwilling und weidete ihn geistig aus. Seinem Kutscher befahl er, jetzt am
wenigsten umzuwerfen, weil er sonst die Hasen bezahlen
müßte und nachher aus dem Dienst gejagt würde ohne Livrei.

Nun schlug er der Gesellschaft, eigentlich dem Edelmanne,   5
die Frage zur Abstimmung vor, ob man schon die nächste
Nacht sehr spät in Maulbronn anlangen wolle oder lieber in
Fugnitz verbleiben, der Zäckinger Grenzstadt, wenige Stunden von Maulbronn. Theoda bestand auf schnelle Ankunft;
sie wollte wenigstens mit dem schlafenden Dichter in demsel-   10
ben gelobten Lande und unter Einer Wolke sein. Der Edelmann sagte, er habe den eigennützigen Wunsch, erst morgen
anzukommen, weil ein Wagen enger vereinige als ein Bad-
dorf. Die heimlichern Gründe seines Wunsches waren, am
Tage vom Turm herab mit dem Bade-Ständchen angeblasen   15
zu werden – ferner sich den Genuß des Inkognitos und das
Hineinfühlen in Theodas wachsende Herzspannung zu ver-
längern – und endlich, um mit ihr abends durch das gewach-
sene Mondlicht spazieren zu waten. Der Doktor schlug sich
mit Freuden zu ihm; Nieß trug mit dichterischer Großmut   20
die Frachtkosten für ihn und kürzte aus dichterischer Weich-
lichkeit alles Reise-Gezänk durch Doppel-Gaben ab, um
auch die kleinsten Himmelstürmer von seinem Freuden-
Himmel fern zu halten. »Ohnehin – sagte der Doktor – müss'
er in Fugnitz eine neue Scheide für seinen gefährlichen Gift-   25
pfeil machen lassen; und er reise ja überhaupt nur nach dem
Bad-Neste, um da einen unreifen Rezensenten, den er nicht
eher nenne, bis er ihn injuriert habe, auf jene Weise zu versüßen, wie man nach Doktor Darwin unreife Äpfel süß mache,
nämlich durch Zerstampfen; wiewohl er sich beim Manne nur   30
auf Prügel einschränke.«

Dr. Katzenbergers
Badereise

Zweite Abteilung

17. Summula

Bloße Station.

Ihr Wirtshaus war ein Posthaus, und zwar glücklicherweise
für den Doktor. Denn während der Posthalter sich mit der
Mißgeburt abgab: fand jener Gelegenheit, einen dicken
unfrankierten Briefwürfel, an sich überschrieben, ungesehen
einzustecken als Selb-Briefträger.

Nicht etwa, daß ers stehlen wollte – was er am liebsten
getan hätte, wäre nicht der unschuldige Posthalter dadurch
doppelt schuldig geworden, einmal an Ruf, dann an Geld –,
sondern er nahms, um es ehrlich wieder hinzulegen, wenn ers
mit zarter Hand aufgemacht, um zu erfahren, was darin sei,
und ob der Bettel das Porto verlohne, oder ob er außen auf
den Umschlag zu schreiben habe: retour, wird nicht ange-
nommen. Vor der Nase des Briefträgers konnt' er nicht, ohne
zu bezahlen, erbrechen; ob er gleich das Aufmachen, in der
Hoffnung, einen recht gelehrten und bloß der Sicherheit
wegen unfrankierten Brief zu gewinnen, selten lassen konnte.
Indes der Schreck, daß er vor einigen Wochen eine schwere
grobe Briefhülse und -schale aufgeknackt, woraus er für sein
Geld nichts herauszuziehen bekommen als die grüne Nuß
von einer Pränumerantenwerbung für einen Band poetischer
Versuche samt einigen beigelegten, dieser Schreck fuhr ihm
bei jedem neuen Briefquader in die Glieder. – Zum Unglück
aber war in dem fein geöffneten Brieftestament dieses Mal
eine herrliche Erbschaft von den wichtigsten, mit kleinster
Schrift geschriebenen Bemerkungen über alle seine Werke,
und zwar von Dr. Semmelmann, fürstlichem Leibarzt in
Maulbronn. Auf der Stelle versiegelte er entzückt das Paket
und legt' es auf den alten Platz zurück, um eine Viertelstunde
darauf vor dem Posthalter sich anzustellen, als säh' er eben ein
an sich adressiertes Briefschreiben, das er sofort auslösen und
bezahlen wolle.

Aber der kurzstirnige Posthalter gabs durchaus nicht her,
»er halt' es als Posthalter postfest«, sagte er, »bis auf die

Station, und da könn' es der Herr selber holen, wenn er keine posträuberische Absichten habe, was ein Posthalter nicht riechen könne«. Nie bereute Katzenberger seine Ehrlichkeit aufrichtiger als dieses Mal; aber in die dicke Kurzstirn war kein Licht und kein Blitz und kein Donner- 5 keil zu treiben; und Katzenberger hatte von seinem Wünschen nichts weiter, als daß der Posthalter, über ein so unsinniges Ansinnen erbittert, ihm die Zeche verdoppelt anschrieb, und er selber zwischen Fortreisen nach Maulbronn und zwischen Umkehren, dem Semmelmannschen 10 Pakete hintennach, ins Schwanken geriet.

Im ganzen bewahrte Katzenberger sich durch einen gewissen Egoismus vor allem Nepotismus. Eigentlich ist jede Menschenliebe, sobald sie auf besonderes Beglücken, nicht auf ruhiges Liebhaben anderer ausgeht, vom Nepotismus wenig 15 unterschieden, da alle Menschen ja, von Adam her, Verwandte sind. Daher auch Männer in hohen Posten den Schein eines solchen Nepotismus gegen adamitische Verwandte so sehr fliehen. Übrigens lässet gerade diese Verwandtschaft von Jahr zu Jahr mehr ruhige kalte Behandlung der Menschen 20 hoffen; denn mit jedem Jahrhundert, das uns weiter von Adam entfernt, werden die Menschen weitläuftigere Anverwandte voneinander und am Ende nur kahle Namenvettern, so daß man zuletzt nichts mehr zu lieben und zu versorgen braucht als nur sich. 25

18. Summula

Männikes Seegefecht.

Um den Leser nicht durch zu viel Ernst und Staat-Geschichte zu überspannen, möge ein unbedeutendes Seegefecht, im Städtchen *Höflein*, wo die Pferde Vesperbrot und Vesper- 30 wasser bekamen, hier eine kurze Unterbrechung gewähren dürfen, ohne dadurch den Ton des Ganzen zu stören.

Der Wasserspringer *Männike* hatte nämlich den ganzen Höfleiner Adel und Pöbel auf die Brücke des Orts zusammengeladen, damit beide sähen, ob er auf dem Wasser so viel vermöchte und gewänne als die Briten-Insel, diese Untiefe
5 und Klippe des strandenden Europas. Der Springer, der sowohl bemitleidet als bewundert zu werden wünschte, und der unten im Nassen recht in seinem Elemente sein wollte, hatte dem Städtchen versprochen, im Wasser Tabak zu rauchen, mit einem Schiebekarren zu fahren, anderthalb Klafter
10 hoch Freudenwasser wie Freudenfeuer zu speien, gleich einem Flußgotte von Stein, und dann im Strome noch größere Kunststücke für morgen der erstaunten Brücke zu versprechen.

Die Reisegesellschaft, die Pferde ausgenommen, begab sich
15 gleichfalls auf die Brücke und machte gern einer herfliegenden gebratenen Taube den Mund auf.

Der Wasserspringer tat in der Tat, so weit Nachrichten reichen, das Seinige und den Rittersprung vom Geländer ins Wasser zuerst und stahl sich in viele Herzen. Inzwischen
20 stand auf der Brücken-Brüstung ein längst in Höflein angesessener Hallore aus Halle, der mehrmals murmelte: Die Pestilenz über den Hallpursch! Er wollte sich wahrscheinlich in seiner Sprache ausdrücken und sich so Luft verschaffen, da er durch den Nebenbuhler unten im Wasser so lange auf dem
25 Geländer gelitten. Katzenberger neben ihm zeigte mit dem Finger wechselnd auf Männike und den Halloren, als woll' er sagen: Pavian, so spring nach! Endlich hielt der Hallore es auch nicht mehr aus – sondern warf seinen halben Habit hinter sich, die Leder-Kappe, – fuhr wie ein Stechfinke auf das
30 Finken-Männchen in seinem Wassergehege – und machte den Sprung auf Männikes Schienbeine herunter, als dieser eben zurückliegend sein Freudenwasser aufwärts spie und, den offnen Himmel im Auge, anfangs gar nicht wußte, was er von der Sache halten sollte, vom Kerl auf seinen Beinen. Aber sein
35 Nebenmann und Badegast zündete eilig Licht in seinem Kopf an, indem er den letzten bei den Haaren nahm und so – die

Faust sollte den Raufdegen oder Raufer spielen – geschickt
genug das Lusttreffen einleitete. Denn da diese neue See-
macht die Knie als Anker auf Männikes Bauchfell auswarf
und zuvörderst die Zitadelle der Festung, nämlich den Kom-
mandanten, d. h. dessen Kopf, besetzt und genommen hatte: 5
so mußte sich für jedes Herz auf der Brücke ein anmutiges
Vesperturnier anfangen oder eine flüchtige republikanische
Hochzeit, folglich deren Scheidung auf dem nassen Wege. In
der Tat prügelte jeder von beiden den andern genug – keiner
konnte im lauten Wasser sein eignes Wort hören, geschweige   10
Vernunft; nicht nur nach Lebensluft des Lebens, sogar nach
Ehren-Wind der Fama mußten beide schnappen – die schönsten Taten und Stöße entwischten der Geschichte. Glücklicherweise stieß der Hallore und Fluß-Mineur unten auf den
Schiebkarren, womit Männike als auf einem Triumphkarren   15
vor wenigen Minuten wie ein glänzender Wassermann oder
wäßriges Meteor gefahren war und sich von der Brücke hatte
mit Lob beregnen lassen. – Der Hallore faßte den Vorsprin-
ger und stülpte ihn so abgemessen auf den Karren, daß dessen
Gesicht aufs Rad hinaussah und die beiden Beine mit den   20
Zehen auf die Karren-Gabel fest gehefet lagen. So schob er
den verdienten Artisten ans Ufer hinaus, wo er erwartete, was
die Welt zu seiner Fischgerechtigkeit, Fischer zu fangen,
sagen würde.

Die Freude war allgemein, Herr Männike wünschte wäh-   25
rend derselben auf dem terminierenden Teller Brückenzoll im
schönern Sinne einzufodern; aber die Höfleiner wollten
wenig geben. Der Doktor nahm sich der Menge an und sagte:
Mit Recht! Jeder habe wie Er bloß dem guten eingepfarrten
ansässigen Halloren, ders umsonst getan, zugesehen, weiter   30
keinem; am wenigsten Herrn Männike, dem spätern Neben-
regenbogen des Hallensers. »Ich selber«, beschloß er, »gebe
am wenigsten, ich bin Fremder.« Da nun das Wenigste
Nichts ist, so gab er nichts und ging davon; – und der Ketzer-
Glaube, gratis zugesehen zu haben, fraß auf der Brücke auf-   35
fallend um sich.

19. Summula

Mondbelustigungen.

Auf der kurzen Fahrt nach Fugnitz wurde sehr geschwiegen.
Der Edelmann sah den nahen Lunas-Abend mitten im Son-
nenlichte schimmern; und der Mondschein mattete sich, aus
dieser Seelen-Ferne geschauet, zu einem zweiten zärtern ab.
Theoda sah die niedergehende Sonne an, und ihr Vater den
Hasen. Die stille Gesellschaft hatte den Schein einer ver-
stimmten; gleichwohl blühte hinter allen äußern Knochen-
Gittern ein voller hängender Garten. Woher kommts, daß
der Mensch – sogar der selber, der in solchem Dunkel über-
wölbter Herzens-Paradiese schwelgt und schweigt – gleichwohl so schwer Verstummen für Entzücken hält, als fehle nur
dem Schmerz die Zunge, als tue bloß die Nonne das Gelübde
des Schweigens, nicht auch die Braut, und als geb' es nicht
ebenso gut stumme Engel wie stumme Teufel?

Im Nachtquartiere traf sichs für den Edelmann sehr glücklich, daß in die Fenster der nahe Gottesacker mit getünchten
und vergoldeten Gabmälern glänzte, von Obstbäumen mit
Zauberschatten und vom Mond mit Zauberlichtern ge-
schmückt. Es wurd' ihm bisher neben Theoda immer woh-
ler und voller ums Herz; gerade ihr Scherz und ihr Ungestüm, womit ihre Gefühle wie noch mit einer Puppen-Hülse
ausflogen, überraschten den Überfeinerten und Verwöhnten;
und die Nähe eines entgegengesetzten Vaters hob mit Schlag-
schatten ihre Lichter; denn er mußte denken: wem hat sie ihr
Herz zu danken als allein ihrem Herzen? – Hätte er die Erfahrung der Soldaten und Dichter nicht gehabt, zu siegen wie
Cäsar, wenn er käme und – gesehen würde oder gar gehört –
wie denn schon am Himmel der *Liebestern* sich nie so weit
vom dichterischen *Sonnengott* verliert, daß er in Gegenschein
oder Entgegensetzung mit ihm geriete –: wäre dies nicht gewesen, Nieß würde anders prangen in dieser Geschichte.

Im Fugnitzer Wirthaus geriet er mit sich in folgendes Selb-
gespräch: »Ja, ich wag' es heute und sag' ihr alles, mein Herz

und mein Glück. – Blickt sie neben mir allein in den stillen
Mond und auf die Gräber und in die Blüten: so wird sie das
Wort meiner Liebe besser verstehen; o dann soll das reine
Gemüt den Lohn empfangen und der geliebte Dichter sich
ihm nennen. Wenn sie aber nein sagte? – Kann sie es denn?   5
Geb' ich ihr nicht meinen Stand und alles und mein Herz?
Und bist du denn so unwert, du armes Herz? Schlägst du
nicht für fremde Freuden und Leiden stark? Und noch niemand hab' ich unglücklich machen wollen. Nicht stark genug
ist mein unschuldiges Herz, aber ich hasse doch jede Schwä-   10
che und liebe jede Kraft. O wären nur meine *Verhältnisse*
anders und hätt' ich meine Seelenzwecke erreicht: ich wollte
leicht trotzen und sterben. Woraus schöpft' ich denn meinen
›Ritter größerer Zeit‹ als aus meiner Brust? – Meinetwegen! –
Sagt sie doch nein und verkennt mich und liebt nur den   15
Autor, nicht den Menschen: so bestraf' ich sie im Badeort und
nenne mich – und dann verzeih' ich ihr doch wieder von
Herzen.«

Am Ende und zumal hier nach dem Lesen dieses Selbge-
sprächs werf' ich mir selber vor, daß ich vielleicht meinem   20
fatalen Hange zum Scherztreiben zu weit nachgegeben und
den guten Poeten in Streiflichter hineingeführt, in denen er
eigentlich lächerlich aussieht und fast schwach. Kann er denn
so viel dafür, daß seine Phantasie stärker als sein Charakter ist
und Höheres ihm abfodert und andern vormalt, als dieser   25
ausführen kann? Und soll denn ein Petrus, weil er einmal
dreimal verleugnete, darum keine zwei Episteln Petri schreiben? – Freilich von Eitelkeit kann ich ihn nicht losschwören,
aber diese bewahrt (wie Hautausschläge vor der Pest) ihn vor
Beulen des Hochmuts und Geschwulst des Stolzes. – Denn   30
was sonst Theoda betrifft, die er so sehr lieben will, und zwar
auf alle seine Kosten, so täte wohl jeder von uns dasselbe,
wenn er nicht schon eine hätte oder gar etwas Besseres.

Wir kommen nun wieder auf die Sprünge seiner Freierfüße
zurück. Er schlug, als das Glück die Gabe verdoppelt, näm-   35
lich den Doktor ausgeschickt hatte, Theodan den Nachtgang

ins rechte Nachtquartier der Menschen, in den Gottesacker
vor. Sie nahm es ohne Umstände und Ausflüchte an; so gern
sie lieber ihre heutige Herz-Enge nur einsam ins Weite getragen hätte; Furcht vor bösen Männern vorher und vor bösen
5 Zungen nachher war ihr ungewohnt. Als nun beide im Mond-
Helldunkel und im Kirchhofe waren, und Theoda heute
beklommener als je fortschritt, und sie vor ihm mit dem
neuen Ernste (einem neuen Reize) dem alten Scherze den
weichen Kranz aufsetzte, und als er den Mond als eine
10 Leuchtkugel in ihre Seelen-Veste warf, um zu ersehen und zu
erobern: so hört' er deutlich, daß hinter ihm mit etwas
anderm geworfen wurde. Er schaute sich um und sah gerade
bei dem Gitter-Pförtchen einige Totenköpfe sitzen und gaf-
fen, die er gar nicht beim Eintritte bemerkt zu haben sich
15 entsinnen konnte. Inzwischen je öfter er sich umkehrte, desto
mehr erhob sich die Schädelstätte empor. Sehr gleichgültige
und verdrießliche Gespenster-Gedanken wie diese bringen
um den halben Flug, und Nieß senkte sich.

Katzenberger – von dem kam alles – hatte sich nämlich
20 längst in unschuldiger Absicht auf den Gottesacker geschli-
chen, weniger um Gefühle als um Knochen einzusammeln,
das einzige, was der Menschenfresser, der Tod, ihm zuwarf
unter den Tisch. Zufällig war das Beinhäuschen, worin er aus
einer Knochen-Ährenlese ein vollständiges Gerippe auszuhe-
25 ben arbeitete, am Eingangs-Gitterpförtchen gelegen und
hatte mehr den Schein eines großen Mausoleums als eines
kleinen Gebeinhauses. Katzenberger hörte das dichterische
Eingehen und zwei bekannte Stimmen, und er sah durch das
Gitter alles und erhorchte noch mehr. Die Natur und die
30 Toten schwiegen, nur die Liebe sprach, obwohl keine Liebe
zur andern. Für den wissenschaftlichen Katzenberger, der
eben mitten unter der scharfen Einkleidung des Lebens wirt-
schaftete, war daher der Blick auf Nieß, der, wie der Doktor
sich in einem bekannten Briefe ausdrückte, »seinen Kopf, wie
35 ein reitender Jäger den Flintenlauf, immer gen Himmel
gerichtet anhängen hatte«, kein sympathetischer Anblick,

obwohl ein antipathetischer. Bei ihm wollte das wenige, das
Nieß über Tote und vermählte Herz-Paradiese auf dem Wege
hatte fallen lassen, sich wenig empfehlen. Vor allem Warmen
überlief gewöhnlich des Doktors innern Menschen eine Gänsehaut; kalte Stichworte hingegen rieben wie Schnee seine   5
Brust und Glieder warm und rot. Übrigens verschlang sich
seine Seele ziemlich mit der Nießischen, so wie der Werboffi-
zier bei dem Rekruten schläft und immer einen Schenkel oder
Arm auf ihn legt, um ihn zu behalten im Schlafe. Er nun hatte
die Köpfe und Ellenbogen am Pförtchen angehäuft. – Endlich   10
ließ er gar ein rundes Kinderköpfchen nach dem Dichter laufen als nach seinem Kegelkönig. Aber hier nahm Nieß aus
übermäßiger Phantasie Reißaus und schwang sich auf einen
nahen Birnbaum an der niedern Gottesackermauer, um allda – weil das Knochenwerk als Floßrechen und gestachelter   15
Herisson die Pforte versperrte – ins Freie zu sehen und zu
springen. Umsonst rief die über seinen Schrecken er-
schrockne Theoda bange nach, was ihn jage, ihr Vater
sammle nur Skelette. Nun trat der Doktor selber aus seinen
Schießscharten heraus, ein wohlerhaltenes Kindergerippe wie   20
eine Bienenkappe auf den Kopf gestülpt, und begab sich unter
den Birnbaum und sagte hinauf: »Am Ende sind Sie es, die
selber droben sitzen, und wollen den Gottesacker und die
Landschaft besser übersehen?« Aber Nieß, längst verstän-
digt, war während des Hinaufredens des Doktors schon um   25
die Mauer herum und durch das Pförtchen zurückgerannt
und erfaßte jetzo, mit zwei aufgerafften Armknochen in
Händen, hinten den Doktor an den Achselknochen, worüber
er die bleichen ragen ließ, mit den Worten: »Ich bin der Tod,
Spötter!« Katzenberger drehte sich selber ruhig um; da lachte   30
der Poet ungemein, mit den Worten: »Nun so haben wir
beide unsern lustigen Zweck einer kleinen Schrecken-Zeit
verfehlt; nur aber Sie zuerst!« – »Ich für meine Person fahre
gern zusammen – versetzte der Doktor –, weil Schrecken
stärkt, indes Furcht nur schwächt. In Hallers Physiologie*   35

---

* Im fünften Bande.

und überall können Sie die Beispiele zusammenfinden, wie durch bloßen starken Schrecken – weil er dem Zorne ähnlich wirkt – Lähmung, Durchfall, Fieber gehoben worden, ja wie Sterbende durch auffliegende Pulverhäuser vom Aufflug nach dem Himmel gerettet worden und wieder auf die Beine gebracht; – und ganze matte Staaten waren oft nur zu stärken durch Erschrecken. *Furcht* hingegen, Herr von Nieß, ist, wie ihre Leiberbin und Verwandte, die *Traurigkeit*, nach demselben Haller und den nämlichen andern, wahres Lähmgift für Muskeln und Haut, Hemmkette des umlaufenden Bluts, macht Wunden, die man sich durch eigne Tapferkeit oder von fremder geholt, erst unheilbar und überhaupt leicht toll, blind und stumm. Es sollte mir daher leid tun, wenn ich Sie mit meinen Versuchen in Furcht anstatt in Schrecken und Zusammenschaudern mit Haarbergan gesetzt hätte; und Sie werden mich belohnen, wenn Sie mir sagen, ob Sie gefürchtet haben oder nur geschaudert.« –

»Ich bin ein Dichter, und Sie ein Wissenschaft-Weiser; dies erklärt unsern Unterschied«, versetzte Nieß. Theoda aber, die ihren eignen Mut bei Männern verdoppelt voraussetzte, glaubte ihm gern. Aber ihr Vater hatte seine Gedanken, nämlich satirische. – Übrigens ging er selig mit doppelten Gliedern (wie ein Englisch-Kranker), mit mehren Köpfen und Rückgraten behangen, die er aus der Trödelbude und Rumpelkammer des Todes geholt, nach Hause.

20. Summula

Zweiten Tages Buch.

In der Nacht schrieb Theoda an ihre Freundin:

»Vor Verdruß mag ich dir vom dummen Heute gar nichts erzählen (das ohne Menschenverstand bleibt) bis morgen früh, wenn wir in Maulbronn einfahren. Denke, wir nachtlagern noch drei Stunden davon. Himmel, wie göttlich könnt'

ich morgen dort aufwachen und meinen Kopf aus dem Fenster stecken in die Aurora und in alles hinein! Aber dieses
Feindschaft-Stückchen hab' ich bloß dem Freundschaft-
Stückchen zu danken, daß Herr von Nieß nach mir etwas
fragt, ob ich ihm gleich meine Person und Seele so komisch   5
geschildert habe, daß er selber lachen mußte. Aber sieh', so
kann eine Mädchenseele dem Männer-Poltergeist auch nicht
unter einem Kutschenhimmel nahe kommen, ohne wund
gezwickt zu werden. Gib dem Teufel ein Haar, so bist du
sein, gib einem Manne eines, so zerrt er dich daran so lange,   10
bis er das Haar samt dem Kopfe hat. Der Bienenstich wird
sonst mit Honig geheilt; aber diese Wespen geben dir erst die
Honigblase und dann die Giftblase. Ich wollt', ich wär ein
Mann, so duellierte ich mich so lange, bis keiner mehr übrig
wäre, und legte einer Frau den Degen mit der Bitte zu Füßen,   15
mich zu erstechen. Aber wir Weiber sind alle schon ein paar
Jahre vor der Geburt verwahrloset und verbraten, und eh' wir
nur noch ein halbes Nadelköpfchen von Körper umhaben,
sind wir schon voraus verliebt in die künftige Räuberbande
und liebäugeln mit dem Taufpastor und Taufpaten.   20

   Wie viel weißt du so? – Es ist aber überhaupt nicht viel.
Nämlich den ganzen Reisetag hindurch hatt' es Theudobachs
angeblicher Freund (merke, ich unterstreich' es) darauf angelegt, mein Gehirnchen und Herzchen in allen acht Kämmer-
chen ordentlich glühend zu heizen durch Anekdoten von   25
ihm, durch Ausmalerei unserer dreifachen Zusammenkunft
und sogar durch das Versprechen, noch abends vor dem stillen Monde, der besser dazu passe als das laute Räderwerk,
mich näher mit seinem Freunde bekannt zu machen. Ich
dachte dabei wahrlich, er würde mich nachts auf dem Gottes-   30
acker dem Dichter auf einmal vorstellen. Dazu kam mittags
noch etwas Närrisches. Er brachte mir meinen Schal, mit
unlesbarer Kreideschrift bedruckt; da er sie aber gegen den
Spiegel hielt, so war zu lesen: ›Dein Namenvetter, schöne
Th–da, wird dir bald für deinen Brief zum zweiten Male dan-   35
ken‹; worauf er mich hinab zu einer Birke führte, von deren

Rinde wirklich er diese Zeile von des Dichters Hand am Tuche abgefärbt hatte. Am Ende mußt' ich gar noch oben in seinem Zimmer auf den Fensterscheiben eine herrliche Sentenz vom Dichter finden, die ich dir auf der Rückreise
5 abschreiben will. Seltsam genug! Aber abends wars doch nichts; und mein Vater brach gar mit einem Spaße darein.

Du Klare errietest nun wohl am frühesten, was Herr von N. bisher gewollt – nicht mich, sondern (was auch leichter zu haben ist) sich. Er kokettiert. – Wahrlich die Männer sollten
10 niemals kokettieren, da unter 99 Weibern immer 100 Gänse sind, die ihnen zuflattern; indes weibliche Koketterie weniger schadet, da die Männer als kältere und gleichsam kosmopolitische Spitzbuben selten damit gefangen werden, wenn sie nicht gar zu jung und unflügge im Neste sitzen. – Wahrlich,
15 ein Mädchen, das ein Herz hat, ist schon halb dumm und wie geköpft.

Der Zärtling steckt seinen Freund als Köder an die Angel, um damit eine verdutzte Grundel zu fangen; er, der, wenn auch kein Narr, doch ein Närrchen ist, und welcher schreit,
20 wenn ein Wagen umfällt.

Gott gehab dich wohl! Vergib mein Austoben. Ich bin doch allen Leuten gut und habe selber mit dem Teufel Mitleid, so lang' er in der Hölle sitzt, und nicht auf der Erde streift. Der weichste Engel bringe dich über deine Hügel hin-
25 über! Th.«

21. Summula

Hemmrad der Ankunft im Badeorte – Dr. Strykius.

Als man am Morgen, nachdem der Doktor schon seine Flaschen-Stöpsel eingesteckt hatte (worunter zufällig ein gläser-
30 ner), neu erfrischt von den letzten Siegen über alle Anstoßsteine, eben einzusitzen und heiter auf den breiten, beschatteten, sich durchkreuzenden Kunststraßen dem Badorte zuzu-

fahren gedachte: so stellte sich doch noch ein dicker Schlagbaum in den Weg, nämlich ein Galgen. Es hatte nämlich Katzenberger unten in der Wirtstube von einem Durchstrom
froher Leute, die abends zum glücklichen Wirte zurückkom-
men und länger da bleiben wollten, wenn sie alles gesehen, die   5
Nachricht vernommen, daß diesen Vormittag in Potzneusiedl (auch in Ungarn gibt es eines) ein Posträuber gehangen
werde und daß er selber, wenn er nur einige Meilen seitwärts
und halb rückwärts umfahre, gerade zu rechter Zeit zum
Henken kommen könne, um abends noch zeitig genug in   10
Maulbronn einzutreffen. Himmel, so aufgeheitert im Angesicht wie das ganze Morgenblau brachte Katzenberger zu
Tochter und Nieß seine heitere Nebenaussicht hinauf, den
Abstecher nach Potzneusiedl zum Postdiebe zu machen. –
    Aber von welchen Wolken wurde sein helles Berghaupt   15
umschleiert, nicht bloß vom Nein des Reise-Bündners Nieß,
der durchaus noch am Morgen in Maulbronn einpassieren
wollte, sondern noch mehr von dem heftig-bittenden Nein
seiner Tochter, deren Herz durchaus sich zu keinem Einneh-
men einer solchen Mixtur von Brunnenbelustigung und   20
Abwürgung bequemen konnte! Am Ende fand der Doktor
selber einen Umweg über eine Richtstätte zum Lustorte für
eine Weiberseele nicht zum anmutigsten, und er stand zuletzt
aus Liebe für die sonst selten flehende Tochter, wiewohl
unter mehr als einem Schmerze, von einem lachenden Seiten-   25
wege ab, wo ihm ein Galgenvogel als eine gebratene Taube in
den Mund geflogen wäre, indem er am Diebe das Henken
beobachten, vielleicht einige galvanische Versuche auf der
Leiter nachher und zuletzt wohl einen Handel eines artigen
Schaugerichts für seine Anatomiertafel hätte machen können.   30
Der Gehenkte wäre dann eine Vorsteckrose an seinem Busen
auf der ganzen Reise ins Maulbronner Rosental gewesen – –
    So aber hatt' er nichts, und der Potzneusiedler Dieb hing
wie eine Tantalusfrucht unerreichbar vor seiner Seele, und er
mußte sichs auf der Landstraße von Stunde zu Stunde bloß   35
schwach vormalen: jetzo wirft das Gericht die Tische um –

jetzo fährt der Räuber seinem Galgen zu – jetzo hangt er ruhig herab – und er pries die Potzneusiedler glücklich, die um den Rabenstein stehen und alles genießen konnten.

Es war eigentlich nicht sehr zum Aushalten mit ihm an diesem Morgen, und er merkte an, nur um verdrießliche Dinge vorzubringen, es gebe schmerzhafte Erinnerungen, die man so wenig vergesse wie die erste Liebe; so könn' er z. B., erzählt' er, bis diesen Morgen nicht ohne neues Schmerzgefühl daran denken, daß er einmal in Holland, auf einer Treckschuyte fahrend, einem Hering den Kopf abgebissen, um den Rumpf aufzuspeisen, aber im Vergreifen den köstlichen Hering selber am Schwanze ins Wasser geschleudert und nichts behalten habe als den Kopf: »Nach diesem Hering sehn' ich mich ewig«, sagte er. – »Mir ganz denkbar«, sagte Nieß, »denn es ist traurig, wenn man nichts behält als den – *Kopf*.«

Als sie alle endlich in dem unmittelbaren Fürstentümchen *Großpolei* (jetzo längst mediatisiert) den letzten Berg hinabfuhren ins Bad Maulbronn, das ein Städtchen aus Landhäusern schien, und als man ihnen vom Turme gleichsam wie zum Essen blies: so mußte den drei Ankömmlingen, wovon jede Person sich bloß nach ihrer Ziel-Palme scharf umsah, nämlich:

die erste, um angebetet zu werden.

die zweite, um anzubeten,

die dritte, um auszuprügeln,

ganz natürlicherweise die präludierende Bad-Ouvertüre der ersten Person, Nieß, als eine Famatrompete erklingen, der zweiten, Theoda, als ein Verwandel- oder Meßglöckchen zum Niederfallen, und der dritten, Katzenberger, als eine Jagd- oder auch Spitzbubenpfeife zum Anfallen.

Wenn sie freilich Flexen mehr als ein Vogelschwanzpfeifchen vorkam, weil sein Herz nur sein Vor-Magen war, und er erst alles von hinten anfing, so ist dieser Einleg-Riese, wie man Einleg-Messer hat, viel zu klein, um hier angeschlagen zu werden.

Indes zeigt dieses widertönige Quartett, wie verschieden dieselbe Musik in Verschiedene einwirke. Da sie aber dies mit allem in der Welt und mit dieser selber gemein hat: so mag für sie besonders der Wink gegeben werden, daß ihr weites Ätherreich mit demselben Blau und mit derselben Melodie   5 Einen Jammer und Einen Jubel trage und hebe.

Der Doktor bezog zwei Kammern in der sogenannten großen Badewirtschaft – bloß sein Herz war noch in Potzneusiedl unter dem Galgen –, und Nieß mietete ihm gegenüber eines der niedlichsten grünen Häuserchen.   10

Aber der rechte Musik-Text fehlt vor der Hand der begeisterten Theoda; auf der Badeliste, wornach sie zuerst fragte, erschien noch kein angelangter Theudobach. Doch hatte sie die Freude, in der Großpoleischen Zeitung angekündigt zu lesen: »Der durch mehre Werke bekannte Theudobach, habe   15 man aus sicherer Hand, werde dieses Jahr das Maulbronner Bad gebrauchen.« Die Hand war sicher genug, denn es war seine eigne.

Der Doktor fragte, ob der Brunnenarzt Strykius da sei; und ging, als man ihm ein feines, um das Brunnen-Geländer   20 flatterndes Männchen zeigte, sogleich hinab.

Dieser Strykius, ein gerader Abkömmling vom berühmten Juristen Strykius – dem er absichtlich die lateinische Namens-Schleppe nachtrug, um dem deutschen Strick zu entgehen –, war bekanntlich eben der Rezensent der Katzenbergerschen   25 Werke gewesen, den ihr Verfasser auszustäupen sich vorgesetzt. Auf Musensitzen – wie in Pira –, die zugleich rezensierende Musenvätersitze sind, ists sehr leicht, da alle diese Kollegien untereinander kommunizieren, den *Namen* des apokalyptischen *Tiers* oder Untiers zu erfahren; bloß in Marktflek-   30 ken und Kleinstädten wissen die Schulkollegen von nichts, sondern erstaunen. Mehr als durch alle Strykischen Rezensionen in der allg. deutschen Bibliothek, in der oberdeutschen Literaturzeitung u.s.w. war der milde Katzenberger erbittert geworden durch lange grobe hämische und späte   35 Antworten auf seine gelehrten Antikritiken. Denn dem Dok-

tor wars schon im Leben bloß um die Wissenschaft zu tun,
geschweige in der Wissenschaft selber. Da er indes eine
unglaubliche Kraft zu passen besaß: so sagte er ein akademi-
sches Semester hindurch bloß freundlich: »Ich koch's«, und
tröstete sich mit der Hoffnung, den Brunnenarzt persönlich
in der Badezeit kennen zu lernen.

Diese sehnsüchtige Hoffnung sollte ihm heute erfüllt werden, so daß ihm statt des potzneusiedlischen Galgenstricks
wenigstens der Maulbronner Strick oder Strykius zuteil
wurde. Er traf unten an dem Brunnenhause – dem Industrie-
comptoir und Marktplatze eines Brunnenarztes – den ver-
langten. Der Brunnenarzt lief, da er mit der gewöhnlichen
Neugier dieses kürzesten Amtes schon Katzenbergers Namen erjagt hatte, ihm entgegen und konnte, wie er sagte,
die Freude nicht ausdrücken, den Verfasser einer haematologia und einer epistola de monstris und de rabie canina persönlich zu hören und zu benützen und ihm, wo möglich, irgend
einen Dienst zu leisten. »Der größte«, versetzte der Doktor,
»sei dessen Gegenwart, er habe längst seine Bekanntschaft
gewünscht.« – Strykius fragte: »Wahrscheinlich hab' er seine
schöne Tochter als ihr bester Brunnenmedikus hierher beglei-
tet, wenn sie das Bad gebrauche.«

»Nicht eines zu gebrauchen«, antwortete er, »sondern
einem Badegaste eines zuzubereiten und zu gesegnen, sei er
angelangt.« – »Also auch im Umgange der scherzhafte Mann,
als den ich Sie längst aus Ihren epistolis kenne? Doch Scherz
beiseite«, sagte Strykius und wollte fortfahren. »Nein, dies
hieße Prügel beiseite«, sagte der Doktor. »Ich bin wirklich
gesonnen, einen kritischen Anonymus von wenig Gewicht,
den ich hier finden soll, aus Gründen, so lange wir beide,
nämlich er und ich, es aushalten, was man sagt, zu prügeln, zu
dreschen, zu walken. Indes will ich als ein Mann, der sich
beherrscht, nur stufenweise verfahren und früher seine Ehre
angreifen als seinen Körper.«

»Nun diesen Scherz-Ernst abgetan – sagte der Brunnenarzt, sich totlachen wollend –, so versprech' ich Ihnen hier

wenigstens fünf Freunde des Verfassers der Hämatologie,
Männer vom Handwerk.«

»Es soll mich freuen«, sagte der Doktor, »wenn einer darunter mich rezensiert hat, weils eben das Subjekt ist, dem ich,
wie ich Ihnen schon anvertraut, so viel Hirn ausschlagen will,   5
als ein Mensch ohne Lebensgefahr entbehren kann, welches,
wie Sie wissen, bis auf zwei Unzen steigt, es müßte denn sein,
daß ich aus Liebe mich auf bloßes Einschlagen der Hirnschale
einzöge. – Wenn schon jener Festung-Kommandant jeder
davonlaufenden Schildwache fünfundzwanzig Streiche auf-   10
zählen ließ, die einen *Geist* gesehen: wie viel mehr kann ich
einer kritischen geben, die keinen *Geist* in meinen Werken
gesehen! Wie?«

»Tun Sie, was Sie wollen, Humorist; nur sein Sie heute mit
Ihrer blühenden Tochter mein Gast im großen Brunnen-   15
saale«, sagte Strykius; er fand seine Bitte gern gewährt und
schied mit einem eiligen Handdruck, um einem verdrüßlichen Grafen zu antworten, der eben gesagt: »Franchement,
Mr. Médecin, ich habe bisher von dem detestabeln Gesöff nur
die Hälfte Ihrer vorgeschriebenen Gläser verschluckt; ich   20
verlange nun durchaus bloß diese Hälfte verordnet.«

»Gut«, versetzte er, »von morgen an dürfen Sie keck mit
der bisherigen Hälfte fortfahren.«

Diese Antwort vernahm noch der Doktor mit unsäglichem
Ingrimm; er, der sich von keinem Generale und Ordens-   25
Generale und Kardinale nur eine einzige von 1000 verordne-
ten Merkurialpillen hätte abdingen lassen. Strykius milde
Höflichkeit verdroß ihn mehr, als die größte Grobheit getan
hätte, auf die er zufolge der anonymen in den Rezensionen so
gewiß gezählet hatte; einen rauhen, widerhaarigen, stämmi-   30
gen Mann hatte er zu finden gehofft, dem der Kopf kaum
anders zu waschen ist als durch Abreißen oder Abhaaren
desselben, wenigstens einen Mann, der wie ein Teich unter
seinen weißen Wasser-Blüten scharfgezähnte Hechte ver-
bärge – – aber er, ein so gebognes, wangenfettes, gehorsams-   35
tes, untertänigstes Zier-Männchen, das noch niemand ein

hartes Wort gesagt als etwa Frau und Kindern, gegen niemand ein Elefant als gegen Elefanten-Käfer und Elefant-Ameisen! ... Nichts erbittert mehr als anonyme Grobheit eines abgesüßten Schwächlings!

5 Allerdings gibt es ein oder das andere Wesen in der Welt, das Gott selber kaum stärken kann ohne den Tod – das sich als ewiger Bettelbrief gern auf- und zubrechen, als ewiges Friedeninstrument gern brechen läßt – das eine Ohrfeige empfängt und zornig herausfährt, es erwarte nun, daß man sich
10 bestimmter ausdrücke – das nicht sowohl zu einem armen Hunde und Teufel als zu einem niesenden fürstlichen mit Silberhalsband sagt: Gott helf, oder contentement – dessen Zunge der ewig geläutete Klöppel in einer Leichenglocke ist, welche ansagt: ein *Mann* ist gestorben, aber schon ungebo-
15 ren – das erst halb, ja dreiviertels erschlagen sein will, bevor es dem Täter geradezu heraussagt auf dem Totenbette im Kodizill, es sei dessen erklärter Todfeind – das jeder so oft zu lügen zwingen kann, als er eben will, weil es sich gern widerspricht, sobald man ihm widerspricht – und dem nur der Feind gern
20 begegnet und nur der Freund ungern. – –

Indem ich ein solches Wesen mir selber durch den Pinsel und das Gemälde näher vor das Auge bringe: erwehr' ich mich doch nicht eines gewissen Mitleidens mit solchen tausendfach eingeknickten Seelen, die nun Gott einmal so dünn-
25 halmig in die Erde gesäet hat; und welchen, obwohl am wenigsten durch schnelles Aufschrauben, doch auch nicht durch schweres Niederdrücken aufzuhelfen ist, sondern vielleicht durch allmähliches Ermuntern und Aufwinden und durch Abwenden der Versuchung.

30 Aber an das letzte war bei Katzenberger nicht zu denken. Des Brunnenarztes Sprech- und Tat-Marklosigkeit neben seiner harten, heißen Schreib-Strengflüssigkeit im Richten setzten in ihm nun den Vorsatz fest, den Badearzt auf eine ausgedehnte Folterleiter von Ängsten und Ehren-Giften zu setzen
35 und ihn erst auf der obersten Stufe zu empfangen mit dem Prügel. Strykius war der erste Patient, den er durch Heilmit-

tel nicht heilen wollte, so sehr war er ergrimmt; und er war
entschlossen, ihn durch zuvorkommende Unhöflichkeiten
wo möglich zu einer zu zwingen und als umrollender Weber-
baum das hin und her fliegende Weberschiffchen zu bearbei-
ten. Es ist indes oft ebenso schwer, manche grob zu machen   5
als andere höflich.

Zu Hause setzte er in Strykius Namen einen öffentlichen
Widerruf von dessen Rezensionen auf, den er ihn zu unter-
schreiben und herauszugeben in der Prügelstunde zwingen
wollte.   10

22. Summula

Nießiana.

Herr von Nieß lud auf abends gegen ein unbedeutendes Ein-
laßgeld die Badegesellschaft zu seinem musikalischen Deklamatorium des besten Theudobachischen Stückes, betitelt   15
»Der Ritter einer größern Zeit«, auf Zetteln ein, die er schon
fertig gedruckt mitgebracht hatte, bis auf einige leere Vakanz-
Rahmen oder Logen, welche er mit Inhalt von eigner Hand
besetzen wollte. Funfzig solcher Zettel ließ er austeilen und
sagte mit inniger Liebe gegen jeden und sich: »Warum wollt'   20
ich so vielen Menschen aus entgegengesetzten Winkeln
Deutschlands, denen ein Buchstabenblättchen von mir vielleicht eine ewige Reliquie ist und zwei geschriebene Worte
vielleicht mehr als tausend gedruckte von mir, warum sollt'
ich ihnen diese Freude nicht mit nach Hause geben?«   25

Aber aus Liebe gegen Theoda, die dem Dichter als einem
Sonnengott wie eine Memnonstatue zutönte mit heitern
Nachtmusiken und Ständchen, setzte er sich nieder und
schrieb, um ihr den Aufschub seiner Götter-Erscheinung
oder seines Aufgangs zu versüßen, eigenhändig in Theudo-   30
bachs Namen ein Briefchen an Herrn von Nieß, worin er sich
selber als einem Freund berichtete: »Er komme erst abends in

Maulbronn an, doch aber, hoff' er, nicht zu spät für den
Besuch des Deklamatorium; und nicht zu früh, wünsch' er,
für unsre Dame.« Er steckte dies Blättchen in einen mit der
Bad-Post angelangten Briefumschlag und ging zu Theoda mit
5 entzücktem Gesicht. Daß er nicht log, war er sich bewußt, da
er eben vorhatte, unter dem Deklamieren (um das Loben ins
Gesicht zu hemmen) aufzustehen und zu sagen: ach nur ich
bin selber dieser Theudobach. Ehe der Edelmann kam, hatte
sie eben folgendes ins Tagebuch geschrieben: »Endlich bin
10 ich da, Bona, aber niemand anders (außer einige Schocke
Badegäste), sogar auf der Badeliste fehlt Er. Bloß in der
Großpoleischen Zeitung wird er gewiß angekündigt. Ich
wollte, ich hätte nichts, worhinter mich kratzen könnte;
aber die Ohren müssen mir lang auf der Fahrt gewachsen sein,
15 weil ich so fest voraussetzte, der erste, auf den man vor der
Wagentüre stieße, sei bloß der Poet. Wohin ich nur vom
Fenster herabblicke auf die schönen Badegänge: so seh' ich
doch nichts als den leeren Stickrahmen, worauf ihn meine
Phantasie zeichnet, nichts als den Paradeplatz seiner Gestalt
20 und sein Throngerüste. Wahrlich so wird einem Mädchen
doch so ein Mensch, den man liebt, es mag nun ein Bräutigam
oder ein Dichter sein, zu jedem Gestirn und Gebirg, gleichsam zum Augengehenk, und hinter allen steckt der Mensch,
daß es ordentlich langweilig wird. Man sollte weniger nach
25 einem Schreiber fragen, da man ja an unserm Herrgott genug
hätte, der doch das ganze Schreiber-Volk selber geschaffen.
Ich merke wohl, ich werde allmählich eher toller als klüger;
am besten schreib' ich dir nichts mehr über mein Aufpassen,
als bis der Messias erschienen ist; denn ausstreichen, was ich
30 einmal an dich geschrieben, kann ich aus Ehrlichkeit unmöglich; ich sage dir ja alles und nehme mir kein Blatt vors Maul,
warum ein Blatt vors Blatt . . .«
   Da erschien Nieß und wollte seine eben erhaltene Nachricht übergeben. Sie empfing ihn, in der vaterlosen Einsam-
35 keit, mit keinem größern Feuer, wie er doch gedacht, sondern
mit einigem Maireif, der aus dem Tagebuche auf das Gesicht

gefallen war. Sofort behielt er seine Selbbriefwechsel in der
Tasche und beschenkte sie und ihren abwesenden Vater bloß
mit der Einladung, mittags seine Gäste und abends seine
Zuhörer zu sein. Auch wunderte er sich innerlich sehr,
warum er nicht früher darauf gefallen, ihr das Blättchen erst 5
an der Tafel zu geben und dadurch der Tafel zugleich; »ein
Briefwechsel mit dem Dichter selber (dacht' er) müßte, sollt'
ich denken, dem Deklamator desselben vorläufige Ehre und
nachlaufende Zuhörer eintragen«.

Eben versprach Theoda seinem Tische sich und ihren 10
Vater, als dieser eintrat und das Nein vorschüttelte und sagte:
er habe sich dem Handwerkgesellen Strykius versprochen,
um das Band der Freundschaft immer enger zusammenzuzie-
hen bis zum Ersticken; das Mädchen könne aber tun, was es
wolle. Dies tat sie denn auch und blieb ihrem Wort und Nie- 15
ßen getreu. Sie saß nämlich, damit ich alles erkläre, an öffentlichen Orten gern so weit als tunlich von ihrem Vater ab, als
Tochter und als Mädchen; sie kannte seine Luthers-Tisch-
reden. Der Edelmann wendete diese Wendung ganz anders:
»O! sie hat schon recht, die Zarte«, dacht' er, »jetzt in Gegen- 20
wart eines Fremden, nämlich des Vaters, verbirgt sie ihre
Wärme weniger; neben dem einsamen Geliebten scheuet die
einsame Liebende jedes Wort zu sehr und wartet auf fremde
kühlende Nachbarschaft; o Gott, wie errat' ich dies so sehr
und doch leider mich kein Hund!« 25

Endlich, hoff' ich, ist Hoffnung da, daß mittags gegessen
wird in Maulbronn, in der 23. Summel.

23. Summula

Ein Brief.

Herr von Nieß führte seine schöne Tischgenossin in die glän- 30
zenden Eßzirkel an eine Stelle, wohin das väterliche Ohr
nicht langte. Der Eßsaal war die grüne Erde, mit einem von

Laubzweigen durchbrochenen Stückchen Himmel dazu.
Lustbeklommen überflog Theoda mit dem scheuen Auge die
wallende Menge, in der weiblichen Hoffnung, ob doch nicht
zufällig daraus der Gehoffte auffliege. Ihre Seele quälte,
5 sehnte sich immer heftiger und immer unverständiger; ihr
war, als müsse er überall gehen und sitzen. In diesen Frauen-
Rausch hinein reichte nun der Edelmann den Brief, den
Theudobach an ihn geschrieben. Mehr bedurfte ihre Seele
nicht, um den Tisch-Trompeten leise nach zu schmettern, um
10 das Erden-Leben für Sonnenstern-Leben zu halten und um
außer sich zu sein.

Nun standen alle Rosenknospen als glühende Rosen auf-
gebrochen da. Sie drückte Nießens Hand im Feuer, und
er freuete sich, daß er keinen andern Nebenbuhler hatte
15 als sich selber. Die Neuigkeit lispelte sich bald von seiner
zweiten Nachbarin die Tafel hinab. Er brachte deswegen,
da er schon als Freund eines Groß-Autors Aufmerksam-
keit gewann, mehre Sentenzen teils laut, teils gut gedreht
hervor, weil leicht auszurechnen war, wie sie vollends um-
20 laufen würden, wenn er mit dem Dichter in Eins zusam-
mengeschmolzen. Die Tischlustbarkeit stieg zusehends. Das
Brunnen-Essen ist, ungleich dem Brunnen-Trinken, die
beste Brunnen-Belustigung und ohnehin froher als jedes
andere; außer der Freiheit wirkt noch darin, daß man da kei-
25 nen andern Arbeittisch kennt als den Eßtisch und keine
Schmollwinkel als die Badewanne.

24. Summula

Mittagtischreden.

Aber unten am entgegengesetzten Tafel-Ausschnitt, wo Kat-
30 zenberger neben seinem gastfreien Rezensenten saß, nahm
man von Zeit zu Zeit auf den Damengesichtern von weitem
verschiedene Querpfeifer-Muskel-Bewegungen und Mienen-

Vielecke wahr. Der Doktor hatte nämlich bei der Suppe seinen Wirt gebeten, ihn mit den verschiedenen Krankheiten
bekannt zu machen, welche gerade jetzt hier vertrunken und
verbadet würden. Strykius wußte, als ein leise auftretender
Mann, durchaus nicht, wie er auf deutsch (zumal da außer   5
dem eignen Namen wenig Latinität in ihm war) zugleich die
Ohren seines Gastes bewirten, und die der Nachbarinnen
beschirmen sollte. »Beim Essen«, sagte eine ältliche Landjunkerin, »hörte sich dergleichen sonst nicht gut.« – »Wenn Sie
es des Ekels wegen meinen«, versetzte der Doktor, »so biet'   10
ich mich an, Ihnen, noch ehe wir vom Tisch aufstehen, ins
Gesicht zu beweisen, daß es, rein genommen, gar keine ekelhafte Gegenstände gebe; ich will mit Ihnen Scherzes halber
bloß einige der ekelhaften durchgehen und dann Ihre Empfindung fragen.« Nach einem allgemeinen, mit weiblichen   15
Flachhänden unternommenen Niederschlagen dieser Untersuchung stand er ab davon.

   »Gut«, sagt' er, »aber dies sei mir erlaubt zu sagen, daß
unser Geist sehr groß ist und sehr geistig und unsterblich und
immateriell. Denn wäre dieser Umstand nicht, so waltete die   20
Materie vor, und es wäre nicht denklich; denn wo ist nur die
geringste Notwendigkeit, daß bei Traurigkeit sich gerade die
Tränendrüse, bei Zorn die Gallendrüse ergießen? Wo ist das
absolute Band zwischen geistigem Schämen und den Adern-
klappen, die dazu das Blut auf den Wangen eindämmen? Und   25
so alle Absonderungen hindurch, die den unsterblichen Geist
in seinen Taten hienieden teils spornen, teils zäumen? In meiner Jugend, wo noch der Dichtergeist mich besaß und nach
seiner Pfeife tanzen ließ, da erinner' ich mich noch wohl, daß
ich einmal eine ideale Welt gebaut, wo die Natur den Körper   30
ganz entgegengesetzt mit der Seele verbunden hätte. Es war
nach der Auferstehung (so dichtete ich); ich stieg in größter
Freude aus dem Grabe, aber die Freude, statt daß sie hienieden die Haut gelinde öffnet, drückte sich droben bei mir und
bei meinen Freunden durch Erbrechen aus. Da ich mich   35
schämte wegen meiner Blöße, so wurde ich nicht rot, sondern

sogenannt preußisch Grün, wie ein Grünspecht. – Beim Zorn
sonderten sämtliche Auferstandne bloß album graecum ab. –
Bei den zärtern Empfindungen der Liebe bekam man eine
Gänsehaut und die Farbe von Gänse-Schwarz, was aber die
Sachsen Gänse-Sauer nennen. – Jedes freundliche Wort war
mit Gallergießungen verknüpft, jedes scharfe Nachdenken
mit Schlucken und Niesen, geringe Freude mit Gähnen. – Bei
einem rührenden Abschied floß statt der Tränen viel Speichel.
– Betrübnis wirkte nicht wie bei uns auf verminderten Puls-
schlag, sondern auf Wolf- und Ochsen-Hunger und Fieber-
Durst, und ich sah viele Betrübte Leichentrunk und Leichen-
essen zugleich einschlucken. – Die Furcht schmückte mit
feinem Wangenrot. – Und feurige, aber zarte Zuneigung der
Ehegatten verriet sich, wie jetzt unser Grausen, mit Haarbergan, mit kaltem Schweiß und Lähmung der Arme. – Ja,
als . . . .«

   Aber hier lenkte der vorsorgende Brunnenarzt den unge-
treuen Dichterstrom durch die Frage seitwärts: »Artig, sehr
artig, und wie Haller, wahrer Dichter und Arzt zugleich –
Aber Sie haben sich gewiß vorhin in der Wirklichkeit schöner
gefühlt, da Sie aufmerksam unsern schönen Damenzirkel
durchliefen?« – »Allerdings«, versetzte er, »und ich tue es
auch in jeder neuen Gesellschaft in der Hoffnung, endlich
einmal ein Monstrum darunter zu finden. Denn jetzt bin ich
der blühende schwärmerische Jüngling nicht mehr, der sonst
vor jeder schönen Gestalt oder Brust außer sich ausrief:
Rumpf einer Göttin! Brustkasten für einen Gott! Und das
feine Hautwarzensystem und das Malpighische Schleimnetz
und die empfindsamen Nervenstränge darunter! O ihr Götter! – Auch Sie wie alle Schwärmer haben sich gewiß sonst
nicht schwächer ausgesprochen; jetzo freilich wird der Ausdruck immer lahmer. Um aber auf die Mißgeburten zurückzukommen, nach denen ich mich hier nach dem ersten Kom-
plimente vergeblich umgesehen, so sag’ ich dies: Eine Mißgeburt ist mir als Arzt eigentlich für die Wissenschaft das einzige Wesen von Geburt und Hoch- und Wohlgeboren; denn

ich lerne mehr von ihm als vom wohlgeborensten Manne. Aus demselben Grunde ist mir ein Fötus in Spiritus lieber als ein langer Mann voll Spiritus; und Embryonengläser sind meine wahren Vergrößer-Gläser des Menschen. – Ach wohl in jedem von uns«, fuhr er feuriger fort, »sind einige Ansätze zu einem Monstrum, aber sie werden nicht reif; mit dem Rückgrat-Ende, dem Steißbein, setzen wir z. B. zu einem Affenschwanz an, und auf dem neugebornen Kindskopfe erscheint nach Buffon eine hornartige Materie zu einem Gehörne, die man leider sauber wegbürstet; aber jeder will wahrlich nur seinesgleichen sehen, ohne nur im geringsten sich um die schon fürs Auge köstliche Mannigfaltigkeit zu bekümmern, welche z. B. an dieser Badtafel genossen würde, wenn jeder von uns etwas Verdrehtes an sich hätte, und wenn z. B. der eine statt der Nase einen Fuchsschwanz trüge, der andere einen Zopf unter dem Kinn, der dritte Adlerfänge, der vierte ordentliche, nicht etwa abgenutzte mythologische Esel-ohren. Ich für meine Person, darf ich wohl bekennen, ginge mit Jauchzen vor einer mißgebornen Knappschaft und Mann-schaft an der Spitze, als verzerrter Flügelmann und monströ-ses Muster, und würde Gott danken, wenn ich (nämlich kör-perlich) nicht wäre wie andere Leute, sondern wenn auf mir etwa Kamel und Dromedar, also drei Höcker zugleich ver-kettet wären zur Gebirgkette, oder wenn die Natur mir hin-ten eine angeborne Frau aufgesetzt hätte samt zwölf Fingern vorne, oder wenn ich sonst mit vielen Curiosis für mich und andere begabt wäre, insofern mir nämlich bei diesem lebendi-gen Naturalienkabinett auf mir mein gewöhnlicher medizini-scher Verstand gelassen würde, der sich wie eine Biene auf alle Blumen-Monstrosen setzen müßte und könnte. Was hat aber jetzt mein Geist davon, daß mein Leib wohlgestaltet ist und die gemeinsten Reize für Volkaugen umherspreitet? – Nichts hat er; er sieht sich nach bessern um. Aber ich entsinne mich noch recht gut meiner Jugend, wo ich mehr idealisierte und weniger auf Erden als im Himmel wandelte, da weidete ich mich an geträumten, noch höhern Mißgeburten, als das

teuere schwache Hasenpaar ist, das ich gestern gekauft; da
war es mir ein leichtes, ganze ineinander hineingewachsene
Sessionen geboren und zu Kauf zu denken, die ich dann nach
dem Ableben leicht in einem Spiritus-Glase bewahrte und
bewegte nach Lust – oder einen Knaben mit einem angebornen vollständigen fleischernen Krönunghabit – oder einen
tafelfähigen Edelmann mit zweiunddreißig Steißen besetzt –
und doch sind das nicht ganz arkadische Träume. Sonst wurden ja wirklich Menschen mit lebendigen Pluderhosen und
Fontangen geboren zum Abschrecken vor genähten; warum
könnte nicht unsern Zeiten der Fang zufallen, daß ihnen
das Glück einen Incroyable mit pulsierenden Hutkrempen
und Schnabelstiefeln und fleischernen Krawatten-Zacken
bescherte? frag' ich.«

Der Brunnenarzt schwitzte, während er pries, mehre
Schweiße von verschiedener Temperatur darüber, daß er
einen Flügel seiner Patienten, zumal den weiblichen, eine
Landjunkerin, eine Konsistorial-Rätin, eine halb bleich-,
halb gelbsüchtige Zärtlingin, und am Ende sich selber in die
Hör- oder Stech-Weite eines solchen geistigen Raufdegens
gebracht als Wirt. Gern hätte er verschiedene kaltsinnige
Mienen dabei geschnitten, wenn er versichert gewesen wäre,
daß ihn der Doktor nicht als Rezensenten kenne und darum
schärfer angreife. Doch tat er das Seinige und sprang von den
Mißgeburten auf die Katzenbergerischen Geburten, um vorzüglich dessen Hämatologie zu huldigen, worin, sagt' er,
Paragraphen wären, ohne welche er manche glückliche Bemerkungen gar nicht hätte machen können. »Schön«, versetzte der Doktor, »so denkt wohl nur ein äußerst partei-
ischer und guter Mann wie Sie – denn außer Ihnen gibts nur
noch einen Leser, der gern alles redlich tut, was ihm Bücher
vorschreiben, nämlich den Buchbinder, der jedes Wort an
den Buchbinder befolgt –; aber Sie sollten meinen Hund von
Rezensenten kennen und dagegen halten. Himmel, wie bellt
der Zerberus, zwar nicht mit drei Köpfen, aber aus sieben
Hundhütten und an sieben Ketten gegen mich! – – Ich wollt',

ich hätte ihn da; ich wollte jetzt alles tun, da ich eben getrunken, was ich ihm längst geschworen, nämlich meine Blut-Machlehre (die haematologia) an ihm selber erproben. – Oder gibt es etwas Sündlichers, als wenn ein Narr – bloß weil er sieben Zeitungen dazu frei hat, wie zu sieben Türmen – die sieben Weisen spielt und sieben Todsünden begeht, um als einziger Zeuge vermittelst einer bösen literarischen Heptarchie seinen Ausspruch zu besiebnen? Ich kann von der bösen Sieben gar nicht los; aber ich werde, sollt' ich denken, in jedem Falle den Mann ausprügeln, erwisch' ich ihn. Hier fass' ich zum Glück den redlichen Stryk an der Hand, der denkt wie ich, wenn nicht zehnmal besser. Diesem *Magen* übergeb' ich mich – denn ich meine Magus, nicht Stomachus –, und er entscheide; für mich ist er der große *Thor* (ich spreche zwar nach einem Glas Wein, aber ich weiß recht gut, daß *Thor* unser erster altdeutscher heilender Gott gewesen) – der sage hier . . . . was wollt' ich denn sagen? Nun mir gilts sehr gleich, und die Sache ist ohnehin klar und fest genug. Kurz – –«

»Ich errate unsern guten Autor«, sagte Strykius, »denn vielleicht kann ich, als alter Leser seiner witzreichen Werke, ihn wenigstens zum Teil würdigen. Man kennt diesen tiefen Mann, er verzeihe mir sein Lob ins Gesicht, nur wenig, wenn man nicht seine gelehrte und seine witzige Seite zugleich bewundert und unterscheidet, die er beide so eng verschmelzt; aber er hat nun einmal, um spaßhaft-gemein zu sprechen, Haar im Mund.« – »Aber ich habe sie eben zwischen den Zähnen (versetzte er, einen Truthahn-Hals an der Gabel aufhebend); ich wünschte, mancher hätte so viel Haarwuchs auf dem Kopfe als der Truthahn hier am Halse, und solche herrliche Haarzwiebeln wären auf eine bessere Haut und Glatze gesäet, als ich eben käuen muß.«

»Ich tadle aber doch die Sauce dabei – fiel ein ältlicher, mehr blöd- und fünfsinniger als scharfsinniger Posthalter ein –, sie will mir fast wie abgeschmackt schmecken; aber jeder hat freilich seinen Geschmack.« – »Abgeschmackt, Herr Posthalter«, sagte der Doktor und hielt lange inne,

»nennen die Physiologen alles, was weniger Salz enthält als ihr eigner Speichel; daher sind Sie wegen des Ungesalzenen wahrscheinlich ein Mann von Salz, ich meine den Speichel.« –

Eine schwergeputzte Landjunkerin, die ihren Kahlschädel mit einem Prunk- und Titular-Haar gekrönt, merkte (aber nicht leise genug, weil sie es französisch sagte) gegen ihre Tochter an: »Fi! Welch ein Mensch! Wer kann dabei essen?« – Der Posthalter, der ihn schlecht verstand und gut aufnahm, wollte es höflich erwidern und fragte: »Wie gefallen Sie *sich* hier, Herrrr . . . ich weiß Ihren werten Charakter nicht?« – »Ich mir selber?« versetzte der Doktor. »Sehr!«

Eben bekam er und die Landjunkerin kleine, etwas klumpige Pasteten auf den Teller. Er schob seinen weit in den Tisch hinein, bemerkend: gerade in solchen Pasteten würden gewöhnlich die Frauen-Perücken ausgebacken, wie hier mehre an der Tafel säßen; indes find' er darum noch kein Haar aus Ekel darin, ja er ziehe in Rücksicht des letzten Pasteten den Perücken vor.

Die Edeldame brach mit Abscheu auf, um es zu keinen stärkern Ausbrüchen kommen zu lassen. Endlich taten es auch die übrigen. Wohlgemutet drückte Katzenberger dem Rezensenten die Hand und prophezeite sich die Freuden, die ihn erwarteten, könn' er öfter so mit ihm zusammenhausen, und beschenkte ihn mit der Herz-Ergießung: »Ich habe am Ende (und nur mit Gewalt verschieb' ichs) sagen wollen zu Ihnen: Du!«

25. Summula

Musikalisches Deklamatorium.

Die Leser finden um 7 Uhr alle Maulbronner von Bildung in Nießens Deklamiersaal. – Das musikalische Vorspiel hat schon ausgespielt – Nieß geht mit dem »Ritter einer größern Zeit« in der Hand, ihn drittels deklamierend, drittels lesend,

drittels tragierend, langsam zwischen der weiblichen und
männlichen Kompagniengasse auf und ab und hält bald vor
diesem Mädchen still, bald vor jenem. Auch Katzenberger
ging auf und ab, aber einsam im Vorsaal, teils um den reinen Musik-Wein ohne poetischen Bleizucker einzuschlür-
fen, teils weil es überhaupt seine Sitte war, im Vorzimmer
eines Konzertsaales unter unaufhörlicher Erwartung des
Billeteurs, daß er seine Einlaßkarte nehme, so lange im
musikalischen Genusse gratis versunken hin und her zu
spazieren, bis alles vorbei war. – Der Vorleser steht schon
bei den größten lyrischen Katarakten seiner dichterischen
Alpenwirtschaft, und die Musik fällt (auf kleine Finger-
Winke) bald vor, bald nach, bald unter den Wasserfällen
ein, und alles harmoniert. –

   Der Charakter des Ritters einer größern Zeit war endlich so
weit vorgerückt, daß viele Zuhörerinnen seufzten, um nur zu
atmen, und daß Theoda gar ohne Scheu vor den scharf
geschliffenen Frauen-Blicken darüber in jene Traualtar- oder
Brauttränen (ähnlich den männlichen Bewunderungtränen)
zerschmolz, welche freudig nur über Größe, nicht über
Unglück fließen. Der geschilderte blühende Ritter des
Gemäldes, schamhaft wie eine Jungfrau, liebend wie eine
Mutter, schlagend und schweigend wie ein Mann, und ohne
Worte vor der Tat, und von wenigen nach der Tat, stand im
Gemälde eben vor einem alten Fürsten, um von ihm zu scheiden. Es war ein prunkloses Gemälde, das ein jeder leicht hätte
übertreffen wollen. Der ältliche Fürst war weder der Landesherr noch Waffenbruder des Jünglings; er hatte sich bloß an
ihn gewöhnt, aber jetzo mußt' er ihn ziehen lassen, und dieser
mußte ziehen. Beide sprachen nun in der letzten Stunde bloß
wie Männer, nämlich nicht über die letzte Stunde, sondern
wie sonst, weil nur Männer der Notwendigkeit schweigend
gehorchen; und so gingen beide, so sehr auch in jedem der
innere Mensch schwere Tränen in den Augen hatte, wort-
karg, ernst, mit ihren Wunden und mit einem Gott befohlen
auseinander.

So weit war die Vorlesung einer größern Zeit schon vorgerückt, als noch die Türe aufging und wie ein fremder Geist ein
Mann eintrat, der, wie auferstanden aus dem Gottesacker der
Ritterzeiten, ganz dem Ritter an Blick und Höhe glich und
5 die Hör-Gesellschaft fast ebenso sehr erschreckte als er-
freuete . . .

26. Summula

Neuer Gastrollenspieler.

Jetzt in den Monaten, wo ich die 26. Summel für die Welt
10 bereite und würze, ist es freilich sogar der Welt bekannt, wer
ankam; aber am beschriebenen Abende war noch Maulbronn
selber darüber dumm.

Der eintretende Mann schrieb sich Herr von Theudobach,
Hauptmann in preußischen Diensten. Nach altdeutschem
15 Lebens-Stil war er noch ein Jüngling, das heißt 30 Jahr alt –
und nach seinem blühenden Gesicht und Leben war ers noch
mehr. Seine dunkeln Augen glühten wie einer wolkigen
Aurora nach, weil er sie bisher noch auf keine andere Figuren
geworfen als auf mathematische in Euler und Bernoulli, und
20 weil er bisher nichts Schöneres zu erobern gesucht, als was
Koehorn, Rimpler und Vauban gegen ihn befestigt hatten.
Unter diesem mathematischen Schnee schlief und wuchs sein
Frühling-Herz ihm selber unbemerkt. Vielleicht gibt es keinen pikantern Gegenschein der Gestalt und des Geschäfts, als
25 der eines Jünglings ist, welcher mit seinen Rosenwangen und
Augenblitzen und versteckten Donnermonaten der brausen-
den Brust sich hinsetzt und eine Feder nimmt und dann keine
andere *Auflösung* sucht und sieht als eine – algebraische.
Gott! sagen dann die Weiber mit besonderem Feuer, er hat ja
30 noch das ganze Herz, und jede will seinem gern so viel geben,
als sie übrig hat von ihrem. Dieser Hauptmann hatte nun auf
seiner Reise durch das Fürstentum Großpolei zufällig in der

Zeitung gelesen: der durch seine Schriften bekannte Theodobach werde das Maulbronner Bad besuchen. »Das ich doch
nicht wüßte!« sagte der Hauptmann, weil er von sich gesprochen glaubte, indem er mehre kriegmathematische Werkchen
geschrieben. Von Nießens Namenvetterschaft und Dichtkunst wußt’ er kein Wort. Unter allen Wissenschaften bauet
keine ihre Priester so sehr gegen andere Wissenschaften ein als
die sich selber genügsame Meßkunst, indes die meisten
andern die Meßrute selber als eine blühende Aarons-Rute
entlehnen, die ihnen bei Priesterwahlen raten helfen soll. Ich
kann mir Mathematiker gedenken, die gar nicht gehöret
haben, daß ich in der Welt bin, und die also nie diese Zeile zu
Gesicht bekommen. »Es sind folglich«, schloß der Hauptmann, »nur zwei Fälle denkbar: entweder irgend ein literari-
scher Ehrenräuber gibt sich für mich aus, und dann will ich
ihm öffentlich die Meßrute geben – oder es treibt wirklich
noch ein Wasserast und Nebensprößling meines Stamm-
baums, was mir aber unglaublich – in jedem Falle sind fünf
Meilen Umweg so viel als keiner für einen solchen Prüfung-
Zweck.«

　Sein Erstaunen, aber auch sein Zürnen – denn das Zorn-
feuer der Ehre hatte bisher ganz allein in ihm neben dem
wissenschaftlichen Feuer und Lichte gebrannt – erstieg einen
hohen Grad, da er in Maulbronn von seinem entzückten
Wirte hörte: ein Herr von Nieß habe schon heute nach einem
Brief, den er von Herrn von Theodobach erhalten, dessen
Ankunft angesagt; und alles werde sich im Deklamatorium
über seinen Eintritt entzücken, zumal da eben etwas von ihm
vorgelesen werde. Der Wirt trug sogar Vorsorge, ihm unter
dem Deckmantel eines Wegweisers seinen Sohn mitzugeben,
welcher der Wirttochter, weil sie belesen und mit darin war,
sogleich das ganze Signalement des neuen Zuhörers durch
drei Worte ins Ohr zustecken sollte.

　Als der Hauptmann eintrat, blickten ihn die übrigen weiblichen Augen an, ausgenommen nur ein Paar: Theoda sah
unter dem Vorlesen keine Gesichter als – ihre innern und bloß

zu den poetischen Höhen hinauf. Noch ehe die Wirttochter
die Nachricht von Theudobachs Ankunft wie einen elektri-
schen Funken hatte durch die Weiber-Ohrenkette laufen lassen: hatten sich schon alle Augen an den Hauptmann festge-
5 schraubt. Denn immerhin halte Christus auf einem Berge
seine Predigt oder auf dem Richterstuhle sein Jüngstes
Gericht: es ist unmöglich, daß die Frauen, die davon erbaut
oder gerührt werden, nicht mehre Minuten den Heiland vergessen und sich alle an den ersten Kirchengänger und Ver-
0 dammten heften, der eben die Gesellschaft verstärkt; sie müssen sich umdrehen und schauen und einander etwas sagen und
wieder nachschauen.

  Ich will setzen, mein zweiter Satz wäre wahr, daß für das
Weiberherz ein Federbusch auf dem Mannskopfe mehr wiege
5 als ein ganzer Bund gelehrter Federn hinter dem Ohre, weil
mein erster richtig wäre, daß interna non curat Praetor, oder
wörtlich übersetzt, daß eine Frau vor allen Dingen gern wissen will, wie ein Mann von außen aussieht: so hätt' ich ziemlich erklärt, warum der junge Mann mit seinem Federbusch-
20 Hut in der Hand, mit seinem Jünglingblicke und seiner
Mannkraft und selber mit einigen Krieg- und Blatternarben,
ja sogar mit dem düstern Feuer, womit er dem Vorleser nachsah und nachhörte, den ganzen weiblichen Hör- und Sitz-
Kreis wie in Einem Hamen gefangen und schnalzend aus dem
25 Wasser emporhob. Jetzo schlug vollends die Nachricht der
Wirttochter von einem beringten Ohre zum andern: der da
sei's, der Dichter.

  Theoda hörte es, sah auch hin – und sie und ihr Leben
wurden wie von einem ausgebreiteten Abendrote überzogen.
30 Wie ein stiller Riese, wie eine stille Alpe stand er da; und ihr
Herz war seine Alpenrose. – Irgend einmal findet auch der
geringste Mensch seinen Gottmensch, und in irgend einer
Zeit findet er ein wenig Ewigkeit; Theoda fands.

  Der Vorleser, den die fremde Bewunderung seines Lese-
35 stücks hinriß in eigne, und der unter allen Empfindungen
diese am innigsten mit dem Hör-Kreis teilte, hatte jetzo, wo

die eigentliche Höhe und Bergstraße seiner Schöpfung erst
recht anging, gar nicht Zeit, die Ankunft, geschweige die
Gestalt und die Einwirkung des Kriegers wahrzunehmen. Er
stand eben an der zweiten Hauptstelle seines Gesangs (der
Anfang war der erste), am Schwanengesange, am Ende-Tril-
ler; denn wie im Leben die Geburt und der Tod, im Gesell-
schaftzimmer der Eintritt und der Austritt die beiden Flügel
sind, womit man steigt oder fällt, so im Gedichte – Nieß
konnte also nicht unaufhaltsam genug stürmen und laufen
und deklamieren und sich begleiten lassen von Musik, um,
wie ein Gewitter, gerade den stärksten und entzündendsten
Schlag beim Abzuge zu tun.

Indes hören mitten in diesem Gerassel von poetischen
Streit- und Siegwagen Vorleser eigner Sachen gleichwohl
manches leise Wort, das darüber ausfliegt. Nieß vernahm
mitten im Dichter-Sturm sehr gut Theodas Wort: »Ja er ists
und hat sich selber kopiert im Ritter.« – »Und tut doch
immer«, sagte die Nachbarin, »als ginge ihm das ganze
Gedicht nichts an.« Es war Nießen auf keine Weise möglich,
bei solchen Aussprüchen, daß er da sei und sich im alten
Ritter selber getroffen habe, und bei dem allgemeinen Klat-
schen und Anblicken und Anfragen der Bewunderung, sich
etwa in den Kopf zu setzen, er sei gar nicht gemeint, nur der
neue Soldat. Sondern eine wärmere Minute und höhere Stelle,
um sich zu enthüllen und zu entwölken, – dies sah er wohl
ein – könnte kein Sternseher für ihn errechnen, als der Kulmi-
nation- und Scheitelpunkt war, den er eben vor sich hatte, um
die Wolke des Inkognito seinem Phöbus auszuziehen. Zum
Glück war er früher darauf gerüstet und hatte daher – da er
längst wußte, daß die Menschen die ersten Worte eines großen Mannes, sogar die kahlsten, länger behalten und umtra-
gen als die besten nach einem Umgange von Jahren – schon
auf der Kunststraße, zehn Meilen vom Lesesaal, folgende
improvisierende Anrede ausgearbeitet:

»Ehrwürdige Versammlung, fänd' ich nur die ersten
Worte! Auf eine solche Sympathie einer so gebildeten Gesell-

schaft mit mir durft' ich ohne Eigenliebe nicht rechnen. Aber
eine Herzergießung verdient die andere, und ich gebe mich
willig dem Ungestüm der Augenblicke Preis. Möge, ihr
Herrlichen, euch jeder Schleier des Lebens so abgehoben
werden als jetzt, und nie decke sich euch ein Leichenschleier
statt eines Brautschleiers auf. – Ich war nämlich mein eigner
Vorläufer; denn ich bin wirklich der Theudobach, dessen
Ankunft ich auf heute in Briefen ansagte.«

»Der sind *Sie* nicht, mein Herr, – sagte der Hauptmann –
ich heiße von Theudobach – *Sie* aber, wie ich höre, Herr von
Nieß. – Was Sie für Ihre Werke ausgeben, sind ganz andere
und die meinigen.«

Nieß blickte ihm ganz erstarrt ins Gesicht. – Besonnener
springt der Mensch plötzlich zu hoch als zu tief – Theudobach stand fast gebietend mit seinem Macht-Gesicht, Krie-
ger-Auge, hohen Wuchs neben dem zu kurzen Dichter, von
welchem nun jedes Weiber-Auge abfiel; aber er ermannte sich
und sagte:»Ich kenne Sie nicht, aber Deutschland mich.« – –
»Herr von Nieß«, versetzte Theudobach, »dasselbe ist gerade
mein Fall.«

Unversehens trat Theoda, welche längst vor Begeisterung
unbewußt aufgestanden war, aus der verblüfften Schwester-
Gemeine heraus vor Theudobach und sagte zu ihm im hohen
Zürnen gegen den vieldeutigen Nieß:»Sie sind der Mann, den
wir alle achten, oder aller Glaube lügt.« Der Hauptmann sah
das kühne Feuer-Mädchen verwundert an und wollte erwidern; aber Nieß rief zornig dazwischen:»An mich haben Sie
geschrieben, nicht an diesen Herrn, meld' ich jetzt, und ich an
Sie.« – »O Gott, ich?« sagte Theoda.

»Mein Name Theudobach, Herr von Nieß, ist kein ange-
nommener, ich habe nur Einen; und es gibt nur meinen noch
in der Welt; Sie führen eingestanden zwei, wovon ich nur den
meinigen reklamiere und Ihnen den Ihrigen billig lasse. In der
allgemeinen deutschen Bibliothek können Sie meinen Namen
Theudobach neben meinem rezensierten Werke finden. Jede
andere Erklärung können wir uns an andern Orten geben«,

setzte er mit einigen Blicken hinzu, die sehr gut als Funken
auf das Zündpulver einer Pistole fallen konnten.

»Sehr gern!« versetzte Nieß, um nur zuerst auf der Adel-
probe zu bestehen; aber auf das Vorhergehende konnte er
kein Wort zurückgeben vor Überfülle von Antworten. Wer   5
zu viel zu sagen hat, sagt meistens zu wenig, Nieß noch weniger.

Noch habe ich in der allgemeinen Welt-Geschichte von
Essig und Zopf – die ohnehin mein Fach nicht ist, weil ich
vielmehr selber eines in ihr füllen und fodern will – kein   10
rechtes Beispiel (unter so vielen abgesetzten Günstlingen
und Königen) aufgetrieben, das einigermaßen dazu taugen
könnte, Nießens Falle und Verfalle die gehörige Beleuchtung
zu geben, wenn jemand sehen wollte, wie einem Manne
zumute gewesen, den man auf einmal vom Musenberge auf   15
die Quartanerbank, vom Trone eines Sonnen-Gottes auf den
Altar seiner Opfertiere, die er vermehren soll, oder von
Allem zu Nichts herunterwirft – – Gehenkte, auf den Zerglie-
derungtischen erwachend unter dem Messer anstatt im Himmel, sind nichts dagegen.   20

»O, ich bin stolz!« sagte Nieß und ging davon.

27. Summula

Nachtrag.

Keine Seele bekümmerte sich um den davongelaufnen, von
seinem Siegwagen herabgepurzelten Deklamator. Doch   25
lachte man ihm allgemein nach. Ein Mann von Belesenheit –
wenigstens im Junistück der Minerva von 1804, wo die Notiz
steht – sagte sehr laut: Nieß hab' es mit seinem Namengeben
gemacht wie die Einwohner von Nootka, welche Gott den
Namen Quautz geben; der Mann hatte verbindlich für Theu-   30
dobach reden wollen; aber in der Eile war ihm auf der Zunge
das Lob in Essig umgeschlagen.

»Fährt man so fort«, sagte ein Korrespondent einer unge-
lehrten Gesellschaft, »so weiß am Ende keiner von uns, was
er geschrieben, und der halbe Meusel sitzt im Sand.« –

Der Hauptmann nahm – mit einer kurzen Entschuldigung,
daß er sich seines Geschlechtnamens so öffentlich angenom-
men, und mit einer besondern Verbeugung an Theoda –
schnell seinen Rückzug; – und die Menschen sahen seinem
Kopfe nach.

Ungefähr tausendunddreihundert Siegkränze – folglich
gerade so viel als Theagenes von Thasus in den griechischen
Spielen erbeutet – trug er auf seinem Kopfe, seinen Schultern
und seinem Rücken davon; – aber warum?

28. Summula

Darum.

Man hielt ihn für den großen Theater-Dichter, dessen Stücke
die meisten gehört. Ich will eine kurze Abschweifung und
Summel daran wenden, um zum Vorteil der Bühnen-Dichter
zu zeigen, warum sie leichter größere Eitelkeit-Narren werden als ein anderer Autor. Wie fällt erstlich der letzte mit
seinen verstreuten Leser-Klausnern – ein wenig verehrt von
bloßen gebildeten Menschen – beklatscht in den hundert Meilen fernen Studier-Zimmerchen und zweimal hintereinander
gelesen, nicht vierzigmal angehört, wie fällt ein solcher
Ruhm-Irus und Johann ohne Land schon ab gegen einen
Bühnen-Dichter, der nicht nur diese Lorbeer-Nachlese auch
auf dem Kopfe hat, sondern ihr noch die Ernte beifügt, daß
der Fürst und der Schornsteinfeger und jedes Geschlecht und
Alter seine Gedanken in den Kopf und seinen Namen in den
Mund bekommen – daß oft die erbärmlichsten Marktflecken,
sobald glücklicherweise ein noch elenderes Maroden-Theater
von Groschengaleristen einrückt, sich vor den knarrenden
Triumphkarren vorspannen, worauf jene den Dichter nach-

führen, so daß, wenn gar der Dichter die Truppe selber diri-
giert, er an jedem Orte, wo beide ankommen, den englischen
Wahlkandidaten gleicht, die auf vielen Wagen (Lord Eardley
auf funfzig) die Wahlmänner für den Sitz im Hause der
Gemeinen an den Wahlort bringen lassen. – Noch hundert   5
Vorteile könnt' ich vermittelst der Auslaßfigur (figura praeteritionis) anführen, die ich lieber weglasse, solche z. B., daß
einen Theaterautor (und oft steht er dabei und hört alles) eine
ganze Korporation von Händen gleichsam auf den Händen
trägt (daheim hat ihn nur ein Mann in seiner Linken und   10
blättert mit der Rechten verdrießlich) – daß er auswendig
gelernt wird nicht nur von Spielern, sondern am Ende von
deren Wiederkehr-Hörern – daß er in allen stehenden, obgleich langweiligen Theaterartikeln der Tag- und Monatblät-
ter stets im selben Blatt von neuem gelobt wird, weil die   15
Bühnen-Schelle immer als Taufglocke seines Namens und das
Einbläser-Loch als sein delphisches Loch wiederkommt. –
Woraus noch manches folgt, z. B. daß ein gemeiner Autor,
wie z. B. Jünger, ja Kotzebue, länger in seinen gehörten Stük-
ken lebt als in seinen gelesenen Romanen. Daraus erklärt sich   20
die Erscheinung, daß das kalte Deutschland sich für *Schiller*
(und mit Recht, denn es sündigte von jeher nur durch Unter-
lassen, nie durch Unternehmen) so sehr und so schön
anstrengt, und für *Herder* so wenig. Denn mißt der Wert den
Dank: so hätte wohl Herder als der frühere, höhere, vielseiti-   25
gere Genius, als der orientalisch-griechische, als der Bekämp-
fer der Schillerschen Reflexion-Poesie durch seine Volklie-
der, als der Geist, der in alle Wissenschaften formend eingriff,
und der nur den Fehler hatte, daß er nicht mit allen Flügeln
flog, sondern nur so wie jene Propheten-Gestalten, wovon   30
vier ihn bedeckten und nur zwei erhoben, dieser Tote hätte
ein Denkmal nicht neben, sondern *über* Schiller verdient;
wären, wie gedacht, die Komödianten nicht gewesen oder das
Publikum nicht, das für die Vielseitigkeit wenig anschlie-
ßende Seiten mitbringt. Übrigens wie man lieber von Perso-   35
nen als von Sachen hört, so steht auch der gewöhnlichste

Theater-Dichter als ein Nachttisch-*Spiegel*, der dem Parterre
Personen und dieses selber darstellt, schon darum dem
Sachen-Dichter als einem bloßen *Juwel* voran, der nur Feuer-
farben wirft und unverwüstlich nichts darstellt als sich und
das Licht. Übrigens ist dies für uns andere Undramatiker
eben kein Unglück; denn wir haben uns eben darum zum
schönen Lose einer leichtern liebenswürdigen Bescheidenheit Glück zu wünschen, zumal wenn wir berechnen, was
aus uns, da jetzo schon ein paar Zeitungen und einige Teetische uns (ich selber kenne mich oft kaum mehr) sichtbar
aufblasen, vollends durch das Luftschiff der Bühne für trom-
melsüchtige Narren geworden wären, so wie Schweinblasen,
die schon auf Bergen schwellen, auf Höhen der Luftbälle
gar zerplatzen.

29. Summula

Herr von Nieß.

Er kam nicht zum Abendessen.

30. Summula

Tischgebet und Suppe.

Der Tumult der Erkenn- und Verkennszene mischte die
Eßgäste schon auf dem Gange zur Tafel zu bunten Reihen der
Freude zusammen. Der Sternenhimmel, Blasmusik und
Bäume voll Lampen und hauptsächlich der abends angekom-
mene und mitsoupierende große Mann bezauberte und ver-
einigte alles. Viele Mädchen, die Nießens Stücke aus Leih-
bibliotheken und auf Bühnen hatten kennen lernen, gingen
unter dem Schirme wechselnder Schatten ganz nahe und
anblickend neben seiner schönen Gestalt vorbei. Als er in

seiner Uniform – dem weiblichen Jagd-Tuch oder Rebhühnergarn oder Frauen-Tyraß – und mit der hohen Feder (die
auf dem Kopfe erhabner aussieht als hinter dem Ohre) so
dahinschritt und die Menge überragte wie der ursprüngliche
Theudobach (nach Florus) seine Tropäe, und er als das Zwil-   5
linggestirn der Weiber, als Dichter und Krieger zugleich, sich
durch seinen Himmel bewegte und mit Auge und Stimme so
entschieden gegen männliche Wesen und doch mit beiden so
scheu und bescheiden gegen weibliche einhertrat: so riß ein
allgemeines Verlieben ein; – und hinter ihm sah, da er mit dem   10
fünfschneidigen Melpomenens-Dolch und mit dem Krieger-
schwert alles schlug, der Weg wie eine weibliche Walstatt aus:
der einen war der Kopf, der andern das Auge, der dritten das
Herz verwundet. Er aber merkte gar nichts von den sämtlichen Verwundeten, die er hinter sich nachführte. Bisher mehr   15
astronomisch zu den Himmelsternen hinauf als zu den weiblichen Augensternen herab zu sehen gewohnt, zeigte er nicht
den geringsten Mut vor einem ganzen Augensternhimmel;
und vor einigen, welche den Busen mit nichts bedeckt hatten
als mit ein paar Locken und Blumen, wollt' er gar das Hasen-   20
panier ergreifen. Jedoch schickte er seinen Blick heimlich
nach dem Mädchen herum, das, ihm so unbekannt, dreist ihm
vor einer Menge beigestanden hatte.

Theoda war aber längst durch das Gedränge zu ihrem Vater
hingeeilt, wie unter dessen schirmende Fittiche gegen ihr   25
Herz und das Volk. Sie war berauscht und beschämt zugleich, daß sie so öffentlich, mehr eine Leserin als ein Mädchen, sich in den Zweikampf von Männern als Sekundantin
gemischt. Erst durch langes Bitten rang sie dem Vater die
Erlaubnis ab, ihn dem Dichter vorzustellen, wiewohl ers ein   30
Selber-Spektakelstück nannte.

Neben ihm stand sie, als sie ihren Lebens-Abgott, den bald
Lichter, bald Schatten reizend bedeckten, herkommen sah
und sie ihm aus der Ferne unbeschämter in das edle Antlitz
schauen konnte. Sie stellte mit kindlicher Lust ihren Vater   35
dem berühmten Genius vor. »Meine Tochter – nahm Katzen-

berger leicht den Faden auf – hat mich mit Ihrem Künstler-
ruhm bekannt gemacht; ich bin zwar auch ein Artista, insofern das Wort Arzt eine verhunzte Verkürzung davon ist;
aber, wie gesagt, nur Menschen- und Vieh-Physikus. Daher
denk' ich bei einer Hauskrone und Lorbeerkrone mehr an
eine Zahnkrone oder bei einem System sehr ans Pfortadersy-
stem, auch Hautsystem, und ein Blasen- und ein Schwanen-
hals sind bei mir nicht weit genug getrennt. Mir sehen Sie
dergleichen wohl nach! Dagegen weis' ich Sie auf meine
Tochter an.«

Der Hauptmann machte, d. h. zeigte die größten Augen
seines Lebens; er fand in diesem Badeorte zu viel Wirrwarrs-
Knoten. Doch aus Dankbarkeit gegen das Mädchen, das
heute einen so kühnen Anteil an seinem Schicksale genommen, sagt' er nur: »Das schöne Fräulein, dem ich viel Dank
schuldig bin, hat bloß Ihren Namen zu nennen vergessen.«

»So seid ihr Volk – wandte sich der Vater an die Tochter –;
wenn ihr nur eure Taufnamen habt, unter Briefen und überall; nach des Vaters Namen fragt ihr keinen Deut. Ich und sie
heißen Katzenberger, Herr von Theudobach!«

Der Hauptmann, der nach mathematischer Methode aus
allen bisherigen Hindeutungen auf einen Briefwechsel mit
ihm gar nichts heraussummiert hatte als den Heischesatz, daß
man hier erst hinter manches kommen müßte, setzte wie jeder
Sternseher fest: »Zeit bringt Rat; ein jeder Stern, besonders
ein Bartstern, muß erst einige *Zeit* rücken, bevor man die
Elemente seiner Bahn aufschreibt; folglich rücke der heutige
Abendstern nur weiter, so weiß ich manches und rechne weiter.« Man setzte sich zu Tisch und Theoda sich neben den
Hauptmann; Erdferne von ihm wäre ihr diesen Abend Win-
tertod gewesen. Sie hatte noch auf väterliche Nachbarschaft
gerechnet; aber der Doktor, der sich von beiden Leuten
nichts versprach als einen Abend voll dichterischer Sachen,
einen Teich voll schwimmender Blüten ohne Karpfen und
Karauschen und Hechte, hatte sich längst weggebettet unten
hinab; und vom Doktor hatte sich wieder weit abgebettet der

Brunnenarzt Strykius in einer geistigen Ehescheidung von
Tische. Theoda schwieg lange neben dem geliebten Manne,
aber wie voll Wonne und Reichtum! Und alles um sie her
überfüllte ihre Brust! Über die Tafel wölbten sich Kastanien-
bäume – in die Zweige hing sich goldner Glanz, und die   5
Lichter schlüpften bis an den Gipfel hinauf, über welchen die
festen Sterne glänzten – unten im Tale ging ein großer Strom,
den die Nacht noch breiter machte, und redete ernst herauf
ins lustige Fest – in Morgen standen helle Gebirge, auf denen
Sternbilder wie Götter ruhten – und die Ton-Feen der Musik   10
flogen spielend um das Ganze hinunter, hinauf und ins Herz.

Theoda, durch jeden eignen Laut einen vom Dichter zu
verscheuchen fürchtend und für ihre sonst scherzende
Gesprächigkeit zu ernst bewegt, stimmte wenig mit der rede-
lustigen Gesellschaft zusammen, welche desto lauter und   15
herzhafter sprach, je mehr die Musik tobte; denn Tisch-
Musik bringt die Menschen zur Sprache, wie Vögel zum
Gesang, teils als Feuer- und Schwungrad der Gefühle, teils als
ein Ableiter fremder Spür-Ohren.

Bloß der Hauptmann konnte sein Ich nicht recht mobil   20
machen; er hatte so viele Fragen auf dem Herzen, daß ihm alle
Antworten schwer abgingen. Theoda, welche schon nach
Nießens Schilderung mehr Angrenzung an Nießische Leich-
tigkeit erwartet hatte und vollends von einem Dichter,
konnte sich die in sich versenkte Einsilbigkeit nur aus einem   25
stillen Tadel ihrer öffentlichen Anerkennung erklären; und
sie geriet gar nicht recht in den scherzenden Ton hinein, den
Mädchen oft leicht gegen ihre Schreibgötter, auch aus einer
mit Seufzern und Wonnen überhäuften Brust, anzustimmen
wissen.   30

Der Brunnenarzt Strykius, der sich ihm mit einem festge-
nagelten Anlächeln gegenübergesetzt, befiel und befühlte ihn
mit mehren Anspielungen und Anspülungen seiner Werke;
aber der Hauptmann gab – bei seiner Unwissenheit über den
Dichter und darüber, daß man ihn dafür hielt – unglaubliche   35
Quer-Antworten, ohne zu verstehen und ohne zu berichti-

gen. So gewiß hören die meisten Gesellschafter nur Einen,
sich selber; – so sehr bringt jeder statt der Ohren bloß die
Zunge mit, um recht alles zu schmecken, was über dieselbe
geht, Worte oder Bissen. Hat sich ein Mann verhört, folglich
5 nachher versprochen und endlich darauf sich aufs Unrechte
und Rechte besonnen: so blickt er verwundert herum und
will wissen, wie man seinen zufälligen Unsinn aufgenommen;
er sieht aber, daß gar nichts davon vermerkt worden, und er
behält dann zornig und eitel den wahren Sinn bei sich, ohne
10 die fremden Köpfe wieder herzustellen in das Integrum des
eigenen. Daher verstehen sich wenig andere Menschen als
solche, die sich schimpfen, weil sie von einerlei Anschauun-
gen ausgehen.

– – Hier führt mich die lange vorstehende Bemerkung bei-
15 nahe in die Versuchung, nach vielen Jahren wieder

ein Extrablättchen

zu machen. Denn eben die gedachte Bemerkung hab' ich erst
vor einigen Tagen im neuesten Bande des Kometen gelesen; ja
ob sie nicht gar (wie fast zu befürchten) noch in einem dritten
20 Buche von mir sich heimlich aufhält, das weiß der Himmel,
ich aber am wenigsten. Denn woher sollt' ich nach ein paar
Jahrzehenden wissen oder erfahren, was in meinen so zahl-
und gedankenreichen Werken steht, da ich sie – ausgenommen unter dem Schreiben – fast gar nicht oder nur zu ober-
25 flächlich lese, sobald nicht zweite oder dritte Auflagen gefo-
dert werden, in welchem letzten Falle ich mich sogar rühmen
darf, daß ich den Hesperus dreimal (zweimal im achtzehnten
Jahrhundert und einmal im neunzehnten) so aufmerksam
durchgelesen als irgend ein Mitleser aus einer Leihbibliothek,
30 welcher exzerpiert. – Eben seh' ich noch zum Glück, da ich,
wie gesagt, mich unter dem Schreiben immer lese, daß ich den
Satz oben fragweise angefangen, unten aber wegen seiner
unbändigen Länge mit einem Fragzeichen zu schließen vergessen. – – Denn – um zurückzukommen – kann ich wohl bei
35 der Menge wichtiger Bücher, welche die Vergangenheit und

das Ausland aus allen Fächern liefern und wovon ich noch
dazu die besten, vor vielen Jahren gelesenen wieder durchgehen muß, weil ich sie jetzo besser verstehe, der neuen Supple-
mentbibliotheken in jeder Messe gar nicht zu gedenken –
kann ich da wohl Lust und Zeit gewinnen, einen mir so alltäg-   5
lichen und bis zur Langweile bekannten und auswendig
gelernten Autor wie mich in die Hand zu nehmen? – Was in
unserem Jahrhundert Gelehrte zu lesen haben, welche Berge
und Bergketten von Büchern, leidet keine Vergleichung mit
irgend einem andern, ausgenommen mit dem nächsten zwan-   10
zigsten, wo sich die Sachen noch schlimmer zeigen, nämlich
200 neue Büchermessen mehr. Wahrlich, da brauch’ ich keine
Sorbonne, welche mir wie einmal dem Peter Ramus das Verbot auflegt, die eignen Werke zu lesen. Aber warum fährt,
bellt, schnaubt und schnauzt denn irgend ein kritischer   15
Schoßhund mich an, wenn ich statt des eignen Lesens nichts
wiederhole als zuweilen eigne Gedanken? – Sinds aber vollends Gleichnisse: so möcht’ ich nur erst den fremden Mann
kennen, der bei meiner Überschwängerung damit solche aus
neunundfunfzig Bänden behielte; vollends nun aber der eigne   20
Vater, welchem Gebornes und Ungebornes durcheinander-
schießt und der oft (der gute Mann!) zehn ungedruckte
Geburten auf dem Papiere ungetauft liegen läßt und dafür
eine alte, schon gedruckte unwissend wieder in die Kirche
trägt und über das Becken hält. –   25

    Da Strykius, wie gesagt, durch alle Halbantworten Theu-
dobachs nicht aus seinem Mißverständnis, dieser sei der
Dichter, herauskam, so ließ er sich auch durch nichts halten,
er mußte der ganzen auf dem Gesichte des Hauptmanns kon-
vergierenden Gesellschaft zeigen, daß er selber Verdienst   30
schätze und besitze. – »Das Wetter (dacht’ er bei sich) soll den
Dichter erschlagen, wenn er nicht merkt, daß ich mir etwas
aus ihm mache.« – Er knüpfte daher von neuem so an: »Ich
darf wohl unberufen im Namen der ganzen Gesellschaft
unsere Freude über die Gegenwart eines so berühmten Man-   35

nes ausdrücken. – Sie haben zwar bessere Gegenden gezeichnet; aber auch unsere verdient von Ihnen aufgenommen zu werden.«

Der Hauptmann, der, zum Genie-Corps gehörig, sich dabei nichts denken konnte als eine militärische Zeichnung zum Nachteil der Feinde, nicht eine poetische zum Vorteil der Freunde, gab aufgemuntert, weil er endlich doch ein vernünftiges, d. h. ein Handwerks-Wort zu hören und zu reden bekam, zur Antwort: »Wenn hier eine Festung ist, so tu' ichs; jede ist übrigens überwindlich, und mich wunderte besonders, in demselben Buche Anleitung zur unüberwindlichsten Verteidigung und zur sieghaftesten Belagerung anzutreffen, wovon ja eines eo ipso falsch sein muß.«

Hier lächelte Strykius verschmitzt, um dem Krieger zu zeigen, daß er die Allegorie ganz gut kapiere; ihm war nämlich, wie allen Prosa-Seelen, nichts geläufiger als die vermoosete Ähnlichkeit zwischen Liebe und Krieg.

Der Hauptmann fuhr etwas verwundert fort: »Mich dünkt, durch Approchen, durch die dritte Parallele, wobei man über die Brustwehr fechten kann – durch falsche Angriffe – (Hier nickte Strykius unaufhörlich zu und wollte immer lächelnder und schalkhafter aussehen) – und am Ende durch den Generalsturm wird jede Jungfrau von Festung erobert.«

»Ich weiß nicht – setzte der Hauptmann, ganz erbittert über den anlachenden Narren, hinzu –, ob Sie wissen, daß ich zum Genie-Corps gehöre.«

»O wer wüßte es nicht von uns«, erwiderte er schelmisch, »und eben das *Genie* trägt den Köcher voll Liebepfeile.«

Da wurde wie von einem Schlagfluß der Arzt aus seinem Anlächeln weggerafft durch des zürnendroten Hauptmanns Wort: »Herr, Sie sind ein Arzt, und darum verstehen Sie nichts von der Sache.«

Ohne weiteres wandte er sich zu Theoda und fragte mit sanfter Stimme: »Sie, Vortreffliche, scheinen mich zu kennen, aber doch weiß ich nicht wodurch.« – »Durch Ihre

Werke«, sagte sie furchtsam . . . . »Sie hätten die einen gesehen und die andern gelesen . . . .?« sagte er und wollte über
den Unterschied zwischen seinen um die Festung *gebauten*
Werken und seinen darin *geschriebnen* noch ein Wort fallen
lassen, als sie ihre Augen gegen ihn aufhob und auftat wie ein   5
Paar Ehrenpforten . . . Aber beide wurden unterbrochen.

31. Summula

Aufdeckung und Sternbedeckung.

Theoda bekam ein versiegeltes Paket mit der Bitte auf dem
Umschlag, es sogleich zu öffnen. Sie tats. Anfangs kam bloß   10
ein Band der allgemeinen deutschen Bibliothek heraus – dann
in diesem, zwischen dem Titelblatte und dem gestochenen
Gesicht eines berühmten Gelehrten, ein Briefchen von Nieß
und dann das Briefchen von Theoda an Theudobach. –
   Nieß schrieb: »Ich ehre Ihr Feuer. Ich verdamme meines.   15
Ich bin selber der Dichter, für dessen Freund bloß ich mich
leider unterwegs ausgegeben, und dessen Feind ich eigentlich
dadurch geworden. Ich vergebe Ihnen gern Ihren öffentlichen Widerspruch gegen den meinigen; aber als Gegenge-
schenk bitt' ich Sie, mir auch meine vielleicht indiskrete, doch   20
abgedrungene Eröffnung zu verzeihen, daß Sie an mich
geschrieben. Hier ist Ihr Brief, hier ist die Abschrift meiner
Antwort darauf. Hier ist sogar noch mein, wenn nicht
getroffnes, doch zu erratendes Gesicht vor der allgemeinen
deutschen Bibliothek und dazu eine Rezension Seite 213   25
darin, worin freilich nichts Wahres ist als die Namen-Jagd,
daß ich nämlich meinem Geschlechtnamen Nieß den Vorna-
men Theudobach vorgesetzt. – Kurz ich bin der Dichter der
unbedeutenden Trauerspiele, die mir jetzo selber eines berei-
ten. Ich verwünsche jede Minute, wo ich Ihnen etwas so   30
Gleichgültiges verbarg, als mein Name ist. Das Bessere habe
ich vielleicht zu wenig verfehlt. – Hier ist nun Ihr Brief –

meine Handschrift – mein Geständnis – sogar mein Zerr-
Bild. Am Himmel entfernt sich die Venus nicht über 47
Grade vom Bilde des Dichtergottes; wollen Sie Sich weiter
entfernen?«

5 Schweigend gab Theoda dem Hauptmann Nießens Brief,
Rezension und Kupferstich mit der Unterschrift: Theudobach von Nieß. Ihr Herz quoll, ihr Auge quoll. »Was hatt' ich
ihm getan«, rief es in ihr, »daß er mein Herz so nahe aus-
horchte – daß er mich zu einem öffentlichen Irrtum verlockte
10 und daß ich beschämt dem Volks-Lächeln preisgegeben bin;
was hatt' ich ihm getan?« Sie dauerte der edle Mann neben ihr,
als ob sie und der Poet zusammen ihm Lorbeer und Genie
abgeplündert hätten – und sie wollte, als hätte sein Herz
davon Risse bekommen, alle gern mit ihrem ausfüllen. Wie
15 anders klang und schnitt jetzt die Musik in die Seele! Wie
anders sahen die Riesenwache von Bäumen und die tollküh-
nen Nachtschmetterlinge an den Lichtern aus! So ist das
Leben und Schicksal immer nur ein äußeres Herz, ein wider-
scheinender Geist, und wie die Freude die Wolken zu hohen,
20 nur leichtern Bergen aufhebt, so verkehrt der Kummer die
Berge bloß zu tiefern festern Wolken. Theoda sah recht starr
in die kleine Morgenröte des heraufziehenden Mondes, um
durch starkes Aufmerken und Offenhalten das Zusammen-
rinnen einer Träne zu verhindern; als aber der Mond herauf-
25 kam, mußte sie die Augen abtrocknen.

32. Summula

Erkennszene.

Der Hauptmann las sehr lange im Briefe und in der Rezension, um Licht genug zu bekommen. Lange durchsah er Nie-
30 ßens Bildnis vor der allgemeinen deutschen Bibliothek, dessen Ähnlichkeit ihm nicht recht einleuchten wollte; weil diese
überhaupt Köpfe vorne vor dem Titelblatte nicht viel kenntli-

cher darstellte als im Werke selber. Doch wird damit nichts
gegen den gebliebenen Wert eines Werkes gesagt, das von
jedem guten Kopfe Deutschlands ohne Ausnahme wenigstens eine volle Seite, noch dazu mit Namens-Unterschrift
aufweist, nämlich die mit seinem Kopfe vorne vor dem Titel-   5
blatte. Der Hauptmann, der so plötzlich aus der Sonnenfin-
sternis in den hellen Mittag herabfiel, wandte sich gar nicht an
Theoda, sondern zuerst an die Tischgesellschaft – erklärte
laut, nicht er sei der große Dichter, sondern Herr von Nieß –
er habe zwar etwas geschrieben, über die alte holländische   10
Fortifikation – aber er ersuche also jeden, die Bewundrung,
die er ihm zugedacht, zurückzunehmen und der Behörde zu
schenken. – Darauf riß er ein Blättchen aus der Schreibtafel
und schrieb an Herrn von Nieß: er nehme gern sein unschuldiges Mißverständnis zurück, stehe aber zu jeder andern   15
Genugtuung bereit.

Als dies alles bekannt wurde – und dem Brunnenarzt zuerst –, so brachte dieser jeden Abgrund versilbernde Mondschein sogleich zwei laute Toasts aus: »Einen Toast auf den
Mathematiker von Theudobach! – Einen Toast auf den   20
Dichter Theudobach von Nieß!« rief er. – So tanzte der
frohe Mann nicht nur nach jeder Flöte, sondern wie H–n
nach jeder Flötenuhr, die eben ausschlägt, und auf die
vorige schnelle Anrede des Hauptmanns an ihn, welche,
aus der Tafelsprache in die Schlachtsprache übersetzt, doch   25
nur sagen wollte: krepiere! – – versetzte er freudig: auf Ihr
langes Leben! – –

Jetzt endlich kehrte sich Theudobach an die Jungfrau, welche auf ihre Kosten ihn mit dem Sonnenlehn eines großen
Dichters belehnet hatte, und wand, indem er schmerzlich und   30
vergeblich über Gutmachen nachsann, die bittende Frage
herauf: wie alle diese Mißverständnisse möglich gewesen?
»Ich bitte Sie«, sagte sie mit müder Stimme, »meinen Vater zu
fragen, der alles weiß.« Er schwieg. Trauerndes Nachdenken
auf dem starken Männergesicht rührte die Jungfrau immer   35
stärker; ihre Seele litt zu viel und konnte wieder nicht alle

Zeichen verbergen, welche die fremde Teilnahme vermehr-
ten. Hastig stand sie endlich auf – sagte ihrem Vater etwas ins
Ohr – dieser nickte, und sie verschwand.

33. Summula

Abendtisch-Reden über Schauspiele.

Auch Katzenberger hatte unten einige Werthers Leiden aus-
gelitten, und zwar schon bei der Krebssuppe, weil da noch die
ganze Tischgesellschaft, als eine niedere Geistlichkeit, zum
Kirchdienste für den Dichter-Gott angestellt saß, welcher der
Hauptmann zu sein schien; wozu noch der Kummer stieß,
daß er seinen Strykius nicht vor sich hatte. Ein solcher Wirt-
tisch war für Katzenberger ein Katzentisch. Er erklärte deshalb gern ohne Neid der nächsten Tisch-Ecke, daß er als Arzt
über Bühnen-Skribenten seine eigne Meinung habe, und folglich eine diätetische. Ein Lustspiel an und für sich, fuhr er
fort, verwerfe niemand weniger als er; denn es errege häufig Lachen, und wie oft durch solches Lachen Lungenge-
schwüre, englische Krankheit nach Tissot, Ekel (wenn auch
nicht gerade der am Stücke selber), ja durch bloße Spaß-Vor-
reden Rheumatismen gehoben worden, wiss' er ganz gut. –
Ja, da Tissot eine Frau anführe, die nicht eher als nach dem
Lachen Stühle gehabt, so halt' er allerdings ernsthaft einen
Sitz im Komödienhause für so gut als ein treibendes Mittel, so
daß jeder aus seiner Leidengeschichte, wie man sonst bei einer
andern getan, ein Lustspiel machen könnte.* – Daher, wie
der Quacksalber gern einen Hanswurst, so sehe der Arzt gern
einen Lustspieldichter bei sich, damit beider Arzneien nach
Verhältnis ihres Werts von gleichmäßigen Späßen unterstützt
und eingeflößt würden.

---

* Die Confrérie de la Passion 1380; der Bischof von Angers machte für sie aus
der Passion eine Komödie.

»Das Trauerspiel aber, Herr Doktor?« fiel ein junger Mensch ein, der zu beantworten glaubte, wenn er befragte.

Gleichwohl glaub' er – fuhr er ohne Antwort fort – Verstopfung und dergleichen ebenso leicht durch einige Sennes- und Rezeptblätter zu heben als durch ein vielblättriges Lustspiel, und ein Apotheker sei hier wenig verschieden von einem Hanswurst. – Er könne sich denken, daß man ihm hier das Trauerspiel einwerfe; aber entweder errege dieses gar nichts (dann gähnte man eben so gut und noch wohlfeiler in seinem warmen Bette) oder es errege wahre Traurigkeit, wenn auch nur halbstündige; nun aber sollten doch Dichter, dächte man, wie Kotzebue und deren Kunstrichter so viel durch Aufschnappen aus der Arzneikunde zufällig wissen, daß Traurigkeit Leber-Verstopfung, folglich Gelbsucht – woher sonst der gelbe Neid der Trauerspieler gegeneinander? – zurücklasse, ferner entsalzten Urin, ein scharfes Tränen (der größte Beweis der Blut-Anstemmung in den Lungen) und sogar Darmkrämpfe. – – Auf letzte habe man sogar bei Wesen, die in gar kein Schauspiel gehen oder sonst Seelenleiden gehabt (denn es gebe keine andere, da nur die Seele, nicht der bloße Körper empfinde und leide), nämlich bei traurigen Hirschen** geschlossen aus den kleinen Knötchen in ihrem Unrate als den besten Zeichen von Krämpfen.

»Erhärteten freilich – fuhr er feurig fort – Bühnen-Tränen, gleich Hirschtränen, zu Bezoar: so schrieb' ich wohl selber dergleichen Spaß und bewegte das Herz. Aber jetzt, beim Henker! muß der wahre Arzt mitten unter den weichsten, himmlischsten Gefühlen der Damenherzen so scharf das Weltliche dazwischen kommandieren als ein Offizier unter der Messe seinen Leuten das Gewehr-Strecken und Heben. Vielleicht aber gäb' es einen Mittelweg, und es wäre wenigstens ein offizineller Anfang, wenn man das Trauerspiel, so gut es ginge, dem Lustspiel näher brächte, durch eingestreute Possen, Fratzen und dergleichen, die man denn allmählich so

** Hallers Physiologie. Bd. 5.

lange anhäufen könnte, bis sie endlich das ganze Trauerspiel einnähmen und besetzten.« Eine solche Anastomose und Kirchenvereinigung des Weh- und Lustspiels, setzte er hinzu, eine solche Reinigung der Tragödie durch die Komö-
5 die wäre zuletzt so weit zu treiben – ja in einigen neuesten Tragödien sei so etwas –, daß man durch ganze Stücke hin-durch recht herzlich lachte. Er fragte, ob denn komische Dar-stellung so schwer sei, da man in Frankreich im siebzehnten Jahrhundert die ernstesten biblischen Geschichten* in burles-
10 ken Versen begehrte und bekam; wie er denn überhaupt wün-sche, daß ernste Dinge, z. B. Manifeste, Todesurteile etc., öfter im gefälligen Gewand, nämlich burlesk vorgetragen würden. Er berief sich noch auf die sonst im Trauerspiel so ernsten Franzosen, denen Noverre die tragischen Horatier
15 Corneilles als einen pantomimischen Tanz gegeben; folglich in Sprüngen, welches schön an den griechischen Namen der Tragödie, nämlich Bockspiel, erinnere; sogar er selber getraue sich, seinen stärksten Schmerz über einen Verlust, z. B. seines Freundes Strykius, durch bloßes Tanzen auszu-
20 drücken, in einem Schäferballett oder in einem Hopstanz oder im Fandango.

»Also hätt' ich«, beschloß er, »die entkräftende Empfind-samkeit, die man uns auf den Tränenwegen der Meibomi-schen Drüsen, der Tränenkarunkel u. s. w. hereinschießen
25 läßt, leicht durch Possen gedämmt.«

Hier konnte ein winddürres Landfräulein aus dem Vordorf und der Vorstadt der Hauptstadt, das sich längst auf Rührung gelegt, sich nicht länger halten: »Dies kann er Narren weis-machen«, sagte sie leise vor seinen Katzenohren zu ihrer Mut-
30 ter. »Närrinnen allerdings nicht«, sagte er noch leiser zu obi-gem Posthalter im ersten Bande. Das hagere Fräulein fuhr leise gegen die Mutter fort: »Freilich rohe Kerls rührt nichts; eine Seele aber, die zarte *gespannte* Nerven hat, fühlt allein, was *weiche* Nerven heißen, und fragt nach nichts bei der

---

* Flögels Geschichte der komischen Literatur.

Rührung. Ach wie weit sind noch alte Personen hinter den jüngsten oft zurück!«

Auch der Doktor versetzte wieder leise: »Mangel an Fett, Herr Posthalter, können Sie im ersten Bande von Walthers köstlicher Physiologie gefunden haben – der sich vom Berliner Zergliederer Walter so unterscheidet wie beider Wissenschaften, also wie Geist von Körper – Fett-Mangel macht zu empfindsam; denn die Nerven liegen halb nackt da und stoßen sich an alles. Ein Fetter hingegen führt sie, wie Eier, unter diesem Überguß gut bewahrt bei sich; Speck schützt gegen geistige Hitze und gegen äußerliche Kälte.«

Giftig redete den dicken Doktor selber das Fräulein an und sagte: »Ich kenne doch manche beleibte Personen von Empfindung.« –

»Von diesem Schlage«, versetzte er, »dürfte ich selber sein, meine reizende Grauaugige! Im Vorbeigehen bei Ihren himmelgrauen Augen will ich doch anmerken, ›daß es gar keine blauen und keine schwarzen Augen unter den Menschen gibt (grüne und gelbe jedoch), sondern was sie so nennen, sind nur graue und braune, weil die Iris nie blau und schwarz aussieht. – Aber zurück! Ob ich nun gleich als ein Mann von Talg hier am Tafel-Ende den Fettschweif vorstelle, den sich das kirgisische Schaf nachfährt auf einem Wägelchen: so hab’ ich doch auch zwei Augen und ein Schnupftuch; wie oft hab’ ich nicht unter dem heftigsten Lachen Tränen vergossen! Desgleichen bei Kälte von außen im Schlitten. Überhaupt wie könnte man als gefrorne Winterbutter erscheinen, wäre man nicht äußerst weich? Nur das Weiche kann gefrieren, Gnädige, nicht das Harte.«

Zum Glück für einen Waffenstillstand unterbrach eben den Doktor der oben toastende Strykius mit seinen Neuigkeiten. Schwer ging jenem die unbegreifliche Verwandlung der beiden Edelmänner in ihr Widerspiel ein. Als er aber endlich das Wahre begriff und erhörte, und daß Nieß bisher wie die alten Manuskripte ohne Titelblatt gewesen und endlich sich eines vorgebunden, sein Namens-Pergament, und daß er bloß nach

Autor-Sitte sich den Namen Theudobach geborgt und ein-
geätzt: so konnte sich der Doktor einiger Bemerkungen
und Verwunderungen nicht enthalten, sondern gestand:
»Ein anderer als Er hätte dies ebenso gut erraten können –
5 die Namen-Rasur und Tonsur durch Rezensenten gebe
leicht Namen-Alibi und Namen-Nachdrucke der Autoren.« Ja er fand hierin Ähnlichkeit zwischen großen Autoren und großen Spitzbuben, daß beide bei ihrem Geschäfte
fremde Namen annehmen, und führte aus des badischen
10 Hofrats Roth Jauner-Liste von 1800 mehre zweite Autor-
Namen an, wie sonst französische Prinzen zweimal getauft
wurden, z. B. den großen Allgeier – den dürren Herrgott – den kleinen Pappenheimer – den reichen Bettler oder
Spatzendarm – den großen Sauschneider – den Hennen-
15 fanger – den welschen Mattheis – kurz lauter Namen, worüber die Gauner-Bande die wahren so vergißt wie das Publikum bei Autoren.

34. Summula

Brunnen-Beängstigungen.

20 Nach dem Entwickelungabende erschien Theoda nie an der
öffentlichen Tafel mehr; weder väterlicher Spott noch Zank
bezwangen sie. Hinter ihrer jungfräulichen Scherzhaftigkeit
und Entschlossenheit, das Rechte sogar auf Kosten der Form
und Gewohnheit zu ergreifen, lag ein empfindliches, lange
25 nachfühlendes Herz verborgen; leider hielt dieses jetzt die
Dornen der Übereilung in seinen Wunden fester. Wie sollte
sie Unbescholtene das kleine Gewehrfeuer der weiblichen
Blicke ertragen? Und doch ließ sie sich von diesen mit Quecksilber gefüllten organisierten Nachtschlangen noch lieber
30 anleuchten, als von den zwei Brautfackeln der Augen des
Hauptmanns anglänzen, der damit in ihren offen gelaßnen
Herzenkammern alles hatte sehen können, was er gewollt.

Nur Nieß stieß ihr ohne besondere Verlegenheit von ihrer
Seite auf; gegen ihn und dessen Passagier-Charaktermaske
glaubte sie, wiewohl sie eigentlich ihm das öffentliche
Unrecht angetan, ordentlich das meiste Recht zu haben. Man
mag nun dies daraus herleiten, daß die weibliche Seele leichter   5
vergibt, wenn sie Unrecht gelitten, als wenn sie es getan –
oder daß sie Irrtümer lieber verdoppelt als zurücknimmt und
sich lieber am Gegenstand derselben rächt als an sich selber
bestraft – oder daß ihr sich ihr Inneres so abspiegelt wie im
Spiegel sich ihr Äußeres, nämlich jedes Glied verkehrt und   10
das linkische Herz auf der *rechten* Seite – oder man mag es
daraus erklären wollen, was fast das Vorige wäre, nur in
andern Wendungen, daß Frauenseelen dem milden Öle gleichen, welches, entbrannt, gar nicht zu löschen ist (denn Wasser verdoppelts) außer durch die kühle Erde – und daß sie sich   15
wie der Vesuv durch Auswürfe nur desto mehr erheben –
oder daß ihre Fehler den Menschen gleichen, welche nach
Young durch den Krieg (d. h. durch das Erlegen) sich erst
recht bevölkern – – kurz wie man Theodas Betragen auch
ableite: ich bin der Meinung, daß ich mehr Recht habe, wenn   20
ich behaupte, daß sie Herrn von Nieß weniger liebt als den
Hauptmann. Ich berufe mich hier auf nichts als auf die Sum-
meln, die noch kommen.

Ihre Brunnenbelustigungen bestanden jetzo – außer einigen hinter Schnupftuch und Bett- und Fenstervorhang ver-   25
steckten Tränen – darin, daß sie zuweilen mit ihrem Vater
ausging, der etwas an sich hatte, um damit Jünglinge leicht
wegzuscheuchen, oder daß sie einsam die Berge der Blumen-
Ebene bestieg, wenn eben Ball, Schauspiel oder Essen war –
oder daß sie in das Tagebuch an ihre Freundin flüchtete, wie   30
an eine nah herübergeflogne Brust. Dieses erzähle sich denn
selber.

35. Summula

Theodas Brief an Bona.

»Bona! Ich war dir nie ernst genug, jetzt, dächt' ich, wär'
ichs. Doch kann ich mich irren, und ich bin vielleicht nur
5 wund. Herzen und Glocken bekommen so leicht Sprünge bei
starkem Bewegen. Wär' ich nur mit meinem an deinem
schneeweißen Halse: es sollte bald heil sein. Gräme dich nicht
voraus, ich habe nichts verloren, nicht einmal ein Stückchen
Liebe, bloß ein paar Dummheiten. Nur der Mond, der mir
10 beim Aufgang die Augen wässerte, steigt jetzt immer höher
und zieht mit Gewalt blutwarme Tropfen aus der Brust herauf; so zieh' er denn fort.

Ach Bona, ich weine! Denn ich habe dumm gefehlt; und du
sollst heute alles wissen. Nur wird es mir sauer, dir das lange
15 historische Zeug auszubreiten, da ich dessen so satt und
genug habe. Wir brauchen einen ganzen Herbst dazu, eh' wir
beide fertig sind mit der Sache.

Herr von Nieß ist ein Spitzbube: er ist eben der Dichter
Theodobach eigenhändig, zu dem er mich geleiten wollen. So
20 also ist eine heutige Manns- und Schreibperson! Wenn nun,
sage mir, die bessern Schauspiel-Dichter nicht redlicher sind
als ihre Schauspieler oder irgend ein feinster Dieb: auf was hat
sich eine gute Seele zu verlassen? Auf Gott und eine Freundin, wahrlich auf sonst nichts. Wär' ich nur über deine Sorge
25 und Bürde hinweg und wäre dein Kind an deiner Brust: so
fragte ich keinen Deut nach Begebenheiten, sondern säße bei
dir und erzählte sie.

Kurz das geschmeidige gewundene Schlangenwesen der
Männer, das sich bis sogar in den Sonnentempel der Kunst
30 einschlängelt, legte sich auch an mich und meinen Vater und
kroch ein, unter dem Namen von Theudobachs Freund. Er
konnte mithin jedes Wort hören, was ich von ihm dachte: es
war so gut, als war er mit meiner Seele in mein Gehirn einge-
sperrt.

Um uns alle recht in seinem blauen Dunste herumzuführen, sprengt' er aus, der Poet komme erst abends, wenn er seinen Ritter vorläse. Vermutlich war sein Plan, wenn wir so alle mitten im Jubilieren über seinen Ritter und im Vormusizieren des Ständchens säßen, vom Sessel aufzustehen und zu sagen: ich bin der Mann selber. Zum Unglück für ihn und für mich versalzte ihm ein Namenvetter das ganze Te deum. Es tritt nämlich gerade, als uns Frauen die Herzen steilrecht himmelan brennen, ein edler junger Mann herein, den alle Mädchen für den Maler und für das Urbild des Ritters zugleich ansehen müssen, nicht etwa ich allein. In einem Traum küßt' ich einmal einer hohen himmlischen und doch sanften Gestalt des noch ungesehenen Dichters die Hand; gerade so sah der Fremde aus. Da sein Name wirklich Theudobach war und er auch allerlei geschrieben, wiewohl nur über Mathematik: so war er neugierig und zornig hieher gereiset, um zu sehen, wer ihm hier seine Rolle nachspiele. Kurz in der Minute, da Nieß sich als den Theudobach demaskierte, steht der zweite bessere da, der ihn in die alte Nießische Chauve-souris-Maske zurücksteckt. Und wahrlich, wer nur beide nebeneinander stehen sah, den Hauptmann Theudobach in einer Gestalt, seines riesenmäßigen Urahns nicht unwürdig, und das feine Schachfigürchen Nieß, an ihm hinauf sturmlaufend, der mußte es machen wie ich und an alle deine vernünftige Ratschläge nicht denken. Ich ging nämlich öffentlich zum Hauptmann und erklärte ihn für den Dichter. Mir glüht hier schmerzlich das Gesicht, und ich denke an meines Vaters Wort: ›Durch Eiligkeit entstehe oft Feuer, und durch Langsamkeit werd' es stärker; weil die Leute die Sachen gerade umkehrten.‹ Indes war jeder meiner Meinung – auch noch unter dem Abendessen – gleichwohl lauf' ich jetzt als das Maulbronner Sünden-Böckchen herum und werde von den andern Sünden-Zicklein meines Geschlechts heimlich angemeckert. Denn Nieß schickte mir unter dem Essen meinen Brief an ihn und seinen Kupferstich; kurz der

Star wurde mir mit der Starnadel gestochen und ein bißchen
das Herzchen dabei.

O, wie war ich hinter meiner Augenbinde, als hätte ich sie
mir vom Amor geborgt, so ruhig-froh! Wenn ich dir erst
5 künftig einmal male, wie himmlisch der Sternen-Abend war,
so lange mir ihn nicht mein Schmerz umzog – wie rein-heiter
ich an der Seite des guten Menschen saß, den ich noch für den
poetischen Traumgott meiner Jugendträume ansah, und wie
froh ich mein Auge auf alles um mich warf, auf die erleuchte-
10 ten Bäume, auf jeden Gast am Tisch, wie auf die Sterne über
mir – wie immer das freudige Herz überkochen wollte – und
wie ich gern die armen Nachtschmetterlinge verscheucht
hätte, die sich an den Lichtern zerstörten – und wie ich in die
aufdämmernden Wolken in Osten mit feuchten Augen sah
15 und dachte: wie gar zu selig wird dich vollends dein beglük-
kender Mond machen, wenn er dich so findet . . . . Er fand
mich nicht mehr so – er fand mich voll Scham und Gram, ich
sah ihn an – dein stillendes Auge wäre mir heilsamer gewesen – ich grub meines ordentlich ein in seinen Glanz und
20 dachte dann nach: wie anders, anders es gewesen wäre, wäre
alles so geblieben, welch eine unvergeßliche Paradieses-
Nacht, die noch in keinem Traume gewohnt, ich hätte durch-
leben und ewig im Herzen halten dürfen! – Es sollte nicht
sein, das zu große Glück. Indes, glaub' ich, durchquellt keine
25 Träne so heißschmelzend den ganzen Menschen als die, die er
fallen lassen muß, wenn er, ebenso heiter wie andere, in
einem weiten, duftenden, wehenden Arkadien angelangt und
stehend, plötzlich von irgend einem einsamen Unglück
umgriffen wird und nun mitten unter dem allgemeinen
30 Gesange: ›Freut euch des Lebens‹, den er mitsingt, leise sagt:
freuet *euch* des Lebens, *meines* ist anders.

Ach wozu dies alles? Aber eine wichtige Regel macht' ich
mir; und ich wollte, besonders die Männer hielten sie heilig:
schone, o schone jede Seele bei einem Lustfeste, weil es ihr
35 viel zu wehe tut, mitten in der allgemeinen Freuden-Ernte
ganz allein gar nichts zu haben, und doch noch bei dem Zent-

ner-Ach in der Brust mit einem leichten Lächel-Gesicht
dazustehen; daher sollten besonders die Liebhaber und die
Eltern uns arme Mädchen mit Qualen verschonen auf Bällen,
Hochzeitfesten, Maienfesten, Weinlesen. Ach wir leiden nie
mehr als in Gesellschaft; die Männer vielleicht in der Einsam-   5
keit! Ich weiß es nicht.

Jetzo sah ich nicht mehr ab, warum ich Umstände mit der
Tafel machen sollte; unglücklich konnt' ich ja in der Einsamkeit so gut sein als in der Gesellschaft. Ich ging davon; und
sagt' es dem Vater. Das Aller-Dümmste (dacht' ich) denken   10
doch die Bade-Gästinnen ohnehin von mir; also ist nichts zu
verderben an den Dummheiten.

Ich konnte aber unmöglich schon nach Haus und unter die
Dach-Enge; ich mußte ins Weiteste; ich wollte die Sterne bei
mir behalten. Da senkte mein ganzes Herz sich plötzlich auf   15
die unsichtbare Brust meiner toten Mutter. Ich dachte an die
Zauberhöhle, durch deren wunderbare Lichter sie einst die
auf ihren Armen aufhüpfende Tochter durchgetragen; und
ich erfragte unten im Dorfe den Höhlen-Eingang. Der Mond
schien an die Pforte; die Kinder hatten davor gespielt und   20
Ketten von Dotterblumen und ein kleines Gärtchen von ein-
gesteckten Weiden zurückgelassen. Ich öffnete die Türe, um
vor die weite, wie ein Leichnam in die Höhle begrabne Finsternis zu treten; aber als der Mond seinen Schimmer lang
hineinwarf und ich meinen Schatten drinnen in der Höhle   25
liegen sah: so schauderte michs; ich sah die Schattengestalt
meiner Mutter in ihrem Grabe schlafen; da eilt' ich davon und
dachte mir dich und dein Wohl, um mein Herz zu wärmen. O
lebe wohl!

Spätere N. S. Sein Herz ist sein Gesicht; ich rede vom   30
Hauptmann. Aus Zartheit wich er mir bisher aus; aber er
schickte mir durch meinen Vater ein Blättchen, worin er alle
Schuld des öffentlichen Mißverständnisses auf sich nimmt
und durch seine Zurückziehung, um es nicht zu bestätigen,
dafür zu büßen gesteht. Du wirst es lesen. Es gehe dem bra-   35
ven Jüngling wohl!

Aber unendlich sehne ich mich aus diesem Gottesacker voll blühender Nesseln und begrabner Schönheiten hinweg an deine treue Brust hinan; dennoch muß ich ausharren, weil mein Vater nicht eher reisen will, als bis er, wie er fast so ernsthaft versichert, daß man bange wird, seinen Rezensenten abgestraft. Erfahr' ich indes deine Niederkunft: so bin ich ohne weiteres – ohne Vater und ohne Wagen – zu Fuße bei dir, bei meiner alten schönern Zeit. Sonderbar ists, daß hier so manche noch außer uns weilen, die alle nicht baden und nicht trinken, nämlich Nieß und sogar der Hauptmann.«

36. Summula

Herzens-Interim.

Nun liefen vier Menschen wie vier Akte immer näher in dem Brennpunkt eines fünften zusammen. Aber Nieß gehörte nicht unter die Strahlen. Nachdem er lange und vergeblich bei Theoda auf den Thron des Autors sich als Mensch hinzusetzen versucht; – nachdem er den vielschneidigen Schmerz empfunden, daß ein bloßes Mädchen und ein begeistertes für ihn dazu und eine Reisegefährtin obendrein den Dichtergeist nur als zufällige Flamme wie das S. Elms-Feuer an seinen Masten gefunden oder nur wie Blumen auf rohem Stamm: so war er seiner Sache gewiß und Theodas ledig und der Brunnenbelustigungen froh, nämlich des allgemeinen Lobes. Die Trompete der Fama bläset am leichtesten die Mädchen aus dem männlichen Herzen. Er war jetzt imstande, sich selber zu leben und seine Unsterblichkeit einzukassieren – ganz Maulbronn schwamm ihm zu – er konnte (er tats auch) seinen Stock aus Vergessenheit liegen lassen, damit ihn am Bade-Morgen die schöneren Hände herumtrugen und die Herzen dabei glossierten. – Er konnte mit wahrem dichterischen Tiefsinn überall lustwandeln und keinen Menschen bemerken, da es ihm genug war, wenn er bemerkt wurde in seinen

Schöpfungen mitten am hellen Tage. Er konnte sich hundertmal öffentlich vergessen, um ebenso oft an sich zu erinnern. – Ohnehin konnte (und mußte) er den Maulbronner Schauspielern als flügelmännischer Vor-Souffleur vorsitzen und sich in der umherstehenden Lern-Truppe wie in einem Spiegelzimmer vervielfachen. – –

Dies alles heilte das Herz; denn es gab Lust und Tumult, worin man eben Lieben so leicht versäumt als die Christen an Kirchweih-Tagen (Kirmeß) die Frühpredigt. Am meisten aber wurd' er von seiner Passion durch den Absatz heil, den seine Haare bei den Damen fanden. Da er voraussah, daß seine Verehrerinnen nach einer Reliquie von ihm so laufen würden als das Volk nach dem Lappen eines Gehenkten, wiewohl jene für das Bezaubern, und dieses gegen dasselbe: so hatt' er absichtlich seine Haar-Schur dem Bade aufgehoben und daher seinem Bedienten verstattet, sie anzukündigen und mit seiner Pegasus-Mähne einen kleinen Schnitthandel anzulegen. In der Tat schlug die Spekulation mit dem Flor von seinen Haarzwiebeln so gut ein als der holländische mit Blumenzwiebeln; ja eine Gräfin wollte den ganzen Artikel allein an sich bringen zu einer adeligen und genialen Perücke, so versessen war alles auf die Geburten seines fruchtbaren Kopfes, es mochten Gefühle oder Locken sein. Dieser Handelflor seines Bedienten, wovon ihm selber gerade das Geistigste zuwehte, das Lob, ließ ihn, wie gedacht, Theodas Verlust männlicher verschmerzen, als er sonst gehofft; indes ob er ihr gleich seine Krönungen, d. h. seine Tonsuren, nicht am sorgfältigsten zu verhehlen strebte, so warf er als heiliger Vater der Musen doch mitten unter seinem Kardinalgefolge aus angeborner Gutmütigkeit statt der Bannstrahlen sanfte Sonnenblicke von Zeit zu Zeit auf die verlassene Geliebte, um, wie er hoffte, sie dadurch unter ihrer Last, wo möglich, aufrecht zu erhalten.

Hingegen den Hauptmann sah er kaum an – erstlich vor Ingrimm – zweitens weil er ihn nicht sah oder selten. Der gute Meßkünstler – dem sich jetzt das Leben mit einem neuen Flor bezogen hatte, und welchem der Brunnen-Lärm sich zur Trauermusik einer Soldatenleiche gedämpft – war nirgend zu sehen als über den unzähligen Druckfehlern seines mathematischen *Kästners*, welche er endlich einmal, da er sie bisher immer nur improvisierend und im Kopfe umgebessert, von Band zu Band mit der Feder ausmusterte. So wenig er nun Ursache hatte, dazubleiben, so wenig hatt' er Kraft, fortzureisen. Bracht' er sich selber auf die Folter und auf die peinliche Frage, was ihn denn plage und nage, so fragte er nichts heraus als dies, es gehe ihm gar zu nahe, daß er ein unschuldiges Frauenzimmerchen durch seinen mißverstandnen Namen-Wettkampf mit Nieß zu einer Etourderie hingelockt und sie mit Gewalt in die Bußzellen der Einsamkeit gejagt. »Die Wunden ihres Ehrgefühls«, sagt' er sich, »müssen sie ja noch heißer schmerzen als einen Mann die des seinigen; und ich wäre ja ein Hund, wenn ich nicht alles täte, was ich könnte, und nicht so weit wegbliebe von ihr als nur menschenmöglich.« Dennoch fuhr er oft mitten aus den kältesten Rechnungen – die ihn eben weniger zerstreuten, weil sie ihn weniger anstrengten als einen andern – zähne-knirschend und schmerzen-glühend auf vom Buche (er hatte unbewußt fortgerechnet und fortgefühlt) und sagte: »O mein Gott! was ist denn? Dies hole der Teufel, o Gott!«

Ein redlicher Krieg- und Meßkünstler von Jüngling, der in seinem Leben nichts Weibliches weiter innig geliebt als seine Mutter und welchem bisher das leichte Blut so ungedämmt durch das still-offne Herz geflogen, weiß gar nicht, wie er sich einmal einen ganz andern Gang und Schlag erklären und erleichtern soll; er seufzt und weiß nicht worüber und wofür. Er möchte sterben und leben, töten und küssen, weinen und lachen; aber er kann doch nicht seine süß-glühende Hölle auslöschen mit allen Tränen der ersten Sehnsucht.

Wie wohlgemut und froh hält dagegen ein Mann wie Nieß, der schon öfter den heißen Liebe-Gleicher passiert ist, den bittersten Herzen-Harm aus! Ordentlich mit Lust schmilzt er in Tränen und schnalzt wie ein lustiger Fisch. Das Gefühl, das

bei einem mathematischen Theudobach eine drückende Perle
in der Auster ist, trägt er als eine schmückende außen an sich.
Kurz er gehört zu den Leuten, wovon ich einmal folgendes
geträumt. Ich hatte aber vorher gelesen, wie man in Öster-
reich die Kompagnien zum Beten so kommandiert: »Stellt
euch zum Gebet! – Hergestellt euch zum Gebet! – Kniet
nieder zum Gebet! – Auf vom Gebet!« – Da der Flügelmann
alle andächtigen Handgriffe deutlich vormacht und früher als
die Kompagnie sein Herz zu Gott erhebt, dankend oder fle-
hend: so kann kein Kerl aus der ganzen so für die Andacht
zugestutzten Kompagnie im Beten stolpern ohne eigne
Schuld, und falls einer eine Minute länger als der Flügelmann
Gott verehrte, so wird er mit Recht vom Offizier zu allen
Teufeln verflucht. In meinem Traume aber war von einem
nähern Anbeten die Rede und waren mehr Kommandowör-
ter in Gang. Ich war zugleich der Offizier und der Flügelmann – die größte Schönheit Baireuths saß auf dem Kanapee –
und ich sagte zu meiner Rotte: »Hergestellt euch zum Anbeten! – Kniet nieder zum Anbeten! – Sehnet euch! – Hand
geküßt! – Seufzer ausgestoßen! – Tränen vergossen! – Fallt in
Verzweiflung! – Ermannt euch! – Aufgelacht! – Aufgestanden!« – Und so hab' ich und die Rotte das Roman-Exerzitium
siebenmal in so kurzer Zeit durchgemacht, daß wir fertig
waren, eh' ich erwachte.

37. Summula

Neue Mitarbeiter an allem – Bonas Brief an Theoda.

Noch immer blieb der Doktor Strykius ungeprügelt – und
Theoda voll Sehnsucht nach Bona, und der Hauptmann unent-
schlossen zur Reise: als der Landesherr des Badeorts ankam
und mit ihm die Aussicht auf neue scènes à tiroir, auf neue
Spektakelstücke und Szenenmaler für diese kleine Bühne;
besonders die Aussicht auf die Erleuchtung der Höhle.

»Wird die Höhle erleuchtet«, dachte der Doktor, »so find'
ich vielleicht einen entlegenen finstern Winkel darin, worin
ich den Höhlen-Aufseher (Strykius) vor der Hand mit einem
Imbiß der zugedachten Henkermahlzeit bewirte; oder mit
einem Vorsabbat seines Hexensabbats – dergleichen wäre
eben wahre Kriegbefestigung im juridischen Sinne – ja ein
bloßer im Finstern recht geworfner Stein wäre wenigstens
eine Ouvertüre für seinen nicht offnen Kopf. In jedem Falle
kann ich bei der Erleuchtung die Knochen der Höhlenbären,
die darin liegen sollen, besser suchen und holen; der Kerl
bleibt mir ja immer.«

Wirklich wurde die Erleuchtung der Höhle, gleichsam die
einer unterirdischen Peterskuppel, auf den nächsten Sonntag
angekündigt. Für Theoda nahte das mütterliche Totenfest:
»Weiter wollt' ich ja hier nichts mehr«, sagte sie.

Vormittags am sehnlich erwarteten Sonntag langte aus Pira
zu Fuße der schweiß-bleiche Zoller und Umgelder Mehlhorn
mit einem Gevatter-Brief an den Doktor an. Glaubwürdige
Zeugnisse hat man zwar nicht in Händen, womit unumstöß-
lich zu beweisen wäre, daß Katzenberger auf seinem Gesichte
über diese Freudenbotschaft besondern Jubel, außerordentli-
che Erntetänze oder Freudenfeuer, mit Freudentränen ver-
mischt, habe sehen lassen; aber so viel weiß man zu seiner
Ehre desto gewisser, daß er sich im höchsten Grade
anstrengte (er beruft sich auf jeden, der ihn gesehen), starke
Freude zu äußern, nur daß es ihm so leicht nicht wurde, auf
die Schwefelpaste seines Gesichts die leichten Rötelzeichnungen eines matten Freudenrots hinzuwerfen; besonders wenn
man bedenkt, daß er auf seinem Janus-Gesicht zwei einander
deckende Gefühle zu beherbergen hatte, Lust und Unlust.
Kurz er bracht' es bald dahin, daß er, da er anfangs so ver-
blüfft umhersah wie ein Hamster, den ein schwüler Hornung
vorzeitig aus dem Winterschlaf reißt, dann lebendig auf-
blickte und aufsprang. Gegen den gutmütigen Mehlhorn war
aber auch Härte so leicht nicht anwendbar; er stand da mit
dem weißen Vollgesicht, so lauter Nachgeben, so lauter Hoch-

achten und Hoffen und Vaterfrohlocken! Wenigstens der
Teufel hätte ihn geschont.

Da ohnehin an kein Abschrecken vom Gevatterbitten mehr
zu denken war: so überschüttete ihn der Doktor mit allem,
was er Bestes, nämlich Geistiges hatte, mit Herzens-Liebe,
Hochachtung, innern Freudenregungen und dergleichen ver-
schwenderisch, gleichsam mit einem Patengeschenk edlerer
Art, um nur an schlechte massive Gaben gar nicht zu denken.
Sein Herz fühlte sich weit seliger dabei, wenn er eine geliebte
Hand recht herzlich drücken und schütteln durfte, als sie
füllen mußte.

Da ihm bei jeder Geburt Mißgeburten in den Kopf kamen –
solche hätt’ er mit Jubel aus der Taufe gehoben und beschenkt
mit seinem Namen Amandus –, so warf er bei der Möglichkeit wenigstens einiger wissenschaftlichen Mißbildung nur
wie verloren die Frage hin: »Der Junge ist wohl höchst regel-
mäßig gebaut?« – »Herr Doktor«, versetzte der Zoller,
»wahrlich wir alle können Gott nicht genug dafür danken; er
ist aber, wie die Wehmutter sagt, wie aus dem Ei geschält für
sein Alter.«

»Aus dem Leuwenhoekischen Ei für sein Alter von neun
Monaten«, versetzte er etwas verdrießlich, »was? – Verstei-
gen Sie sich doch um Gottes Willen nicht mit einem
Anachronismus in die Physiologie!« – »Gott, nein«, fuhr
Mehlhorn fort, »und die Wöchnerin ist gottlob so frisch
wie ich selber.« – »Ja, das ist sie, Gott sei Dank!« rief
Theoda, nach der Lesung des Briefchens von Bona, in das
wir alle auch hineinsehen wollen, und stürzte vor Freude
dem Zoller an den Hals, der mühsam einen dicken Schal
unter der Umhalsung aus der Tasche herausarbeitete, um
ihn zu übergeben. »Noch heute«, sagte sie, »geh’ ich zu
Fuße mit Ihnen und laufe die ganze Nacht durch, denn sie
verlangt mich, und nichts soll mich abhalten.« Bona hatte
sie allerdings zum Schutzengel weniger ihrer Person als des
Haushaltens angerufen, aber eigentlich nur, um selber
Theodas Engel zu sein, deren unglückliche Lage, wo nicht

gar unglückliche Liebe, sie nach ihren letzten Tageblättern zu kennen glaubte und zu mildern vorhatte.

Allein Mehlhorn konnte sein Ja und seine Freude über die schnelle Abreise nicht stark genug ausdrücken, sondern bloß zu schwach; denn da der Mann einen Tag und eine Nacht lang mit seinem Gevatter-Evangelium auf den Beinen gewesen: so sehnte er sich herzlich, in der nächsten statt auf den Beinen nur halb so lange auf dem Rücken zu sein im Bette. Der Vater sagte, er stemme sich nicht dagegen, gegen Theodas Abreise; überall lass' er ihr Freiheit. Er sah zwar leicht voraus, daß sie der Umgelder als galanter Herr unterwegs kostfrei halten würde; aber solchen elenden Geld-Rücksichten hätt' er um keinen Preis die Freiheit und die Freilassung einer volljährigen Tochter geopfert. Dazu kam, daß er sich öffentlich seines Gevatters schämte; der Zoller war nämlich in der gelehrten Welt weder als großer Arzt noch sonst als großer Mann bekannt. Was er wirklich verstand – das Zollwesen –, hatte Katzenberger ihm längst abgehört; aber der Doktor gehörte eben unter die Menschen, welche so lange lieben, als sie lernen – was die armen Opfer so wenig begreifen, welche nie vergessen können, daß sie einmal von dem Übermächtigen geachtet worden. –

Katzenbergers Herz war in dieser Rücksicht vielleicht das Herz manches Genies; wenigstens so etwas von moralischem Leerdarm. Bekanntlich wird dieser immer in Leichen leer gefunden – nicht weil er weniger voll wird, sondern weil er schneller verdaut und fortschafft; – und so gibts Leer-Herzen, welche nichts haben, bloß weil sie nichts behalten, sondern alles zersetzt weitertreiben.

Aber schnell nach der Einwilligung des Doktors erkannte die vorher freudenberauschte Theoda die nähern Umstände der Zeit. Hier fiel ihr Licht auf ihren unbesonnenen Antrag, den Gevatter totzugehen. Sie nahm ihn erschrocken zurück und schlug ihm sofort den schönern und hellern Gang vor, den in die abends erleuchtete Höhle.

Aber um sich für ihr Entsagen zu belohnen, las sie den folgenden Brief der Kindbetterin wieder und ruhiger:

»Herz! Ich darf dir nicht viel antworten auf alle deine gelehrten Briefe. Ich bin diese Nacht niedergekommen, und zwar mit einem herrlichen, großen Jungen, der wie das Leben selber aussieht; und ich ärgere mich nur, daß ich ihn nicht gleich an die Brust legen darf, meinen schreienden Amandus; auch ich bin nicht sonderlich schwach, ob mir gleich der Physikus Briefschreiben und Aufstehen bei Seligkeit verboten. Du hast, du Leichte, dein dickes Halstuch, das du durchaus in der Abendkälte nicht entraten kannst, bei mir liegen lassen, du Leichtsinnige, und mein einfältiger Mehlhorn konnte es in allen Kommoden nicht herausfinden, bis ich endlich selber aufstand und es erst nach einer Stunde ausstöberte, weil der Mensch den Schal für einen Mantel oder so etwas angesehen und ihn unter die andern Sachen hineingewühlt hatte. Zur Strafe muß er dir in der Rocktasche das bauschende Ding hintragen. Aber wie ich lese, bist du ja um und um mit lauter Fallgruben von Mannsleuten umgeben. O, komme doch recht bald nach Pira und pflege mich, und wir wollen darüber recht ordentlich reden, denn ich kann die Feder nicht führen, wie etwa du. Deinen Nieß könnt' ich keine Stunde leiden; der Hauptmann wäre mehr mein Mann. So einen mußt du einmal haben, einen Vernünftigen und Gesetzten, keinen Phantasten, denn ich wundere mich oft, wie du bei deinem Verstande und Witze, wo wir Weiber alle dumm vor dir stehen, doch so närrisch und unüberlegt handeln und dir oft gar nicht sogleich helfen kannst, aber doch andern die herrlichsten Ratschläge erteilst. Hätte ich deine Feder und wäre so vif wie du, ich wollte mich in der Welt ganz anders stehen. Jedoch bin ich herzlich zufrieden mit meinem Mehlhorn, da ers mit mir auch ist in unserer ganzen Ehe, weil er einsieht, daß ich die Haussachen und Weltsachen so gut verstehe wie er sein Zollwesen. Nur bitte ich dich inständig, mein Herz, lasse ja niemal zu, daß ihm dein Herr Vater etwan aus Höflichkeit viel mit Wein zuspricht; Mehlhorns schwa-

cher Kopf verträgt auch den allerschlechtesten Krätzer nicht,
den ihm etwa dein Herr Vater vorsetzen möchte; sondern er
spricht darauf ordentlich kurios-stolz und sogar, so sehr er
mich auch lieb hat, gegen mein Hausregiment, was dir gewiß
nicht lieb über deine alte Freundin zu hören wäre. – Und dich
wilde Fliege selber beschwör' ich hier ordentlich, gieße im
Bade vor so vielen Leuten nicht dein altes Teelöffelchen voll
Arrak in deinen Tee; denn du hältst immer den Löffel zu
lange über der Tasse und gießest fort, wenn es schon überläuft, und dann überläuft es bei dir auch, wenn du diese Wirtschaft trinkst. Tu' es ja nur bei mir, nur nicht dort. – Nun so
komme nur recht schleunig zu

deiner

Bona.

Schreibe mirs wenigstens, im Falle du nicht kannst. Deine
Tanzschuhe hast du auch stehen lassen, und er hat sie mit
eingesteckt.«

– So weit der Brief.

Was nun den zu Gevatter gebetenen Katzenberger anlangt,
so besaß er zu viel Ehrgefühl und Geld, als daß er sich nicht
hätte verpflichtet fühlen sollen, seinen Gevatter an der öffentlichen Wirttafel mit schlechtem Tisch-Krätzer zu erfreuen
und ihn eine glänzende Tafel voll Blasmusik abgrasen zu lassen, wo außer Grafen und Herren der Völkerhirt selber saß;
so wurde denn ein erster Tisch- oder Fechter-Gang verabre-
det und angetreten, wohin, denk' ich, alles, was in der künftigen Nachwelt Anspruch auf höhere Bildung macht, uns ohne
weiteres, wenn auch in bedeutender Ferne (nämlich von Zeit)
ohnehin nachfolgen wird.

Dr. Katzenbergers
Badereise

Dritte Abteilung

38. Summula

Wie Katzenberger seinen Gevatter und andere traktiert.

Auch Theoda begab sich wieder an die öffentliche Tafel, nämlich zum letzten Male und an dem Arme des Zollers, der, ganz
stolz auf die Ehre einer so vornehmen Nachbarschaft und auf
den Schein, weniger der Gast des Vaters als der Wirt der
Tochter zu sein, sie an ihren Sessel geleitete. Es ist zweifelhaft, ob ihr Entschluß der öffentlichen Erscheinung bloß von
ihrer Gevatter-Freude herkam oder von ihrer Achtung gegen
Mehlhorn, der ohne ihre Nachbarschaft nur eine sehr kalte an
der väterlichen finden konnte; – oder vom Gedanken der
Abreise und vom Aufwachen ihres alten Stolzes – oder (wer
könnt' es wissen) vom Wunsche, an der Tafel einen Fürsten
zum ersten Male zu erblicken, oder gar den Hauptmann
Theudobach zum letzten Male, oder von der Aussicht in die
abends aufleuchtende Eden-Grotte; – oder aus unbekannten
Ursachen; sehr zweifelhaft, sag' ich, ist es, aus welcher von so
vielen Ursachen ihre Umänderung entsprang, und mein
Beweis ist der, daß es wahrscheinlich ist, alle diese Gründe
zusammen – samt allen unbekannten – haben mitgewirkt.

Theoda sollte diesmal immer froher werden; noch vor dem
Essen sah sie ihren Vater über 100 Vaterunser lang vom Fürsten gehalten und gehört. Der Fürst hörte, wie andere Fürsten, Gelehrte aller Art fast noch lieber und noch länger, als er
sie las; vollends einen, der wie Katzenberger nicht sein Landeskind, seine Landesplage oder sonst von ihm abhängig war;
er befragte ihn besonders über die Heilkräfte des Brunnens.
Der Doktor setzte sie sehr hoch hinauf und sagte, er habe ein
kleines chemisches Traktätchen in der Tasche, worin er dargetan, der Maulbronner Brunnen vereinige als Schwefel-
Wasser alle Kräfte des Aachner, des Zaysenhauser im Württembergischen und des Wildbads zu Abach, wie schon das
häßliche Stinken nach faulen Eiern verspreche. Hier wollt' er
das Traktätchen aus der Tasche ziehen, brachte aber dafür
einen langen Bärenkinnbacken mit Zähnen halb heraus, den

er in der Bärenhöhle schon ohne Hülfe der Illumination auf-
gefunden und zu sich gesteckt. »Ei, wie böse!« sagt' er, »hab'
ich die Untersuchung doch zu Hause gelassen. Aber ich habe
immer die Taschen voll anatomischer Präparate!« – Der
Fürst, leicht den verpönten Knochendiebstahl und willkürli- 5
chen Knochenfraß wahrnehmend, ging lächelnd darüber mit
der Bitte hinweg, ihm den Traktat zu senden; und tat die
Frage, ob es ihm im Bade gefalle. – »Ungemein«, versetzte er,
»ob ich es gleich nicht selber gebrauche; aber für einen Arzt
ist schon der Anblick so vieler Preßhaften mit ihrer unterhal- 10
tenden Mannigfaltigkeit von Beschwerden, die alle ihre eigne
Diagnose verlangen und alle verschieden zu heben sind, eine
Art Brunnenbelustigung, gleichsam eine volle Flora von Wel-
kenden. Der ordentliche Brunnenarzt freut sich hier wie ein
Lumpensammler, wenn recht viel zerrissen ist; es gibt dann 15
unter dem Lumpenhacker viel verklärtes feines Postpapier in
die andere Welt zu liefern, und der Badort ist ein schöner
Vorhof zum Kirchhofe.« Den Fürsten wunderte und erfreute
am Arzte sehr die Satire auf den eignen Stand, und er lächelte;
allein er bedachte nicht, daß eigentlich jeder am meisten über 20
seinen als den ihm bekanntesten, der Hofmann über den Hof,
der Autor über das Schriftstellerwesen, ja der Fürst über Seinesgleichen Spott ausgießt, nur ihn aber andern nicht gern
erlaubt. – »Raten Sie mir doch, Herr Professor«, fragte der
Fürst, »welche Motion ist die beste?« – »Gehen, Durch- 25
laucht, als die rechte Mitte zwischen Reiten und zwischen
Fahren«, antwortete Katzenberger. »Aber ich gehe täglich,
und es hilft mir wenig«, versetzte der dickleibige Regent.
»Wahrscheinlich darum«, sagte der Doktor, »weil Höchstde-
roselben vielleicht nur mit den Füßen gehen; was zum Teil 30
seine Nachteile hat – (der Fürst sah ihn fragend an) denn auch
mit den Händen muß zu selber Zeit gegangen und sich bewegt
werden, da wir Säugtiere in Rücksicht des Körpers ja Vierfü-
ßer sind, wie Moscati sehr gut, nur mit Übertreibungen,
bewiesen.« – Er setzte nun die Sache mehr ins Licht und 35
zeigte: »Das Venenblut steige ohnehin schwer die Füße her-

auf, häufe sich aber noch mehr in ihnen an, wenn man sie
allein in Bewegung und Reizung setzt; und dann sei für den
ganzen übrigen Venenblutumlauf nur schlecht gesorgt.*
Daher müssen durchaus die Oberfüße oder Arme als Mitar-
5 beiter – wenigstens von hohen Personen, die mit ihnen nicht
am Sägebocke oder hinter dem Garnweberstuhl oder auf der
Drechselbank hantieren wollen – gleich stark mit den Unter-
füßen auf und ab geschleudert werden, zumal da schon nach
Haller in seiner Physiologie das einfache Aufheben eines
10 Armes den Puls um viele Schläge verstärke.« – Und hier
machte der Doktor dem Fürsten den offizinellen Gang mit
gehenden Perpendikelarmen so geschickt vor, daß er, wie ein
trabendes Pferd, Ober- und Unterbeine in entgegengesetzter
Richtung vorwärts und hinterwärts schlug; – und die ganze
15 Badgesellschaft sah von fernen den unbegreiflichen und
unehrerbietigen Schwenkungen des Doktors vor dem Fürsten zu. »In der Tat«, sagte der Fürst lächelnd, »dies muß man
versuchen, wenn auch nicht in großer Gesellschaft.« –
»Dann«, fuhr der Doktor fort, »kann man noch mehr tun. Da
20 eigentlich das Säuern oder Entkohlen des Bluts das Ziel alles
Lustwandelns ist: so halt' ich auf Spaziergängen meinen
Mund außerordentlich weit aufgesperrt, um so die Luft
stromweise in meine Lungen einzuschütten zum Oxydieren.
Ja, ich darf Ihrer Durchlaucht vorschlagen, daß Sie in Zeiten,
25 wo das Wetter nicht zum Gehen ist, dafür recht gut das Reden
wählen können, weil dieses das Blut herrlich säuert durch das
schnellere Einatmen der Lebensluft und das Ausatmen der
Stickluft. Daher erkranken wir Professoren häufig in den
Ferien durch Aussetzen der Vorlesungen, mit welchen wir
30 uns zu säuern und zu entkohlen pflegen. Auch der treffliche,
in unsern Zeiten zu wenig erwähnte *Unzer*, Ihro Durchlaucht, bemerkt im achtzigsten Stücke seines *Arztes* ganz
wahr, daß den Verrückten das unaufhörliche Sprechen und

---

* Dasselbe bemerkt Puchelt im köstlichen Werke über »das Venensystem in
seinen krankhaften Verhältnissen«; ein Werk, worin der Gang des Untersuchens
den Verfasser so auszeichnet als der Gewinn durch dasselbe.

Singen die Motion ersetze.« – Da nahm endlich der Fürst von
dem berühmten Gelehrten – der seinen Bückling mehr nur
mit dem innern Menschen machen konnte, obwohl nur vor
einem van Swieten, Sydenham, Haller, Swift – mit größerer
Höflichkeit Abschied, als Katzenberger verhältnismäßig   5
erwiderte, ja mit zu großer fast. Warum aber? vielleicht weil
überhaupt Fürsten gern dem *fremden* Gelehrten am höflich-
sten begegnen – weil ihre Höflichkeit sie noch nichts kostet –
weil sie ihn erst angeln wollen – weil ein von innen aus Freige-
machter bei ihnen unter die Freiherrn und Freifrauen tritt,   10
d. h. unter ihresgleichen – weil die Sache ohne Folgen (gute
ausgenommen) ist – weil die Fürsten gern alles tun, aber nur
Einmal, auch das Beste – weil die ganze Sache kurz abgetan,
und lang abgesprochen wird – weil sie einmal in Erstaunen
ihrer Herablassung setzen wollen, welches bei Untertanen sie   15
zu viel kosten würde – weil sie vom Manne später an der Tafel
etwas sagen wollen und ihn also vorher etwas sagen lassen
müssen – und weil sie eben dasselbe ohne alle Gründe täten,
um so mehr da sie den besagten Mann schon halb vergessen,
wenn er noch dasteht, und sich nach Jahren nicht gut mehr   20
erinnern, wer der Mensch gewesen – und endlich, weil es
doch beim Himmel auch Fürsten gibt, welche, wie Friedrich II., die schönste Ausnahme machen und einen Gelehrten
noch höher würdigen als ein Gelehrter.
   Indes auch einheimische Schriftsteller könnten die Sache   25
benützen und sich vor solchen von ihren Fürsten, die auf
ihnen wie Sultane auf verschnittenen niedergebückten Zwer-
gen sich in den Sattel schwingen wollen, geradezu als Tanzbären aufrichten und auf die Hinterfüße treten. Um so unbe-
greiflicher bleibt es darum, daß bisher die Ärzte und die   30
Rechtsgelehrten gegen die höhern Stände nicht zehnmal grö-
ber ausfallen, als sie tun, und nicht so grob, als die Virtuosen
der Zeichen-, der Ton-, der Schau- und der Tanzkunst längst
getan; denn ohne jene, die ja erst Lang-Leben und Wohlleben
verschaffen, sind alle Springer und Geiger unbrauchbar,   35
indem alle Philosophen darüber einig sind, daß man, um

wohl zu leben, zuvörderst leben müsse. Doch sprech' ich
jenen nicht alle Grobheit ab, sondern nur den größten Grad.
Etwas anders sind Dichter, Weltweise und Moralisten, ja Prediger (in unsern Tagen); diese können nie höflich genug sein,
5 weil sie nie unentbehrlich genug sind.

Endlich setzte sich der Doktor mit dem Glanze, den er als
ein Lichtmagnet an sich gezogen vom Fürsten-Sterne, kalt zu
seinem Mehlhorn und seiner Tochter. Der Umgelder hätte
beinahe den Hunger verloren vor Anbetung des Fürsten und
10 vor Bewunderung Katzenbergers, der so leicht mit jenem
diskuriert hatte. Unter dem Essen lenkte der Doktor die Rede
aufs Essen und merkte an, er wundre sich über nichts mehr,
als daß man, bei der Seltenheit von Kadavern und vollends
von lebendigen Zergliederungen, so wenig den für die Wis-
15 senschaft benutze, in dem man selber stecke, besonders im
Sommer, wo tote faulen. »Wär' es Ihnen zuwider, Herr
Mehlhorn, wenn ich jetzo z. B. den Genuß der Speisen
zugleich mit einem Genusse von anatomischen Wahrheiten
oder Seelenspeisen begleitete?« – »Mit tausend Wohlgefallen,
20 teuerster Herr Doktor«, sagt' er, »sobald ich nur kapabel bin,
Ihrer gelehrten Zunge zu folgen.« – »Sie brauchen bloß zu
meinem Sprechen zu käuen; nämlich bloß von der Käufunk-
tion will ich Ihnen einen kleinen wissenschaftlichen Abriß
geben, den Sie auf der Stelle gegen Ihre eigne, als gegen leben-
25 diges Urbild, halten sollen. – Nun gut! – Sie käuen jetzt;
wissen Sie aber, daß die Hebelgattung, nach welcher die Käu-
muskeln Ihre beiden Kiefern bewegen (eigentlich nur den
untern), durchaus die schlechteste ist, nämlich die sogenannte
dritte, d. h. die Last oder der Bolus ist in der größten Entfer-
30 nung vom Ruhepunkte des Hebels; daher können Sie mit
Ihren Hundzähnen keine Nuß aufbeißen, obwohl mit den
Weisheitzähnen. Aber weiter! Indem Sie nun den Farsch da
auf Ihrem Teller erblicken: so bekommt (bemerken Sie sich
jetzt) die Parotis (hier ungefähr liegend) so wie auch die Spei-
35 cheldrüse des Unterkiefers Erektionen, und endlich gießt sie
durch den stenonischen Gang dem Farsche den nötigen Spei-

chel zu, dessen Schaum Sie, wie jeder andere, bloß den aus-
dehnenden Luftarten verdanken. Ich bitte Sie, lieber Zoller,
fortzukäuen, denn nun fließet noch aus dem ductus nasalis
und aus den Tränendrüsen alles nach, woraus Sie Hoffnung
schöpfen, so viel zu verdauen, als Sie hier verzehren. Nach   5
diesem Seedienst kommt der Landdienst.« –

Hier lachte der Zoller über die Maßen, teils um höflich zu
erscheinen, teils das Mißbehagen zu verhehlen, womit er
unter diesem Privatissimum von Lehr-Kursus alles verschlang; – gleichwohl mußt' er fortfahren, zu genießen. –   10

»Ich meine unter dem Landdienst dies: jetzt greift Ihr
Trompetermuskel ein und treibt den Farsch unter die Zähne –
Ihre Zunge und Ihre Backen stehen ihm bei und wenden und
schaufeln hin und her – ausbeugen kann der Farsch unmöglich – auswandern ebenso wenig, weil Sie ihn mit zwei häuti-   15
gen Klappen (Wangen im gemeinen Leben) und noch mit dem
Ringmuskel oder Sphinkter des Mundes (dies ist nur Ihr
erster Sphinkter, nicht Ihr *letzter*, damit korrespondierender,
was sich hier nicht weiter zeigen läßt) auf das schärfste inhaf-
tieren und einklammern – kurz der Farsch wird trefflich zu   20
einem sogenannten Bissen, wie ich sehe, zugehobelt und ein-
gefeuchtet. – Nun haben Sie nichts weiter zu tun (und ich
bitte Sie um diese Gefälligkeit), als den fertigen Bolus in die
Rachenhöhle, in den Schlundkopf abzuführen. Hier aber
hört die Allmacht Ihres Geistes, mein Umgelder, gleichsam   25
an einem Grenzkordon auf, und es kommt nun nicht mehr
auf jenes ebenso unerklärliche als erhabne Vermögen der
Freiheit (unser Unterschied von den Tieren) an, ob Sie den
Farsch-Bissen hinunterschlucken wollen oder nicht (den Sie
noch vor wenigen Sekunden auf den Teller speien konnten),   30
sondern Sie müssen, an die Sperrkette oder Trense Ihres
Schlundes geheftet, ihn nun hinabschlingen. Jetzt kommt es
auf meine gütige Zuhörerschaft an, ob wir den Bissen des
Herrn Zollers begleiten wollen auf seinen ersten Wegen, bis
wir weiterkommen.« –   35

Mehlhorn, dem der Farsch so schmeckte wie Teufelsdreck, versetzte: »Wie gern er seines Parts dergleichen vernehme, brauch' er wohl nicht zu beschwören; aber auf ihn allein komm' es freilich nicht an.« – »Ich darf denn fortfahren?« sagte der Doktor. »Vortrefflicher Herr«, versetzte eine ältliche Dame, »Ihr Diskurs ist gewiß über alles gelehrt, aber unter dem Essen macht er wie desperat.« – »Und dies ist«, erwiderte er, »auch leicht zu erklären; denn ich gestehe, daß ich selber unter allen Empfindungen keine kenne, die stärker, aber auch grundloser ist und die weniger Vernunft annimmt, als der Ekel tut. Nur zwei Beispiele statt tausend! Ich hielt mir im vorigen Herbste ein Paar lebendige Schnepfen, die ich mit unsäglicher Mühe zahm gemacht, teils um sie zu beobachten, teils um sie auszustopfen und zu skelettieren. Da ich nun meinen Gästen gern Ausgesuchtes vorsetze: so bot ich einigen Leckermäulern darunter Schnepfendreck, wie gewöhnlich mit Butter auf Semmelscheiben geröstet, an, und zwar so wie ihn täglich meine beiden Schnepfen unmittelbar lieferten. Aber ich darf Sie als ehrlicher Mann versichern, meine Gnädige, auch kein einziger bezeigte statt einiger Lust etwas anderes als ordentlichen Abscheu vor dem vorgesetzten Dreck; und weshalb eigentlich? – Bloß deshalb – nun komm' ich auf unsern Punkt –, weil das Schnepfengedärm nicht mit auf die Semmelscheiben gestrichen war und die Gourmands nur bloßen Netto- und keinen Bruttodreck vor sich erblickten. Ich bitte aber hier jeden vernünftigen Mann zu urteilen, ob ich meine Sumpfvögel – da sie ganz die Kost erhielten (Regenwürmer, Schnecken und Kräuter), aus der Schnepfen von jeher den Liebhabern wieder eine Kost auf den ersten Wegen zugeführt – ob ich, sag' ich, solche etwan abschlachten sollte (wie jener seine Henne, die ihm täglich goldne Eier legte), um gleichsam die Legdärme aufzutischen. – Es kommt mir vor, als ob solche Liebhaber die nußbraunen Locken der schönen Damen am Tische nicht anders nach ihrem Geschmacke finden könnten, als noch in Papilloten eingemacht. – Man denke doch an den Dalai Lama, der seine Verehrer, die größten Fürsten und Glaubige, auch täglich mit seinen eignen Schnepfen-Reliquien beschenkt; aber keinem darunter ist es noch eingefallen, diesen asiatischen Papst wie eine Schnepfe zu schießen oder zu würgen, um ihn in Bausch und Bogen zu haben, sondern man ist zufrieden mit dem, was er geben kann.

Dies ist das eine Beispiel vom Unsinne des Ekels. Aber das stärkere kommt. Wein, Bier, Likör, Brühe, kurz nichts ist uns so rein, so einheimisch und so zugeartet und bleibt so gern tagelang (was nichts Fremdes kann) in unserm Munde als etwas, wovon der Besitzer, wenn es heraus wäre, keine halbe Teetasse trinken könnte – Speichel. Ist aber dies kein wahrer Unsinn, so wär's auch keiner, sondern vernünftig, wenn ich meinen trefflichen Herrn Kollegen Strykius verabscheute aus Ekel, bloß weil er, obwohl mir in Wissenschaft und Streben so verwandt und durch Freundschaft gewissermaßen ein Teil meines Innern, außer mir stände neben meinem Stuhle.«

Daneben war wirklich der Brunnenarzt Strykius im Mute des Wein-Nachtisches getreten. Über des Doktors Mut und Glück bei dem Fürsten und besonders über das Armwerfen des einen und über das Anlächeln des andern konnt' er kaum zu sich kommen; denn er selber lag, kaum von einem Fürstenfinger berührt, wie manche Raupen gebogen und steif da oder fiel wie eine Hangspinne am Faden nieder auf den Boden; und er würde als Geburtshelfer eines Kronprinzen unter den fürstlichen Wehen höchstens gesagt haben: wollen Ihre Durchlaucht nicht die hohe Gnade haben, einzutreten in die Geburt und das Licht der Welt erblicken? Auch wollte er seinem Landesherrn von weitem seine innigen Verständnisse mit einem so gelehrten Manne vorzeigen. Aber Katzenberger ließ ihn seinen Schein und sein Annähern ziemlich bezahlen; denn er kam auf einem schwachen, nicht sehr maskierten Umweg auf seinen Rezensenten zurück. – (Der Umweg war bloß die Einschränkung des vorigen Satzes über den Abscheu, nämlich die Bemerkung, daß ihn allerdings sein

Kunstrichter, obwohl Handwerkgenoß, anekle.) – Er sprach
davon, was wir leider so oft in diesem Werkchen gelesen, von
der Sünde, Eine Stimme für mehre, für drei Instanzen zu
verkaufen, Einen geschwornen Meineidigen für eine Jury,
5 Einen Judas für elf Apostel. Er brachte dann wieder – was wir
alle leider so oft von ihm gehört, so daß ich die Leser fast noch
mehr bedaure als mich – die alten kalten Einkleidungen seines
künftigen Ausprügelns zu Markte und äußerte (denn ich
führe nicht alles an), ihn quäle sehr die Wahl, wie ers zu halten
10 habe, da er von der einen Seite recht gut dem Kunstrichter
bloß die Haare ausziehen könne, weil nach Aretäus schon
bloßes Abscheren Wahnsinn heile (wie an den Tituskörpfen
der Revolution noch zu sehen), aber da er auch von der
andern Seite noch stärker zu Werke gehen und den Kerl, wie
15 Bierflaschen, durch Schrot reinigen könne, welcher Schrot,
freilich anders als bei der Flasche, bloß durch einen Schuß in
ihn zu bringen wäre, wiewohl man bei Blei des Feindes
Gesundheit stets riskiere, weil dasselbe stets vergifte, es fließe
nun langsam und süß in Wein aufgelöst in den Magen, oder es
20 fahre im ganzen roh durch Magen und Leib.

»Bon!« versetzte Strykius und verstand Spaß. – »Wer
Leben wiedergibt, kann es auch zurücknehmen, und Sie können ermorden, weil Sie oft genug geheilet haben. Doch
Scherz beiseite! – Ich habe, guter Katzenberger, Ihre köstli-
25 chen Werke erst *nach* den Rezensionen gelesen – –«

– »Ganz natürlich!« unterbrach der Doktor ... »Und ich
habe etwas darin gefunden, was ich noch von niemand
gehört, daß Sie nämlich einem berühmten Engländer aufs
Haar gleichen«, fuhr Strykius fort.

30 »Wem aufs Haar?« fragt' er.

»Dem wackern Doktor und Romancier Smollet in London. Weniger in Wissenschaft – denn hier weiß ich nicht
genau, ob Smollet besondere Vorzüge besessen – als im
Humor; wie, Herr Doktor?« –

35 »Prügelszenen«, versetzte er, »hat er allerdings einladend
dargestellt, und insofern dürft' ich etwas von ihm haben,

wiewohl nicht in theoretischer Darstellung, sondern etwan in
praktischer; denn ich frage Sie als Unbefangenen ernstlich, ob
es eine größere Halunkerei gibt, als mit sieben Stimmen aus
drei Zerberus-Kehl-Köpfen – –«

»Wir kennen dies, Freund. Vielleicht haben wir beide   5
etwas getrunken! wenigstens ich«, sagte Stryk; »Sie bleiben
Smolletus secundus. Aber zum Zeichen, wie mich auch das
Kleinste an Ihnen interessiert, sag' ich Ihnen ganz leise ins
Ohr: Ihre linke Beinkleiderschnalle ist eine stählerne, und die
rechte ist bronzen. Sie verzeihen doch, mein Trefflicher,   10
einem Kollegen, der sich gleichfalls nicht von gelehrten Zer-
streuungen für frei erklärt, diese freimütige Bemerkung, die
ich wahrhaftig bloß wegen einiger Augen und Blicke der
erbärmlichsten Gemeinheit gemacht.« – »Schon vor Jahren«,
versetzte der Doktor, »seitdem ich von jedem Paare eine   15
Schnalle verloren, hab' ich meine Knie ganz absichtlich so
eingeschnallt, weil ich mir immer sagte: da jeder nur Eine
Schnalle auf einmal bemerken kann und dann eine gleiche
voraussetzt: was müßte dies für ein Narr sein, der auf beide
Schnallen Jagd machte und so ihren Unterschied sich recht   20
einkeilte? Hatt' ich aber wohl unrecht, mein Freund?« – Katzenberger war mit einem unüberwindlichen Haß gegen das
Aufwallen knechtischer Herzlichkeit, gegen jenes ekle Überfließen der Liebedienerei da geplagt, wo er gerade Gallergießungen vorgereizt und erwartet hatte; und hier war er leichter 25
von fremder Süßlichkeit zu erbittern als von Bitterkeiten
selber.

Da er nun das Seinige getan, nämlich gesagt, so richtete er
die Frage: »Kommt der Leibmedikus Semmelmann doch dem
Fürsten nach?« mit einer seltsamen Miene an Strykius, wel-   30
che fast tun sollte, als wolle sie Erbitterung und Hinterlist
verbergen. Strykius starrte plötzlich in eine ganz neue, aber
hübsche Perspektive hinein – glaubte zu wittern, daß der
Doktor den Leibmedikus Semmelmann für den prügelbaren
Rezensenten halte – und versetzte: »Künftige Woche!«   35

39. Summula

Doktors Höhlen-Besuch.

Eine Stunde vor Sonnenuntergang war die Höhle mit Lampen erleuchtet. Der Brunnenarzt, zugleich Höhlen-Inspektor, hatte einen flüchtigen, aber guten Einfall, als er im engen langen Eingange stand. Katzenbergers kalte Handhabung seiner, zumal vor den Augen seines Fürsten, hatt' ihn wahrhaft verdrossen; denn gern ließ er sich Herabwürdigung gefallen, aber sein Ehrgefühl litt empfindlich, sobald man sie ihm nicht unter vier Augen antat. Daher geriet er auf den Gedanken: jetzt, wenn der Doktor durch die wie ein Sperrkreuz laufende Türe in den engen düstern Gang eintrete und einige Minuten lang vom Taglichte so blind in diese untere Welt komme als ein neugeborner Hund in die obere, ihm auf seine beißigen Antikritiken eine leise anonyme Antwort zu geben. Diese, hoffte er nun, würde erschöpfend sein, wenn sie seinen Geiz und seine Geburthelferkunst zugleich angriffe. Aus diesem Grunde legte er sein spanisches Rohr wie eine Lanze gegen die einzige im Gange hängende Lampe ein und stieß – sobald der blinde Katzenberger unter sie kam und links umhergriff – die ganze Lampe behend auf dessen Achsel und Ärmel herab; – darauf, als er ihm Licht und Öl genug in eine dazu erst nachzuschießende Wunde voraus eingegossen, trug er die nötige Wunde nach, indem er sein Rohr, während der Drehkrankheit des Doktors, so geschickt wie einen Stundenhammer auf dessen geburthelferische Fingerknöchel fallen ließ, als woll' er den Arm von unten rädern.

Noch eh' Katzenberger ausgetanzt und ausgerungen hatte und denken und sehen konnte: stand der Brunnenarzt nach einigen schnellen, weiten, leisen, in Nebengänge eingebognen Schritten schon mitten auf dem schimmernden Marktplatz der Höhle in Bereitschaft da, dem unruhigen Freunde mit Gruß und Liebe entgegenzugehen und ihn anders als vorher zu empfangen, indem er ihm inbrünstig die herabwelkende Hand bloß drückte. Katzenberger sah ihn scharf an, lächelte unversehends und schauete umher, bald auf die Lampen, bald auf seine wunden Fingerknöchel, und sagte: »Herrlich, überraschend! Und alles so Ihrer Hände Werk?« – »Das wohl nicht«, versetzte Strykius, »aber Plan und Ideen gab ich ziemlich her.«

»Serenissimus – fuhr Katzenberger fort und zog seinen Höhlen-Bärenkinnbacken aus der Tasche – haben neulich, als ich diesen Bärenknochen zufällig statt meines Traktätchens über das Bad aus der Tasche brachte, den kleinen Raub, so viel ich gemerkt, nicht ungnädig aufgenommen. Ganz gewiß, Herr Höhleninspektor, lassen Sie mich auch wohl den zweiten Kinnbacken – hier hab' ich nur den linken – aus der Höhle mitnehmen, obgleich hier dieser Knochenraub sonst andern verboten sein soll; was entscheiden Sie?« – »Sie werden nur lange im Finstern suchen müssen, bis Sie den rechten dazu finden, Herr Professor«, sagte Strykius. – »Und so lange will ich auch suchen«, antwortete Katzenberger, »bis ich meinen zweiten Kinnbacken habe. Denn es ist mir ordentlich (fuhr er fort und schwenkte den Bärenknochen sehr in die Höhe), als wenn ich ihn als einen Eselkinnbacken gegen meinen kritischen Philister führen könnte, gegen den Rezensenten, den Sie kennen. – Der Bär ist am Kopf am schwächsten, so auch mein Rezensent, und könnt' ich solchen homöopathisch, Ähnliches durch Ähnliches, kurieren, wenn ich diese Kinnbacken statt menschlicher als Sprachwerkzeuge bewegte, als tote Streitflegel gegen einen lebendigen Streitflegel; wie, mein Bester?« – »Dort seh' ich ja wohl Ihr Fräulein Tochter herkommen«, versetzte Stryk.

40. Summula

Theodas Höhlen-Besuch.

Spät kam Theoda mit Mehlhorn, in dessen ehrlichem, warmen Herzen sie sich ordentlich wie zu Hause befand; denn eine schöne Seele kann eine schwache, die bloß zum Widertönen geboren ist, so lange genießen, ja mit sich verwechseln, bis sie ein solches Echo auch den Tierstimmen untertänig findet.

Theoda trat mit dem Gedanken an die mütterliche Schlaf-
höhle in den kühlen düstern Gang und sah anfangs nur Nacht unten und Licht-Sternchen oben – endlich tat sich ihr das Schattenreich auf, mit einer schimmernden Sternendecke und mit Hügeln, Felsen, Grotten und Höhlen in der Höhle. Alles schien eine Unterwelt zu bedeuten; der Volkstrom, den sie so
lange draußen im Taglichte in die Tür einfluten sah, schien hier, wie ein Menschengeschlecht in Gräbern, ganz vertropft zu sein; und bald erschien auf den Hügeln da ein Schatte, bald kam aus den langen Gängen dort einer her. Ihr Herz, das heute so manchen Abschied nahm und dem das Geklüft
immer mehr zum Schlafsaale der Toten wurde, schlug zuletzt so ernst und beklommen, daß das gutmütige, heitere Gespräch Mehlhorns sie in ihren Erinnerungen und Phanta-
sieen störte; sie wollte allein denken und recht traurig; die ganze Wölbung war nur die größere Eisgrube des Todes; ein
Grubenbau der Vergangenheit, so wie ein Gebeinhaus der Höhlenbären, deren unverrückt gelassene Gerippe alle mit den Köpfen an der Wandung lagen, wie zum Ausgange.

Sie brachte, obwohl mühsam, ihren Begleiter dahin, daß er ihr den Genuß der Einsamkeit zuließ und selber den seinen
mit den größern Männerschritten auf dem durchbrochenen Boden suchte.

Jetzt ungestört ging sie unter den andern Lichtschatten herum – sie kam vor eine kleine Bergschloß-Ruine – dann vor ein Schiefer-Häuschen, bloß aus Schiefern voll Schiefer-
Abdrücke gemacht – dann tönte auf den entfernten unterirdi-
schen Alpen zuweilen ein Alphorn die Höhlungen hindurch – sie kam an einen Bach, in welchem die unterirdischen Lampen zum zweiten Male unterirdisch widerglänzten – dann an einen kleinen See, worin eine abgespiegelte Gestalt gegen den
umgekehrten Himmel hinunterhing; es war die Bildsäule der Fürstin-Mutter, die ihr Sohn dicht neben ihrem Grabe aufgestellt. Theoda eilte zu dem blassen Marmor, wie zu einer

stillen Geistergestalt, und setzte sich auf das Grab daneben.
Sie durfte jetzt alles vergessen und nur an ihre Mutter denken
und sogar weinen; wer konnt' es im Dunkel bemerken?

Theudobach kam aus Felsengängen gegen sie daher, dessen
schöne Gestalt ihr durch den Zauber des Helldunkels noch
höher aufwuchs. Sie erschrak nicht, sondern sah liebreich zu
seiner entblößten Stirn empor, auf der das Licht einer unbe-
fleckten Jugend blühte; »er habe sie heute«, fing er an, »lange
gesucht, weil er diesen Abend noch über Pira nach Hause
abreise; denn er könne nicht gehen, bevor er noch einmal sein
Betragen entschuldigt und ihre Verzeihung mitgenommen«.

»Recht gut!« sagte sie. »Morgen hätten Sie mich ohnehin
umsonst gesucht; ich geh' ebenfalls ab; und was das übrige
anbetrifft: ich vergebe Ihnen herzlich; Sie vergeben mir; und
wir wissen beide nicht recht was: so ist alles vorbei.« Dieses
brachte sie in einem Tone vor, der sehr leicht und scherzend
sein sollte, eben weil ihre Augen noch in der Wehmut der
vorigen Rührung schwammen. Auf einmal tönte von einem
blasenden Musikchore auf einem fernen Felsen das Lied her-
über: Wie sie so sanft ruhn! Heftig fuhr sie vom Grabe auf
und sagte, unbekümmert, daß ihre Tränen nicht mehr zu
halten waren, mit angestrengtem Lächeln: »Eine Abschied-
Gefälligkeit könnten Sie mir wohl erweisen – einen Freund
meines Vaters in Ihrem Wagen mitzunehmen bis Pira.« –
»Mit Freuden!« sagt' er. »So hol' ich ihn her«, versetzte sie
und wollte davoneilen; er hielt sie an der Hand fest, blickte sie
an, wollte etwas sagen, ließ aber die Hand fahren und rief:
»Ach Gott, ich kann Sie nur nicht weinen sehen.« Sie eilte in
einen Felsen-Talweg hinein, er folgte ihr unwillkürlich nach –
da fand er sie mit dem Kopfe an eine Felsenzacke gelehnt; sie
winkte ihn weg und sagte leise: »O laßt mich weinen, es fehlt
mir nichts, es ist nur die dumme Musik.« – »Ich höre keine
(sagte der Krieger außer sich und riß sie vom Felsen an sein
Herz) – O du himmlisches, gutes Wesen, bleib' an meiner
Brust – ich meine es redlich, muß ich von dir lassen, so muß
ich zugrunde gehen.« Sie schauerte in seinen Armen, das wei-

nende Angesicht hing wie aufgelöset seitwärts herab, die
Töne drangen zu heftig ins gespaltene Herz, und seine Worte
noch heftiger. »Theoda, so sagst du nichts zu mir?« – »Ach«,
antwortete sie, »was hab' ich denn zu sagen?« und bedeckte
das errötende Gesicht mit seiner Brust. – Da war der ewige
Bund des Lebens zwischen zwei festen und reinen Herzen
geschlossen.

Aber sie faßte sich in ihrer Trunkenheit zuerst und nahm
seine Hand, um wieder in die weite Mitte des schimmernden
Himmelgewölbes vor die Zuschauer zu gehen. – Als jetzt
dem Musikchore ein zweites, in tiefe Ferne gelegt, antwortete
als ein Echo: – so hielten beide Glückliche das leisere Tönen
noch für das alte laute, weil die Saiten ihres Herzens darein
mitklangen. Und als Theoda heraustrat vor den Glanz des
brennenden Gewölbes, wie anders erschien es ihr nun! Eine
Unterwelt lag vor ihr, aber eine elysische; unter der weiten
Beleuchtung flimmerten selber die Wasserfälle in den Grotten
und die Wassersprünge in den Seen – überall auf den Hügeln,
in den Gängen wandelten selige Schatten, und auf den fernen
Widerklängen schienen die fernen Gestalten zu schweben –
alle Menschen schienen einander wiederzufinden, und die
Töne sprachen das aus, was sie entzückte – das Leben hatte
ein weißes Brautkleid angezogen – wie in einem vom Mondschein glimmenden Abendtau und in Lindenduft und Son-
nen-Nachröte schienen der seligen Theoda die weißgekleide-
ten Mädchen zu gehen, und sie liebte sie alle von Herzen –
und sie hielt alle Zuschauer für so gut und warm, daß sie
öffentlich wie vor einem Altare hätte dem Geliebten die Hand
geben können. –

In dieser Minute ließ der Fürst eine heimliche, nach dem
Abendhimmel gerichtete Eichenpforte des Höhlen-Bergs
aufreißen und ließ die Abendsonne wie einen goldnen Blitz
durch die ganze Unterwelt schlagen und mit einer Feuersäule
durch sie lodern. »Ach Gott, ist denn dies wahr, sehen Sie es
auch?« sagte Theoda zu ihm, welche glaubte, sie erblicke nur
ihr innres Entzücken in das äußere Glänzen ausgebrochen

und ihr Gesichte vorspielend, da gleichsam die goldne Achse
des Sonnenwagens in der Nachtwelt ruhte und mit dem
Glanz-Morgen, den er ewig mitbringt, die Lichter auslöschte
und die Höhen und die Wasser übergoldete – da der ferne
Mond-Tempel wie ein Sonnen-Tempel glühte – da die bleiche   5
Bildsäule am See sich in lebendigem Rosenlichte badete und
auseinanderblühte – da das angezündete Frührot des Lebens
an der einsamen Abend-Welt plötzlich einen bevölkerten
Lustgarten voll wandelnder Menschen aufdeckte. –

Und doch, Theoda, ist dein Irrtum keiner! Was sind denn   10
Berge und Lichter und Fluren ohne ein liebendes Herz und
ein geliebtes? Nur wir beseelen und entseelen den Leib der
Welt. Ist ein Garten eine engere Landschaft, so ist die Liebe
nur ein verkleinertes All; in jeder Freudenträne wohnt die
große Sonne rund und licht und in Farben eingefaßt.   15

Lange noch immer wars Theodan, als wenn die Strahlen
hineinweheten und zitterten. Die Sonne senkte sich höher an
der seltsamen Klippendecke hinweg, bis alles mit einem kurzen Nachschimmern entschwand. Während der Finsternis,
ehe drinnen die Lichter wieder, wie draußen die Sterne, auf-   20
gingen, begleitete Theudobach die Geliebte aus der unver-
geßlichen Höhle.

41. Summula

Drei Abreisen.

Unter dem frischen, wehenden, lebensfrohen Abendhimmel   25
fanden beide den Doktor und den Zoller. Theoda erinnerte
sich sogleich an Theudobachs Versprechen, dem letzten die
langsame Fußreise abzunehmen, und berichtete dem Zoller
das Anerbieten. Er verbeugte sich häufig, aber der Doktor
nahm das Wort: »Du möchtest nur gern, ich merk' es, recht   30
bald ans Wochenbett deiner Bona kommen und zum Pat-
chen. Hältst du aber die Nacht-Strapaze aus?« Sie erschrak

ordentlich, denn sie hatte, als sie zuerst die Bitte für Mehlhorn getan, daran keinen andern Anteil für sich erwählen
können als den, tags darauf allein die Fußreise zu machen. »O
Fräulein!« sagte der Hauptmann bittend und plötzlich so aufgeheitert, als er eine Minute vorher bewölkt geworden von
der Aussicht, daß er, gemäß seinem Versprechen der Abreise
und Fracht, eben jetzt, da ihm Sonne, Mond und Sterne über
Maulbronn aufgegangen, nichts davon vor der Hand wegzu-
fahren habe als den Umgelder. Theoda sann einen Augenblick nach, sah ihren Vater an, fragte noch einmal den Zoller:
ob ihm ein zweites Nacht-Wachen nicht beschwerlich sei,
und gab, da er versetzte: »Im mindesten nicht, da man ihn ja
nachts tagtäglich wecke«, leise die Antwort: »So wie Sie denn
wollen, Vater!«

Alle waren nun zufrieden mit ihren Perspektiv-Malereien –
die Liebenden mit der steilrechten Himmelfahrt, Mehlhorn
mit der waagrechten, Katzenberger mit der Aussicht in eine
Höllenfahrt zu Strykius als ein auferstandner Gekreuzigter.

Theoda nahm ihren Vater noch beiseite und bat ihn mit
mehr Ernst als gewöhnlich um einen leichten Gefallen; sie
habe, sagte sie, allerdings noch französisches Blut genug, um
ihre unerschrockne Mutter nachzuahmen, die ihr von ihren
kühnen Reisen mit Männern erzählt habe, nur aber an diesem
Orte, wo die Menge ihre öffentliche Verwechslung des
Hauptmanns mit dem Dichter nicht vergessen, wohl aber
mißdeuten werde, sei es nötig, daß er ihre Abreise einige Tage
verschweige und daß sie jetzt zu Fuß ins nächste Dorf voraus-
gehen dürfe, indes beide Herren während des tumultuari-
schen Abendessens abreisen könnten, um weniger bemerkt
zu sein. – –

»Was willst du denn eigentlich? (fragte Katzenberger) Ich
tu's ja.« Sie mußte ihm noch kühner die Bitten wiederholen. –
»Und weiter nichts? – Wahre Weiber-Schulfüchserei! So
laufe nur, denn etwas ist doch daran, an deinem Zartgehör;
ich sogar höre ungern mich verleumden von Rezensenten:
geschweige ein Mädchen; empfindliche Ohren sind bei Mäd-

chen so gut wie bei Pferden gute Gesundheit-Zeichen. Nur
vergiß nicht – setzt' er noch dazu bei ihrem Abschiede –
schändlich vor lauter Lieben und Lieben den Vater und dich.«
– »O Vater!« sagte sie. – »Ja du ganz besonders (fuhr er fort);
oder was gilt denn dir Vaterliebe, Gesundheit und Wirtschaft
und alles gegen deine – Bona? Sag' es.« Denn nur letzte hatt'
er gemeint.

So flog sie denn noch seliger aus dem Badorte hinaus als in
denselben hinein, nachdem sie vorher dem Dichter von Nieß
seine falschnamigen Geschenke zurückgesandt. Jeder gute
Mensch, sogar ein böser, der sie, einsam und ihrer Mutter ihr
Seelen-Glück mit betenden Tränen zuschreibend, auf dem
Wege nach dem nächsten Dorfe hätte laufen und sich anstren-
gen sehen, hätte ihr nachgewünscht: »So werde nur recht
glücklich, du furchtloses und schuldloses Mädchen! Es wäre
für einen, der dich kennt, zu hart, dich im Unglück und das
kalte Messer des Grams in deinem Rosen-Herzen zu sehen.
Nein, ihr Liebenden, in dieser nie wiederkommenden Nacht
sprecht euch beide *selig* und *heilig*, in höherem als römischen
Sinn!«

Theudobachs Wagen rollte schon hinter ihr, da sie kaum
das Dörfchen erlangt hatte.

42. Summula

Theodas kürzeste Nacht der Reise.

Warum wollen wir in der schönsten Julius-Nacht nicht lieber
zuerst den Paradiesvögeln nachfliegen und erst später in
Maulbronn uns mit Katzenberger und seinem Stiefbruder an
die Tafel des Unliebe-Mahls setzen? Wenigstens ich für meine
Person fliege mit ihnen; in der nächsten Summel sind ich und
die Leser wieder beisammen im Bad. Es vergehen viele Jahre
und viele – Herzen, eh' einmal das Schicksal den Himmel der
Liebe wieder so mit einem äußern voll Sterne einbaut und

verdoppelt; denn nur im Schlachtgetümmel der Not wird meistens der Zauberkelch der Liebe schleunig geleert; aber diesmal wollte irgend ein Liebe-Engel, der die Erde regiert, zwei unschuldige Jugend-Herzen mit allem segnen und belohnen, was sich unsre frühen Träume malen. Eine gestirnte duftende Sommernacht hindurch, über welche das Mutter-Auge des Mondes wachte, durften beide, nach dem ersten Feuer-Worte der Liebe, einander fortsehen und forthören. Ihr Begleiter schlummerte anfangs scheinbar aus Höflichkeit, dann wahrhaft aus Notwendigkeit. Und wie flog das Leben vorbei und die Bäume und die schlafenden Dörfer, und nur einzelne Töne der Nachtigall zogen ihnen nach und sprachen ihren Seelen nach! Theodas Herz zitterte, aber freudig, mit dem Boden unter dem aufrollenden Wagen; ihr war immer, als höre sie die Töne der Höhle fort, überall klang die Welt zurück, und es wurde ihr zuletzt im Rausche der Nacht, als stehe sie wieder mit ihrem Geliebten an der Felsenwand, an der sich ihr Leben entschieden. – Die Dörfer, die Städte, das Erdengetümmel schwanden hin, und nur die Sterne und die Berge blieben der Liebe. – Die Welt schien ihnen die Ewigkeit, die Sterne gingen nur auf und keine unter. – Endlich stieg der Stern der Liebe wie ein kleiner hellblinkender Mond im Morgen auf, die Morgenröte glühte ihnen entgegen, und die Sonne zog in die Rosen-Glut hinein. – Hinter ihnen über den Bergen, wo sie sich gefunden hatten, wölbte sich ein Regenbogen hoch in den Himmel. Und so kamen sie an, eine Seele in die andere gesunken, den Nachtschimmer in den Tages-Glanz ziehend, und ihre Blicke waren traumtrunken.

O Schicksal, warum lässest du so wenige deiner Menschen eine solche Nacht, ach nur eine Stunde daraus erleben? Sie würden sie nie vergessen, sie würden mit ihr als mit dem Frühlings-Weiß und Rot die Wüsten des Lebens färben – sie würden zwar weinen und schmachten, aber nicht nach Zukunft, sondern nach Vergangenheit – und sie würden, wenn sie stürben, auch sagen: auch ich war in Arkadien! –

Warum muß bloß die Dichtkunst das zeigen, was du versagst, und die armen blütenlosen Menschen erinnern sich nur seliger Träume, nicht seliger Vergangenheiten? Ach Schicksal, dichte doch selber öfter!

43. Summula

Präliminar-Frieden und Präliminar-Mord und Totschlag.

Wir kehren vom Nachfluge hinter den unschuldigen Paradiesvögeln zurück, um noch einen Abend lang in die Bühne hineinzusehen, wo freilich kein erster Liebhaber spielt, obwohl ein letzter Haßhaber. Katzenberger ist Held und Regisseur zugleich. Gewissermaßen sing' ich in der 43. Summel, wie Homer den Zorn des Achilles, so Katzenbergers seinen.

Dieser – seit dem tückischen Handschlag in stiller Trauer und Wut – hatte diesen Abend dazu erlesen, um die Wolfgrube für seinen Freund mit noch einigen Blütenzweigen mehr zu bedecken und ihn an dieselbe zu geleiten, um den Isegrimm, wenn er unten saß, oben zu empfangen und anzureden mit einem und dem andern Wort. Zufällig mußt' er sich an der Wirtstafel dem Fürsten nahe setzen, folglich auch dessen Hintersassen und Unedelknaben oder Edelknechte, dem Arzte Strykius. Der Doktor pries vor dem Landesherrn stark die Höhle und alles; aber bloß um überall auf den Inspektor derselben, auf Strykius, schmeichelhafte Lichter zu werfen. Dieser wollte überall den Weihrauch wieder auf ihn zurückblasen; der Doktor versicherte aber, sein Lob sei um so unbestochner, da sie beide oft in ärztlichen Sachen frei auseinandergingen. – Da er absichtlich bloß mit der Linken aß: so fragt' ihn der Fürst darüber; er antwortete: wie mehre damit gemalt, so esse er noch leichter damit, bis eine schwache Wunde seiner Rechten, die er im Höhlen-Eingange von einem mit der Lampe herabfallenden Stein erhalten, sich geheilt; – und dabei schüttelte er die schlaffe Rechte und sah heiter genug aus.

Nur der Brunnenarzt stutzte innerlich darüber hin und her; inzwischen erhob er die Höhle und die Höhlen-Bären, den Doktor, hoch, doch zu hoch; aber er gehörte unter die wenigen Seelen, die von Natur klein sind; mit Seelen ists nun wie mit Vergrößer-Linsen: je kleiner und winziger diese sind, desto breiter und ausgezogner stellen sie den Gegenstand vor. So, je kleiner Herz oder Auge ist, desto größer stellt es das Kleinste dar; – am Großen erliegt ein Vergrößerglas; – vielleicht ein Wink für Fürsten, welche gern sich und der Welt groß erscheinen wollen, daß sie sich mehr nach Menschen umsehen, welche klein genug zugeschliffen sind zu bedeutenden Vergrößerungen.

Der Fürst schlich sich am Ende unter die Bäume – und gar davon, wie die nachziehenden Lakaien bewiesen. Katzenberger hätte nun endlich die Freude haben können, seinen Strykius ganz allein zu genießen und die Frucht abzuschälen; aber die alte widerwärtige Landedeldame, die früher über seine medizinischen Tischreden ein Fi! ausgerufen, war so spät sehr nahe sitzen geblieben, nicht etwan aus heimlicher Hinneigung zu Katzenberger, sondern aus Dorfgehorsam gegen ein lindes sieches weiches Hoffräulein, das gerade von den Gerüchten seiner kecken Äußerungen an ihm und nach seinen Ratgebungen für ihr Wohl und Wehe desto lüsterner gemacht worden; denn für eine Dame von Stand war ein wilder zackiger Doktor bloß ein englischer Park voll Stechgewächse. Die junge Dame hatte die alte, wie gewöhnlich, zum Schilderhaus oder zur Brandmauer ihrer freundschaftlichen Gefühle verbraucht oder als weibliches Meßgeleite des Anstands. Da nun der Doktor – der fein erriet, um grob zu handeln – sehr leicht fand, daß er bloß die Alte fortzutreiben habe, um beide weg zu haben: so tat er das Seinige und genierte vorzüglich die Alte. »Es zeige zu seiner ärztlichen Freude – wandte er sich an sie – schöne Jugendkräfte, daß sie sich so spät und kühn der Nachtluft aussetze, die oft viel

Jüngern schlecht zuschlage.« – »Meine Brust ist ganz gesund«, antwortete sie kurz. – »Doch dadurch allein, meine Schönste«, versetzte Katzenberger, »wäre wohl Ihr Brustfell nicht vor nächtlicher Entzündung gedeckt. Aber Sie haben gewiß damit allzeit selber gesäugt, und wie viele Kinder wohl? Schon an und für sich eine der edelsten tierischen Verrichtungen, um die ich Sie bis auf jedes Säugtier von Amme beneide.« – Strykius, der sie kannte, nahm eiligst das Wort für die Stumm-Entrüstete und sagte hastig: er sei im vollständigsten Irrtum über das Fräulein. »Nu, nu, mein Freund«, erwiderte der Doktor, »unter die *Saug*tiere gehören wir doch alle, wenn sich auch gleich nur die schönere Hälfte unter die *Säug*tiere zählen darf. – – Aber unser Herr Brunnenarzt – fuhr er gegen die beiden Fräulein fort – lag von jeher gern vor Damen auf den Knieen und dies, glaub' ich, mit Recht; denn er weiß als Arzt, der Schelm, recht gut, daß die Kniee, wie stark er sie auch beuge, den feurigsten Blutumlauf nicht im geringsten einhemmen. Wenn ein unmedizinischer Liebhaber vielleicht dächte, die großen Aderstämme der Beine liefen an den Kniescheiben hinauf und würden also durch das Drücken der Scheiben auf den Boden so gut wie unterbunden: so weiß dagegen unser Arzt aus seinem Sömmering, daß es anders ist und daß die großen Adern unten um die Kniekehle liegen und nicht leiden und stocken durch Biegen . . . .«

Da war des Bleibens nicht mehr für das Landfräulein, das unter die feinern Dorfdamen gehörte, welche vor einer Hofdame nie Füße, Strümpfe, Kniee, Beine anbehalten, sondern sie zu Hause ablegen, um nicht am Hofe damit anzustoßen; zarte Wesen, welche wie Sirenen nur ihre Hälfte zur Sprache bringen und aus Anstand sich nur als Büsten geben. – Zögernd und mit einer freundlichen Abschieds-Verbeugung an den Doktor zog das Hoffräulein dem aufbrechenden Landfräulein nach, das sich die größte Mühe gab, bloß von Strykius den Abschied zu nehmen durch Knicks und Blick und gute Nacht. –

Endlich saß Katzenberger ohne Scheidewand und Ofen-
schirm neben seinem Strykius. Er ließ sogleich viel Achtund-
vierziger bringen und verrichtete vor der Welt das Wunder-
werk, daß er den Brunnenarzt mitzutrinken bat.

»Längst schon hab' er sich verwundert – hob er an –, daß
die Ärzte ungeachtet des Sprichwortes (experimentum fiat in
corp. vil.) so wenig Versuche an ihrem eignen Körper mach-
ten und nicht die verschiedenen Arten wenigstens der angenehmen Unmäßigkeiten durchgingen, um nachher besser zu
verordnen. Ob sich nicht ein ganzes Collegium medicum so
in die verschiedenen Unmäßigkeiten teilen könnte, daß z. B.
das eine Mitglied sich aufs Saufen, das andere aufs Essen, das
dritte aufs Denken legte, das vierte aufs sechste Gebot, davon
oder von der Unnützlichkeit wünsche er doch einen Beweis
zu vernehmen, und zwar um so mehr, da z. B. so viele glückliche Kuren der Aphroditen- oder Cypris-Seuche durch
junge Ärzte in Residenzstädten bewiesen, daß ein solches
Vorarbeiten und solche sich gelesene Selber-Privatissima der
Praxis gar nicht schaden – Er wolle nicht hoffen, daß man sich
dabei ans Laster stoße, das hier als ein Pestimpfstoff der Arzt
ja nur so wie der Schauspieler oder Dichter an sich selber
darstelle, um zu lehren und zu heilen.«

»Ich weiß fast – versetzte Strykius, der dasaß mit dem
Ölblatt im Schnabel und wie Buridans Esel zwischen Ernst
und Lächeln –, wohinaus Sie damit wollen.« – »Hinein will
ich damit, mit dem Weine nämlich«, sagte der Doktor und
eröffnete ihm ganz frei, er sei gesonnen, sich gegenwärtig vor
seinen Augen zu betrinken, um den Effekt mit wissenschaftlichen Augen zu beobachten und jede Tatsache rein ausgespelzt zurückzulegen für die Wissenschaft. »Es wird – fuhr er
fort – meinen Handel gewiß nicht schlechter machen, daß ein
Mann vom Fache, wie Sie, dabeisitzt, den ich bitten kann,
von seiner Seite mehr die nüchternen Beobachtungen über
mich anzustellen und deshalb langsamer als ich zu trinken, da
es genug ist, wenn Einer sich opfert. Spätere Folgen am nüch-

ternen Morgen beobacht' ich allein.« – »Wie gebeten, zuge-
sagt!« versetzte der Arzt.

Darauf rückte der Doktor noch mit einer Bitte ganz leise
heraus, Strykius möge, da seinen schwachen Kopf der Wein
leicht so zurichte wie der verschluckte Traubenkern den
Anakreon, in diesem Falle sein Leib- und Seelenhirt, seinen
Gesundheit- und Gewissens-Rat machen und besonders
dann, wenn er wie alle Trinker am Ende anfangen sollte zu
weinen, zu umhalsen, zu verschenken, ja die größten
Geheimnisse auszuplaudern, ihn warnen und lenken und
notfalls mit Gewalt nach Hause ziehen; er geb' ihm Voll-
macht zu jeder Maßregel, mög' er selber betrunken dagegen
ausschlagen, wie er wolle.

Der Brunnenarzt sagte lächelnd, er versprech' es für den
undenklichen Fall, erwarte aber denselben Liebe-Dienst, falls
er selber hineingeriete.

In der Tat ging bisher der Doktor mit Anschein genug zu
Werke – und Strykius fing an, aus den geleerten Flaschen
schöne Hoffnung Katzenbergerischer Ehrlichkeit zu schöpfen; doch war es mehr Trug; denn jenem, der sich längst als
einen ehemaligen (wie Pitt in London) sogenannten Sechs-
Flaschen-Mann gekannt, blieb das schöne Bewußtsein, daß er
bei allem Trinken nicht aus den Fußstapfen der Griechen
wanke, welche bekanntlich den *Rachegöttinnen* nur nüchtern
opferten und deshalb keinen Wein vor ihnen libierten oder
weggossen.

Jetzo berührt' er wieder von weitem den Rezensenten und
sagte, er sei im Badmonat bloß nach Maulbronn wie die Juden
zum Ostermonat nach Jerusalem gegangen, um das kritische
Passahlamm oder den Passahsündenbock zu schlachten und
zu genießen; noch aber fehle der Bock, und käm' er an, so sei
doch manches anders, als ers haben möchte. Strykius konnte
nicht anders, als er mußte stutzen. Bei der dritten Flasche
oder Station hielt es der Doktor für seinen Schein zuträglich,
ein wenig mit seinem Verständigsein nachzulassen und mehr
ins Auffallende zu fallen; überhaupt mehr den Mann zu zei-

gen, der nicht weiß, was er will. »Noch gehts gut, Herr Kollege«, sagt' er, »doch sieht man, was der Mensch verträgt. Ich wäre jetzt imstande, jedem, der wollte, unangenehme Dinge mit einer solchen juristischen Kautelarjurisprudenz zu sagen, daß der Mann an keine Injurienklage denken dürfte. – Es böte mir z. B. eine vornehme Residenz-Frau ihr Herz und Hand, so könnt' ich, da es nach Quistorp*, für Kleinigkeiten einen recht hämischen Dank zu sagen, keinen Animus injuriandi, Schimpf- oder Schmäh-Willen verrät, der trefflichen Dame ins Gesicht versichern: gut! Ich nehme noch dies an; aber nun beschämen Sie mich mit keinen größern Geschenken, da ich noch nicht einmal Ihre Kleinigkeiten zu vergelten vermocht. – Dies könnt' ich.

So weiß ich aus demselben Quistorp die andere Einschränkung, daß man nie beschimpfe, wenn man bloß die Sachen seines Neben- und Mit-Menschen (nicht ihn) verächtlich heruntersetzt, als etwan seinen Anzug, seine Gastmähler u. s. w. Ich würde also mit Vorbedacht, da doch am Menschen alles nur fremde Sache ist, außer seiner Moralität, die er sich, wie der preußische Soldat die Knöpfe, auf eigne Kosten anschaffen muß, ohne Ehrenklage im höchsten Grade anzüglich und geringschätzig z. B. von den schwachen Talenten oder Gesichtzügen eines Rezensenten sprechen, beides Sachen, die der Tropf sich nicht geben kann; ebenso wollt' ich auf viele deutsche *Kronen* und *Thronen* (ein schöner weiblicher Reim) losziehen, ohne die Besitzer, die ja beides teils halb auf, teils unter sich haben, im geringsten zu meinen. Doch ich kehre zu meinem Satze zurück – beiläufig ein ganz gutes Zeichen, denn Trunkne können, wie Verrückte, nie dieselbe Sache unverändert wiederholen und stehen hier tief unter Autoren und Advokaten. – Und Rechtswissenschaft ist nicht einmal mein Fach – (doch trinken wir recht auf sie!); aber Heilkunde bleibt es stets. Wie gesagt, ich sagte vorhin von Injurien und dergleichen. Wo finden Sie hier, Herr Doktor, den Vollzapf?«

---

* Quistorps Grundsätze des teutschen peinlichen Rechts. 1. Bd. 2. Auflage.

Strykius beschwor nach allen Seiten hin das Widerspiel.
»Dies sag' ich, beim Teufel, ja selber«, versetzte der Doktor –
»und wozu denn Ihr Fluchen? Ich denke, ich kenne mich und
viele. Manches bringt mich auf, darüber ist keine Frage. Nur
wünscht' ich zu wissen, ob jemand von der trefflichen, nie
hoch genug zu achtenden Gesellschaft um uns her etwas an
mir merke; aber freilich Fox und Pitt konnten nur halb so viel
vertragen.

Mein lieber Herr Brunnenarzt, Sie brauchen, bei Gott,
nicht zu lächeln, als läg' ich schon in den Lagen, für welche
ich Ihre Vormundschaft bestellte. Sie sehen, ich weiß noch
alles. Hab' ich aber ein Geheimnis verraten? Seh' ich irgend
einen Kopf doppelt? Kaum einfach. – Verschenk' ich schon
außer dem Einschenken? Und wo stehen mir dumme Tränen
der Liebe und Trunkenheit im Auge? Im Gegenteil verspür'
ich eher harten Humor zum Totschlagen, besonders schlüg'
ich gern einem Manne aus Ihrer Residenzstadt, der mir mit
seinen Augen- und Weisheitzähnen ins Bein gefahren, diese
auf der Stelle aus. Die Bestie kommt aber erst, wie Sie sagten,
künftige Woche.«

»Sie erhitzen sich, Guter«, sagte Strykius. – »Aber für das
Recht und für jeden Rechtschaffnen, der es mit mir so redlich
meint als du, Stryk! – Herr Brunnenarzt, ich sage du zu
Ihnen, wie der Russe zu seinem Kaiser. Einen Kuß, aber
einen Judas den zweiten! Denn du weißt aus dem Neuen
Testament, wo der Brief des zweiten Judas steht. Der erste
Judas war nie mein Mann.« –

Strykius gab Ketzenbergern einen Bühnen-Kuß. »Trinke
zu, heize ein, zünd' an, mein Zünd-Stryk! Ohne Wein war
dem Urdeutschen kein Vertrag heilig. – O, wenn ich daran
denke! Ein Freund ists Höchste. Ich sage dir, Stryk, einst
hatt' ich einen, und wir herzten einander und er mich – alles
tat ich für ihn und machte meinen Schnitt für ihn – ich hätt' in
seinem Namen gestohlen. Halt, dacht' ich, hältst du auch
Stich? Ich wollte ja in der Eile etwas Ihnen darstellen; sage
mirs, Bruder!« – »Das Bewähren Ihres mir unbekannten

Freundes«, versetzte der Brunnendoktor. »Und dies willst du
besser wissen als ich? Stich, sagt' ich ja vorhin, hält er, wenn
er sich bewährt und seinem Freunde zu verzeihen weiß. Der
nur ist mein Freund. Deshalb macht' ich mir eine leichte
5 Streitsache mit ihm zunutz und schleuderte diesem Freund,
um recht zu wissen, woran ich mit ihm wäre, eigentlich um
seine Liebe gegen mich zu erproben, einen vollen Bumper
oder Willkommen mit allen Kräften an den Kopf; darauf
beobachtete ich scharf und kalt, wie er bei dieser ersten
10 Freundschaft-Anker-Probe standhalte und sich betrage. –
Aber wir prügelten sogleich uns mit vier Händen durch, und
der Treulose haßte mich hinterher wie einen Hund. Dies hatt'
ich von meiner ersten leichten Liebe-Probe; – was hätt' ich
mir vollends von einem so wankelmütigen Freunde zu ver-
15 sprechen gehabt, hätt' ich ihn noch ganz anders und schärfer
auf die Kapelle gebracht, z. B. um Haus und Hof oder gar
ums Leben? Anders sollen, hoff' ich, unsere Freundschaft-
Proben ablaufen. Mich meinerseits erschlagen Sie, wenn Sie
wollen; ich umhalse Sie stets sogleich in der frohen Ewigkeit
20 und sage: Willkommen, mein Stryk, mein herauf führender
Franziskaner-Strick und Galgen- und Treppen-Strick! –
Doch dies sind Wortspiele und elend genug.«

Der Brunnenarzt hatte bisher, zumal vor mehren Maus-
Ohren an der Tafel, den bedächtigen Mann gespielt und sich
25 wenig anders gegen den Trunk-Sprecher ausgelassen als mit
leichtem Nein, Ja und Wink. Nur Neugier nach dem Ausgange, Scheu vor dem wild-begeisterten Doktor, mehr Hoffnung, ihn vor der Welt zuletzt beschämend zu verwickeln,
und sogar einiger angetrunkener Mut pichten ihn auf dem
30 Folterstuhle fest. Nüchtern erhielt er sich übrigens durch
Meid-Künste – ja mehr als der Doktor selber, der sich zuletzt
doch durch Reden betrank.

Erst bei der vierten Flasche überzeugte jener sich, daß im
Weine oder im Doktor wirklich Wahrheit sei; mehre ver-
35 sprochne Rausch-Nachwehen und Feuermäler waren schon
da, nur das geweissagte Verschenken wollte sich nicht einstel-

len. Der Doktor warf allerlei seltsame Winke hin, daß er sehr
gern wolle, der Fürst wäre nicht da, aber wohl dafür ein
anderer Mann für einen dritten, der prügelt: »Kennst du seinen Leibmedikus Semmelmann recht?« sagt' er. – »Längst als
den gelehrtesten Arzt und feinsten Mann und meinen   5
Freund«, versetzt' er etwas laut, um von fürstlichen Spionen,
die den Geblendeten der Tafellichter rings umher im Blätter-
Dunkel ungesehen belauschen konnten, besser vernommen
zu werden. »Nun so sag' ich dir, ich bin noch schwankend,
ob ich gegen Taganbruch diesen deinen Freund ganz tot-   10
schlage oder nur halb. Weißt du (fing er leise an und fuhr
sogleich laut fort), wer dieser Semmelmann im Innersten ist,
Stryk? Der Fallstrick, der Galgenstrick, der Ehrenkronen-
räuber, kurz der Rezensent meiner Werke.« – »Wie? – Herr
Kollege!« sagte Strykius. »Kein Wort weiter, er wird totge-   15
macht! – Flex, heda! mein Kerl fährt augenblicklich vor bei
Herrn Brunnenarzt Strykius, meine Tochter wird nicht
geweckt – sie soll nichts wissen, bis ich wiederkomme, und
das ohne alle Umstände.«

Wenn wirklich, wie schon Swift nach Rochefoucault sagt,   20
wir in jedes Freundes Unglück etwas weniges finden, was uns
heimlich erlabt: so mußte allerdings der Brunnenarzt in der
Aussicht auf die Ausprügelung seines Freundes Semmelmann
etwas Behagliches finden, da er so lange diese sich selber
zugedacht geglaubt; auch wurde diese Behaglichkeit durch   25
die Betrachtung ihrer vermehrt als vermindert, daß der Leibmedikus, sein Nebenbuhler, der als Weg-Aufseher der ersten
und zweiten Wege des Fürsten mehre Wege Rechtens und
Himmelfahrten und bedeckte Wege und enge Pässe des Landes besetzte, vom berühmten Katzenberger vielleicht durch   30
Prügel könnte um einigen Kredit, wenn nicht um Glieder und
mehr gebracht werden. Dies hielt ihn aber nicht ab, vielmehr
spornte es ihn an, sich nicht nur unter vier Ohren, sondern
vielleicht vor mehr als zehn Hörmaschinen des Hofs im Finstern entschieden des Leibmedikus oder der Semmelmann-   35
schen Unschuld anzunehmen, und zwar mit um so größerer

Wärme der Überzeugung, je gewisser er wußte, daß er selber
die Rezension gemacht.

»Mein bester Kollege«, begann er, »möge mich nur hören!
Wie stark der Argwohn gegen den Herrn Leibmedikus
gegründet, entscheid' ich am wenigsten, da ich Journale,
worin etwas stehen soll, als z. B. die Gothaischen Anzeigen,
die Oberdeutsche Literatur-Zeitung, die neue allg. deutsche
Bibliothek und dergleichen Unrat, mehr mithalte als mitlese.
Aber trefflicher kühner Amt- und Waffenbruder! Lassen Sie
mich doch auch reden! Kennen Sie die Mißlichkeit solcher
Namen-Ablauschungen wie die Ihres Herrn Richters? Ich
halte Semmelmann, so weit ich ihn kenne, durchaus für
unschuldig; doch gesetzt, aber nicht zugegeben, Sie hätten
recht: aber Freund, wie kann ein Gelehrter mit einem andern
Gelehrten (zur Abwägung zwei solcher hab' ich keine
Gewichte) den geistigen Zwist mit Waffen ausfechten wollen,
die nichts treffen als Leiber? – Bei Gott, ich bin hier nicht
bestochen, und die fremde Sache nehm' ich kühn für eigne.«

»Ich habe dich Spitzbuben wirklich ruhig ausgehört, bloß
nur um dir vorläufig darzutun, daß ich, bei Gott! bei Verstand bin wie einer und nach niemand frage – Was verschlagen
alle Flaschen im Magen gegen das wenige, was aus ihm davon
in den Kopf steigt? Aber, wie gesagt, das ist mein Satz, oder
ich weiß nicht, was wir sagen. Und doch ein Spitzbube bist du
selber, so groß wie Semmelmann, weil du ihm ähnelst und
beistehst. Denn du bist, nimm mirs nicht übel, lieber Stryk, –
von Hause aus – ein milder Mann mit einem weichen Herzen
im Brustkästchen, und es ist dir nachzusehen, wenn du aus
verdammter verhaßter Liebe Schubjacke und Stricke (ich rede
gesetzt) verfichst; denn dein Angesicht ist ein sanfter Ölgarten, wo man Blut schwitzt, und du bist am ganzen Leibe mit
Selber-Dämpfern wie mit Blutigeln besetzt. Du weißt nur zu
gut, wer mich rezensiert hat; aber siehst ihn nur nicht gern
erschlagen. Ein Knicker ist Semmelmann auch, und nichts
hass' ich mehr als so einen geizigen Hund, der mir nichts
herschenkt, der selber seinem Hund nichts zu fressen gibt als

Gras, das dem Tier nur schmeckt, wenn sich das Wetter
ändert. – Hat er nicht blos aus Geizhalsigkeit meine Praxis
beneidet, obwohl außer Lands, und meinen Ehrensold und
die wenigen Ehrenpforten und Ehrenlegionen, die ich mir
etwa erschrieben? Ist der Leibmedikus nicht der größte
Schmeichler des Hofs und denkt bei dem Fürsten, weil ich,
bei Gelegenheit der Hämatosen und Mißgeburten, nichts von
den mineralischen Bestandteilen des Landes-Bades ange-
bracht, Ehre einzulegen, wenn er mir eine größere nimmt, als
er hat? Die Sache ist: seine Zunge gleicht der Bienenzunge,
welche einem Fuchsschwanz ähnlich ist und die für sich
Honig saugt, und für andere Gift. Wie gesagt, Bruder! – Ich
erhebe dich vielleicht zum Leibmedikus, wenn ich den alten
erschlage, mags hören, wer will.«

»Guter Amtbruder«, sagte Strykius, »jetzt in der Nacht-
kälte tritt die vorher abgeschlossene Bedingung ein, nolens
volens« – »Dummes Wort, ich will entweder nolens oder
volens« – »Fein bemerkt! Wir gehen dann miteinander zu mir
auf einen warmen Tee«, sagte Stryk und nahm ihn mit.

44. Summula

Die Stuben-Treffen – der gebotene Finger zum Frieden.

Unterwegs stammelte er nach Vermögen, und was er sagte,
sollte nicht sowohl Sinn haben als wenigen: »Ich brauche
keinen guten Rat«, sagt' er, »so wenig als ein Hund Zahnpul-
ver und -stocher – ich werde meine Sache schon so machen,
daß man vielleicht dies oder jenes davon sagt – Mancher ist ein
geiziger Hund, und ziehe mir einmal einen Hundsschwanz
gerade, ich bitte sehr – Gut, der Mann soll abstehen, wie
Fische vom Donnerwetter, auch ungetroffen, oder wie ein
Wagen voll Krebse, wenn unten ein Schwein durchkriecht.« –

Sie fanden den Wagen vor Strykius' Türe, der sich wieder
laut gegen das Nacht-Fahren erklärte und den Doktor die

Treppe hinaufzog, um droben leiser sich über den Leibmedikus auszuschütten. Er schickte sogar den Bedienten, sobald er den Ofen für den Tee geheizt, mit Aufträgen in ferne, schon zugesperrte Häuser davon, um unbehorcht zu bleiben.

5 Der Wein – die Nacht – die Einsamkeit – der Schlag auf die Hand – dieses Ineinandergreifen so vieler Zufalls-Räder brachte den Doktor auf einmal in der Stube so weit, als er nach andern Planen kaum in einer Woche sein konnte. Er zog daher einen Taschen-Wind-Puffer heraus, schoß die
10 Kugel in die Wand – zog und spannte einen zweiten und sagte: »Ein lautes Wort von dir, so schieß' ich dich leise nieder, und ich fahre davon. Du bist mein Rezensent, Dieb, nicht der ehrliche gelehrte Semmelmann – und ich bin noch nüchterner als du Saufaus. Schweig; ein Wort, ein Schuß! Es
15 macht mich schon dein bloßes Waschschwamm-Gesicht mit seinen schlappen Vorderbacken und seinem Gelächel halb wütig. Ein Strafexempel muß ich nun an dir zum Vorteil der ganzen gelehrten Welt diese Nacht statuieren; nur steh' ich noch an, ob ich dich ganz aufreibe oder bloß lahm schlage
20 oder gar nur ins Gesicht mehrmals streiche. Hier schleudr' ich noch zum Überfluß den Hakenstock von dem Giftpfeil auf deinen Nabel ab (der Stock fuhr aber ans Knie) – sieh den ausländischen Pfeil, womit ich dich harpuniere auf ewig, wenn du schreiest oder läufst. Jetzt verantworte dich leise,
25 nenne mich aber Sie; denn ich bin der Richter und du der Inquisit.«

»In der Tat (hob der Brunnenarzt an), es wird mir schwer, nach vielen heutigen geschickten scherzhaften Rollen von Ihnen – und insofern so angenehmen – diese mit einem Überfall
30 auf Leib und Leben nicht für Scherz zu nehmen, besonders da Sie ja nicht ganz gewiß wissen können, ob ich die Rezensionen gemacht.«

»Hier werf' ich dir – sagte der Doktor, in die Tasche fahrend, und nahm das Heft des Pfeils in den Mund, um mit dem
35 Windpistol fort zu zielen – deine Handschrift aus der Druckerei vor die Füße, Räuber zu Fuß.«

»Gut, dies entschuldigt Ihre erste Hitze gewiß; aber erwä-
gen Sie auch, daß überall von jeher der Gelehrte, besonders
der Kunstrichter, gegen den Gelehrten zum Vorteile der Wissenschaft auf dem Papier eine freie Sprache führt, die er sich
nie im Zimmer unter vier Augen . . . .«

»Zum Wissenschaft-Vorteil? – Ist es nicht jammerschade,
daß Leute wie du auch nur das geringste davon verstehen?
Können solche Leute unwissend genug sein? Die Wissenschaft ist etwas so Großes als die Religion – für jene sollte man
ebenso gut Mut und Blut daransetzen als für diese – und doch   10
wagen die Rezensenten nicht einmal ihre Namens-Unterschrift daran. Eine Sünde pflanzt sich nicht fort, und jeder
Sünder erkennt sie an; ein unterstützter Irrtum kann ein Jahrhundert verfinstern. Wer sich der Wissenschaft weiht, besonders als Lehrer der Leser, muß ihr entweder sich und alles und   15
jede Laune, sogar seinen Nachruhm opfern –«

»Wie schön gesagt und gedacht!« lispelte Strykius.
»Schweig! – oder er ist ein Rezensent wie du; und der Teufel
hole jeden Esel, der schreibt, und den er reitet; es ist genug,
wenn das Tier spricht. Mache mir jetzt etwas Tee zurecht,   20
wenn das Wasser kocht; schneide aber deine Hosenknöpfe
ab, damit du mir nicht entläufst.«

»Lieber mein Leben lass' ich als meine Ehre«, sagte Stryk,
»bloß aufknöpfen will ich den Hosensack und herunter lassen; und es tut ja der Länge wegen denselben Dienst . . .«   25

Während er im Hemd mühsam das Teewasser aufgoß: zog
der Doktor den Widerruf hervor und sagte, wenn er ihn
beschwöre und unterschreibe, so woll' er ihm das Leben selber schenken und ihn nur an den Gliedern, wo er es für gut
befinde, mit dem Stab-Sanft bestreifen. Strykius schwur und   30
schrieb. Darauf begehrte der Doktor, daß ers auswendig vor
ihm lerne, weil er selber das Dokument wieder zu sich stek-
ken müsse. Der Arzt predigte den Aufsatz endlich auswendig
(der Hosensack war seine Kanzel) her. »Gut!« sagte Katzenberger. »Nun haben wir beide nichts Wichtiges weiter mit-   35
einander abzumachen, als kollegialisch zu überlegen, welches

von den Gliedmaßen ich denn vor dem Einsitzen zu zerschla-
gen habe; wir haben die Wahl. Wir könnten die Nase nehmen
und solche breit schlagen; teils weil du auf meine grobe knol-
lige kurze Fuhrmanns-Nase etwas heruntersiehst, teils weil
5 nach Lavater sich unter allen Gliedern die Nase am wenigsten
verstellen kann, und du also bei deiner Vermummerei Gott
und mir danken wirst, wenn du ein aufrichtiges Glied weniger hast – Wir könnten aber auch zum Kopfe greifen, womit
oder worin du besonders gesündigt und rezensiert, und ich
10 könnte, da er noch nicht offen genug scheint, wenigstens die
sieben Sinnenlöcher, die der Vorderkopf hat, auch dem Hin-
terkopf durch den Natur-Trepan eines sogenannten Stocks
einoperieren – Oder vor und von der Hand könnten so viele
Finger, als leider rezeptieren und rezensieren, bequem dezi-
15 miert werden – Oder ich könnte auch das Pistol an deine
Wade halten und sie durchschießen, um aus der Hämatose zu
sehen, ob sie eine falsche sei – Die Auslese wird schwer, du
hast verdammt viel Glieder, und ich glaube, *gerade so viel*, als
Pestalozzi in seinem Buch der Mütter aufzählt – Oder wählt
20 man am besten das Ganze, die dreihäutige Oberfläche, und
zeigt man sich dir mehr von der liebenden Seite, wann ich
eben auf dich, als meinen Nachfolger, beeidigten Priester und
Lehrboten, gerade so wie der Franziskus und andere Heilige
die Wundenmäler von ihrem erscheinenden Herrn bekamen,
25 alle die blauen und braunen und gelben Flecken, womit mich
in mehr als einer Prügel-Disputa mancher Raffael angemalt,
gleichsam als stigmata übertrage und abfärbe, um unsere Ver-
einigung zu zeigen – Nun so stimme doch mit über das Glied,
sage, welches!« –

30 – »Mein Herz«, versetzte er. – »So vertraut spricht man
nicht mit mir«, sagte Katzenberger. – »Meines mein' ich ja«,
sagte Stryk.

»In dies Glied mögen die Weiber ihre dummen Wunden
machen! Herr, hier liegt Euer dummer Dachsschliefer, der
35 niemand anbellt und anwedelt; dás unnütze Vieh sollt Ihr
mir, wenn ich unter den wählbaren Gliedmaßen etwas

naschen soll, zum Zerschneiden mitgeben und vorher vor
meinen Augen erdrosseln, da ich die Bestie sonst nicht fort-
bringe!« – »Er ist«, sagte der Arzt, »nur so still, weil er vor
Alter keine fünf Sinne mehr hat; erdrosseln kann ich das treue
Tier unmöglich, aber hergeben will ich ihn, da er doch bald   5
abgeht.«

Hier hob er den leben- und schlaftrunknen Dachsschliefer
auf und gab ihm den Judas- und den Todeskuß. »Behalt' ihn,
unwissenschaftlicher Narr!« rief der Doktor; »eh' ich ein ver-
altetes Vieh, lieber meine zehn Finger gäb' ich her!« – Dieser   10
Zufall öffnete plötzlich dem Brunnenarzt einen Himmel und
eine Aussicht: »Ich besitze hier«, sagt' er, »im Kabinett aus
dem Fraisch-Archiv eine alte abgedürrte Hand, zwar keine
ausnehmende Mißgeburt, aber es ist doch eine Hand mit *sechs*
Fingern, die nicht jeder an Arme hat.«   15

»Si bon! – Ganzer Mann! Schatz, gebt mir die Hand,
nicht Euere – so geh' ich ab und schone jeden Hund.« –
Während Strykius die Sechsfingerhand als einen Reichsabschied gegen das Faustrecht aus dem Kasten holte, säete
Katzenberger hinter dessen gebognem Rücken mehre   20
Knallkügelchen auf verschiedne erwärmte Plätze des Ofens
und legte nicht sowohl Feuer als Donner ein, um auch in
seiner Abwesenheit das Strykische Gewissen nachts oder
sonst mehrmals fürchterlich zu wecken durch Lärmkano-
nen, Notschüsse, Türkenglocken oder andere Metaphern.   25
Während der Donnersaat sprach er fort und sagte ins Kabinett hinaus: »Ich bin aber heute so weich wie ein Kind; das
macht der Trunk. Darwin bemerkt schon längst, daß sich
den Säufern die Leber, folglich die Galle verstopfe; daher
ihre Gallensteine und Gelbsuchten.«   30

Strykius brachte die eingeräucherte Hand, wogegen Esaus
und Van Dyks Hände dem Doktor nur als invalide oder
defekte erschienen. Nachdem er den Plus-Finger genau daran
besehen: mußte sie ihm jener selber in die Tasche stecken,
damit er in der gerüsteten Stellung verbliebe. Freundlich und   35
ganz verändert bat er, ihm ein Fläschchen mit Tee mitzuge-

ben, um es ruhiger im Wagen zu trinken. »Nach der Schen-
kung der fremden Hand verzicht' ich gern auf jeden lebendigen Handdruck; Eure Kußhand in meiner Tasche hat alles ins
reine und uns einander näher gebracht, und wir lieben uns, so
5 gut wir können. Nur bitt' ich Euch noch, mir die Stock-
scheide, womit ich vorher in die Scheibe des Knies getroffen,
selber an den Giftpfeil anzustoßen, weil ich mich aus Miß-
trauen nicht bücke, Schatz!«

Als Stryk etwas ängstlich die obere Hälfte des Hakenstocks
10 an die untere angeschienet hatte, händigte Katzenberger mit
dem Gemsenhorn noch schleunig einen beträchtlichen Schlag
den Schreibknöcheln des Mannes ein – es sollte ein Siegel auf
die Bundakte sein – und sagte: »Nur ein Katzenpfötchen und
Handschlag für den in der Höhle, Addio!« Er eilte die Treppe
15 hinunter und in den Wagen hinein, um schnell über die
Grenze des Hauses und Landes zu kommen. Noch im Dorfe
begegnete ihm Stryks Bedienter, dem er neuen Dank an seinen Herrn mitgab, und vor dem er fahrend die Gesundheit
desselben in Tee trank. Frohlockend fuhr er mit dem Reich-
20 tum von sechs Fingern und von zwei Alliance-Hasen im
Geleise des Himmelweges seiner Tochter nach. Strykius sang
zu Hause Dankpsalmen an seine Geschicklichkeit und an das
Geschick, daß er sich durch eine tote Hand aus einer lebendigen gerettet, und machte singend die Beinkleider und dann
25 die Haustüre zu; erst da er die letzte dem Bedienten wieder
öffnete, stimmte er Kriegslieder und Wettergebete gegen
dessen ungeheures Außenbleiben an und gegen den Räuber
von Doktor. Sein erster Gedanke war, diesem in einer ganz
neuen Zeitung durch die zehnte Hand statt einer Benefiz- lie-
30 ber eine Malefizkomödie zu geben und ihn zu einem Mit-
gliede in die Unehren-Legion der erbärmlichen Autoren
aufzunehmen. Ferner hatt' er den zweiten Gedanken, bei
sich anzustehen, ob er überhaupt einen ihm mit dem Pistol
auf der Brust abgenötigten Eid und Widerruf nur wirklich
35 zu halten habe. Da platzte auf dem Ofen eine Knallkugel,
und sein Gewissen, von dieser Krachmandel gestärkt, sagte:

»Nein, halte deinen Eid und nimm dir nur die Zeit; denn nach
zwanzig Jahren kannst du ebenso gut widerrufen, wenn du
nicht stirbst, als morgen.«

45. Summula

Ende der Reisen und Nöten.   5

Die sechs Finger und acht Hasenbeine waren so erquickende
Zuckerröhre, an denen Katzenberger unterwegs saugte, daß
er nach dem Unfall wenig fragte, sowohl die Abrechnung der
Reisekosten mit Nießen vergessen zu haben als das Aufheben
des weggeworfenen Windpistols bei Stryk. Das letzte sollten   10
ihm, beschloß er, ein paar höfliche Zeilen nachholen. Er ließ
galoppieren, um noch vor Untergang des Mars über das groß-
poleiische Grenzwappen hinauszufahren. Dann stieg er in
Fugnitz aus und genoß bei Licht seine Mißgeburten ruhiger.
   Nach einem kräftigen Extrakt von kurzem Schlaf flog er   15
der Tochter nach und durch das Städtchen Huhl mit gezog-
nem Giftpfeil vor dem Hause des Pharmazeutikus vorbei.
Dieser stand eben unter der pharmazeutischen Glastüre und
unter der Wappen-Schlange seiner Offizin neben dem Orts-
Physikus und zeigte diesem ohne Hutabziehen und sonstige   20
Gruß-Schüsse mit ausgestrecktem Arme den Giftmischer
und Hasendieb.
   Erst spät, bei Licht-Anzünden, kam er zu Hause an. Er
hörte, Theoda, die schon vormittags angelangt, sei bei ihrer
Freundin. Halb verdrüßlich machte er sich nach Mehlhorns   25
Wohnung im Erdgeschosse auf, welches für ihn den Vorteil
hatte, da es abends durch Fensterladen verschlossen war, daß
man ungesehen durch sie hineinsehen konnte.
   Katzenberger war ein Mann von vielen Grundsätzen, worunter er einen hatte, den zarte Seelen, welche die menschli-   30
che, von keiner sichtbaren Gegenwart gemilderte Schärfe der
Urteile über taube Abwesende schwer ertragen, ihm nicht so
leicht nachbefolgen konnten, nämlich den, zu – horchen und

zu luken. Darum erklärte er besonders Fenster-Läden der
Erdgeschosse für die besten Operngucker und Hörmaschinen, die er nur kenne; und sagte, solche Läden schlössen
etwas wohl dem Räuber, aber nichts dem Herzen zu – und
5 man schaue nie ruhiger und schärfer in Haushaltungen als
durch zarte Ritzen, entweder in einen offnen Himmel oder
offnen Schaden, und er wisse dieses aperturae Jus oder diese
servitus luminum et prospectus, kurz diese Licht-Anstalt mit
nichts zu vergleichen als mit Totenbeschau und Leichenöff-
10 nung; nie sei er von solchen Fensterläden weggegangen, ohne
irgend einen Gewinn davonzutragen, entweder eines
Schmähwortes auf ihn oder sonst einer Offenherzigkeit.

Durch den Fensterladen sah er nun mit Erstaunen die
Wöchnerin Bona im Bette und in ihren Händen zwei fremde
15 Hände, die sie aufeinander drückte, Theodas und Theudobachs, indem sie ihr klares, obwohl mattes Auge mit so viel
Entzückung und Teilnahme zu den beiden Liebenden aufhob, als sie ihrem Zustand erlauben durfte. – Er sah ferner,
wie der Umgelder mit (geborgten) Weingläsern und mit
20 (bezahltem) Weine ohne Anstand, aber lebhaft umhersprang
und den Aufguß seiner eignen Begeisterung einer himmli-
schern vorhielt und anbot, sogar der neuen Kindbetterin,
welche indes mitten in der ihrigen genug Bedachtsamkeit
besaß, diesen bösen Honigtau des Wochenbettes auszuschla-
25 gen. Er vernahm sogar, daß der Zoller ein Wagstück mit
seiner Zunge bestand und sagte: »Gnädigster Herr Gevatter,
aufs hohe Wohl unseres Paten!« – Von dem Nachmittag und
der vorigen Nacht war also (sah er durch die Spalten) das
Pfund jeder Stunde gewissenhaft benutzt und auf Zinsen der
30 Liebe angelegt. Nie sah die blasse hellblauaugige Bona ver-
klärter und durchsichtiger aus als in dieser Stunde des Mit-
Entzückens, aber ihre Verklärung verschönerte auch die
fremde; denn ein liebendes Paar erscheint zärter und himmlischer durch den Widerschein einer teilnehmenden Freude.

35 Jetzt hörte der Doktor den Zoller ausrufen: »Ich gäbe
meine Hand darum, wären der Herr Doktor Gevatter da;

meine scharmanten Brautleute wären aufgeräumter und stie-
ßen an.« – Der Zoller hatte als ein Mann, der wenig anders
noch in der Welt scharf beobachtet hatte als Zoll und
Umgeld, aus Theodas Bleich- und Ernst-Sinn den Schluß
gezogen, sie bange vor des Vaters Entscheidung; wiewohl die   5
heitere Rose bloß vor der heißen Sonne der Liebe und Entzückung zur weißen erblaßte. Der tiefe Ernst der Liebe griff
ihr ganzes munteres Wesen an. Der Hauptmann, schon von
Natur und Wissenschaft ernst, war durch die plötzliche
unberechnete Lohe der Liebe nur noch ernster geworden;   10
denn sonst irgend eine äußere Störung (Perturbation) seines
Liebe-Hesperus durch den Vater Saturn oder Mars kam ihm
bei seiner mathematischen Hartnäckigkeit und kriegerischen
Entschlossenheit gar nicht in Betracht, ja wenig in Sinn.
Mehlhorn fuhr fort: »Ich setze meine Ehre zum Pfande, die   15
Sache geht.« Vergeblich winkte ihm Bona. »Ich weiß sehr
gut«, sagt' er, »was ich sagen will; ich kenne meinen teuersten
Herrn Gevatter Doktor so gut als euch selber, und vermachen
ihm Dieselben auf Ihrem herrlichen Rittergut Ihre ganze
Höhle voll Bärenknochen zum Ausleeren: so weiß ich, was   20
ich weiß.«

Der Doktor ärgerte sich am Fensterladen, daß Mehlhorn
bei Kräften sein wollte und keck – denn derselbe Liebhaber
aller Kraft-Menschen wird doch verdrießlich über einen
Schwächling, welcher plötzlich, wenn auch nur im Trunk-   25
Mut, etwas vorstellen und dadurch das Verhältnis der Unter-
ordnung schwächen will –; doch sagte zu sich der Doktor:
»Übrigens ists gut, und ich bin Herrn Theudobachs gehorsa-
mer Diener und Schwiegervater, wenn es mit der Höhle richtig ist.«   30

Der Doktor trat gelassen ins Zimmer und sah jeden unver-
legen an. Die verschiedenen Konzertisten der harmonischen
Liebe mußten gegen den eintretenden Taktschläger sich in
angemessenen Spielen der Harmonie darstellen. Die Tochter
hatt' es am leichtesten, sie hatte einen Vater zu empfangen   35
und zu küssen. – Auch der Zoller unternahm bei so viel Wein

im Kopf mit Erfolg die schwersten Umhalsungen. Nur der Schwiegersohn, Theudobach, begab sich gegen Katzenberger, der ohnehin mit lauter Winterseiten besetzt war, mit Anstrengung in das gewöhnliche krause Höflichkeit-Gefecht
5 zwischen kühlen Schwiegervätern und heißen Schwiegersöhnen. Je feuriger und reifer der Doktor das Ja im Herzen hatte, desto fester verkorkte er es darin; schon auch darum, um dem ergötzenden Ringel-Frontanze um sein Vaterherz herum zuzusehen. Bona durchblickte sogleich die Ineinanderwir-
10 rung; der nun trocknere Hauptmann, der neben dem Alten die Hand der Tochter nicht fortbehalten konnte, schien ihr Anstalt zum Abzuge in sein Quartier im Sinne zu haben, um sich aus demselben an den Nordmann mit der Feder zu wenden. Auch der geheizte Kopf des Zollers, schiens ihr, ver-
15 sprach mit allen seinem Reverberier-Feuer nicht viel Licht für den Ausgang der Sache.

Aber sie tat es kühn ab; sie bat die Gesellschaft um einen einzigen Augenblick, um mit ihrem alten Arzte ein Wort zu reden. Man ging leicht, nur Mehlhorn schwer.

20 Sie leitete wirklich mit einigen Kranken-Fragen ein, ehe sie den Doktor zur Geschichte ihrer Freundin, zu der Vergangenheit, Gegenwart und Zukunft derselben überführte. Zuletzt kam ihr eben aus Wöchnerin-Schwäche ihre Schwäche ganz aus dem Sinn, und sie ließ Herz und Zunge flammen
25 für Theoda. Ihr verschwinde zwar, sagte sie, mit ihr das halbe Glück des Lebens; wenn aber diese dadurch das ganze gewinne, so weine sie gern ihre heißesten Tränen.

Der Doktor bat, ihn mit den nähern Verhältnissen des Mannes in Bekanntschaft zu setzen. Sie erzählte, ihr Mann
30 habe schon vormittags bei mehr als fünf Studenten aus Theudobachs Nachbarschaft Nachrichten über seine Umstände und über die Wahrheit seiner Versicherungen einziehen müssen, aber lauter Bejahungen eingebracht, wie sich denn im ganzen Wesen desselben der Mann von Wort ausweise. Sie
35 nahm so viel Anteil an Theudobachs Reichtum als Katzenberger selber; und es steht einer schönen Seele nicht übel an, für

eine fremde dasselbe Irdische zu beherzigen, das sie für sich
selber versäumt. »Sie können ja – setzte sie lächelnd hinzu –
unter einem sehr guten Vorwand selber hinreisen und sich
alles mit Augen befühlen; er hat nämlich auf seinem Gute eine
Höhle voll Bären- und Gott weiß was für Knochen. Für die   5
Tochter gibt er Ihnen freudig alles, was er von toten Bären
hat; es wird schon was zu einem lebendigen übrig bleiben für
die Ehe.«

»Ich – versetzte der Doktor – bin gewissermaßen dabei.
Weibleute kann man nicht früh genug auf jüngere Schultern   10
abladen von alten; wir armen Männer werden bei allem
Gewicht leicht in ihnen geschmolzen, wie z. B. Bleikugeln in
Postpapier ohne dessen Anbrennen. Sie soll ihn vor der Hand
haben, *bedingt.*«

Hier war der Umgelder schon von der Türe (er hatte, um   15
sie nicht aufzumachen, davor gehorcht) abgeflogen zum
Braut-Paar; vierundzwanzig blasende Postillione stellte er
vor, um das gewonnene Treffen anzusagen. Vielleicht hätten
sie wenig dagegen gehabt, hätte sich der Sieg auch einige Stunden später entschieden. Die Liebenden kamen zurück, und in   20
ihren Augen glänzte neue Zukunft, und auf den Wangen
blühte die Gegenwart. Der Umgelder wollte auf einem
Umweg durch die Knochenhöhle – als einem tierischen
Scherbenberge Roms – der Sache näher kommen und tat dem
Hauptmann die Frage, was er für Schönheiten auf seinem   25
Landgute verwahre. Aber dieser wandte sich, ohne Antwort
und Umweg, gerade an den Vater und legte ihm den durch-
dachten Entschluß seines Herzens zum Besiegeln vor.
Katzenberger murmelte, wie verlegen, einige Höflichkeit-
Schnörkel, bloß um sich bestimmtes Loben zu ersparen, und   30
äußerte darauf: er sage ein bedingtes Ja und schieße das unbe-
dingte freudig auf dem Gute selber nach, wenn ihm und seiner Tochter der Hauptmann erlaube mitzureisen. »Warum
soll ichs nicht sagen?« fuhr er fort, »ich bin ein gerader Mann
mit dem ganzen Herzen auf der kleinen Zunge. Ich wünschte   35
wirklich den unterirdischen Schatz zu sehen, dessen Herr

Zoller gedachte, und Sie mögen immerhin dies für einen Vorwand mehr aufnehmen, um meine naturhistorische Unersättlichkeit zu befriedigen.« Ob er nicht eine wahre Verstellung in die scheinbare verbarg und eigentlich gerade dem Reichtum über der Erde unter seinem Vorwand eines tiefern nachschauen wollte, konnte außer der hellen Bona wohl niemand bejahen; sondern eine triumphierende Kirche frommer Liebe, ein Brockengipfel tanzender Zauberfreude wurde das Zimmerchen; und selber Katzenberger stellte in dieser Walpurgisnacht voll Zauberinnen schöner als sein Urbild (der Teufel) den umtanzten Brocken-Helden dar.

Nachdem er, um die allgemeine Entzückung und die eigne lustiger zu ertragen, den nötigen Wein getrunken: so macht' er sich unversehends, in der Flucht vor vier Dankstimmen, nach Hause und sagte unterwegs, die Augen gegen den Sternenhimmel gerichtet: »Rechn' ich auch nur flüchtig nach, daß ich einen achtfüßigen Hasen – eine sechsfingrige Hand – die goldfingrige eines Schwiegersohns auf einer kurzen Reise gewonnen, wobei ich nicht einmal im Vorbeigehn die Strykische Schreibtatze anschlage, auf die ich geschlagen – und schau' ich in die Höhle hinein, wo ich auf ganz andere Höhlenbären als auf die kritischen stoßen soll: so kann ein Mann, der auf einer Reise ums Weltmeer nicht mehr hätte fischen können als ich auf meiner ins Maulbronner Bad, dafür Gott, sollt' ich denken, nicht genug danken.«

Werft noch vier Blicke in den kleinen Freudensaal der vom Vater-Ja beglückten Liebe und der beglückten Freundschaft zurück, eh' ihr von allen auf immer geht! Solche Abende und Zeiten kommen dem dürftigen Herzen selten wieder; und obgleich die Liebe wie die Sonne nicht kleiner wird durch langes Wärmen und Leuchten, so werden doch einst die Liebenden noch im Alter zueinander sagen: »Gedenkst du noch, Alter, der schönen Juli-Nacht? – Und wie du immer froher wurdest und deine Bona küßtest! – Und wie du, Theoda, (denn beide fallen einander unaufhörlich in die Rede) den guten Zoller herztest! – Und wie wir dann nach Hause gin-

gen, und der ganze Himmel funkelte, und das Sommer-Rot in
Norden ruhte – Und wie du von mir gingst, aber vorher einen
ganzen Himmel in meine Seele küßtest, und ich im Lieberau-
sche leis' an meinem Vater vorüberschlich, um den müden
nicht zu wecken – – Und wie alles, alles war, Theoda; ich bin   5
kahl, und du bist grau, aber niemals wird die Nacht vergessen!« – So werden beide im Alter davon sprechen.

Ende der Badgeschichte.

Anhang

Zu dieser Ausgabe

Dr. Katzenbergers Badereise entstand 1807. Das Manuskript wurde 1808 in Heidelberg von Mohr und Zimmer in Verlag genommen. Die Erzählung erschien zur Ostermesse 1809 in zwei Bänden unter dem Titel *Dr. Katzenbergers Badereise, nebst einer Auswahl verbesserter Werkchen*. Eine überarbeitete und erweiterte Neuauflage in drei Bänden erschien 1822/23 in Breslau. Untermischt war *Dr. Katzenbergers Badereise* in diesen Ausgaben mit einer Reihe von Aufsätzen, die Jean Paul bereits in verschiedenen Taschenbüchern und Zeitungen veröffentlicht hatte.

Ans Ende des ersten Bändchens der *Badereise* plazierte er die fünf folgenden Aufsätze: »Huldigungspredigt vor und unter dem Regierantritt der Sonne, gehalten am Neujahr 1800 vom Frühprediger dahier«, »Über Hebels alemannische Gedichte«, »Rat zu urdeutschen Taufnamen«, »Dr. Fenks Leichenrede auf den höchstseligen Magen des Fürsten von Scheerau« und »Über den Tod nach dem Tode; oder der Geburtstag«.

Das zweite Bändchen der *Badereise* beschlossen die Beiträge: »Die Kunst, einzuschlafen«, »Das Glück, auf dem linken Ohre taub zu sein« und »Die Vernichtung. Eine Vision«.

Nach dem Beschluß der *Badereise* folgten: »Wünsche für Luthers Denkmal von Musurus«, »Über Charlotte Corday. Ein Halbgespräch am 17. Juli« und »Polymeter« (vgl. Anm. zu 5,28).

Der Text der vorliegenden Ausgabe folgt der historisch-kritischen Edition: *Jean Pauls Sämtliche Werke*, hrsg. von der Preußischen Akademie der Wissenschaften in Verb. mit [. . .], Abt. 1, Bd. 13, bearb. von Kurt Schreinert, Weimar: Hermann Böhlaus Nachfolger, 1935. Die Orthographie wurde behutsam dem heutigen Gebrauch angeglichen, bei Wahrung des Lautstandes und der sprachlichen Eigenart. Die Getrenntschreibung von Wortverbindungen, die man heute zusammenschreibt, wurde in vielen Fällen historisch belassen; der Gebrauch des Bindestrichs in Wortzusammensetzungen folgt der Gestalt der Druckvorlage. Schwankende Schreibungen eines Wortes oder einer Wortzusammensetzung wurden nicht vereinheitlicht (z. B. *Jauner* neben *Gauner*, *Badereise* neben *Badreise*, *Wirtshaus* neben *Wirthaus*, *Großpoleisch* neben *großpoleiisch*, *Winkel-Schul-Direktor* neben *Winkel-Schuldirektor*), veraltete Rektionen von Präpositionen (z. B. *von neuen*) und Verben (z. B. *als ginge ihm das ganze Gedicht nichts an*), veraltete starke Deklinationen von Adjektiven (z. B. *keine ekelhafte Gegenstände*), veraltete Plural- und Wortformen (z. B. *die Glaubige*; *damal, mehre, selbvergessen*) blieben erhalten. Die Groß-schreibung von Texthervorhebungen wurde beibehalten (z. B. *daß sie beide nicht bloß Eine Seele in zwei Körpern, sonder gar nur in Einem Körper ausmachten, kurz Eine Person*; *vom Musenberge auf die Quartanerbank … oder von Allem zu Nichts herunterwirft*); Sper-rungen wurden kursiv wiedergegeben. Die Apostrophsetzung sowie die Setzung von Anführungszeichen und von Auslassungspunkten folgen der Druckvorlage und wurden nicht normalisiert. Die Inter-punktion blieb gewahrt. Offensichtliche Druckversehen wurden kor-rigiert: 64,31 *einschränke.* > *einschränke.«*, 83,7 *gern–* > *gern*, 114,17 *größe* > *größte*, 120,30 *die Leuten* > *die Leute*. Die Kürzel *ꝛc.* wurde zu *etc.* aufgelöst.

Anmerkungen

5,10–13 *Dies frischte im Jahr 1804 . . . in den zweiten Druck zu geben:*
Unter dem Titel *Kleine Schriften* war 1804 von dem Jenaer Buchhändler Voigt ein unrechtmäßiger Nachdruck einiger Aufsätze Jean Pauls veranstaltet worden.

5,18 f. *heiligen Stroppinus:* s. Anm. zu 5 [*].

5,22–26 *nur ein Sechstel dieses Buchs . . . Das zweite Sechstel . . . Das zweite und das dritte Drittel:* s. »Zu dieser Ausgabe«.

5,28 *Schluß-Polymeter:* Diese »Polymeter«, wie Jean Paul mehr oder weniger kurze rhythmisierte Prosa-Sprüche nennt, beschlossen *Dr. Katzenbergers Badereise nebst einer Auswahl verbesserter Werkchen* in der Erstausgabe.

5 [*] *Kotzebues Reise nach Italien, B. II:* Gemeint sind die *Erinnerungen von einer Reise aus Liefland nach Rom und Neapel* von August von Kotzebue (1761–1819), 3 Tle., Berlin 1805, wo in Tl. 2, Kap. 17, S. 288 f., von einer Handschrift der königlichen Bibliothek in Neapel die Rede ist, die ein Gebet an den ansonsten völlig unbekannten heiligen Stroppinus enthält.

6,14–16 *Spanische Fliegen / Kanthariden:* in Südeuropa beheimatete Käfer, deren Inhaltsstoff, das Kantharidin, als blasenziehendes Mittel verwendet wurde; eingenommen, verursacht das Kantharidin neben anderen Schäden eine schmerzhafte Entzündung der Harnwege, die Dauererektionen verursacht, wodurch das Mittel in den Ruf eines Aphrodisiakums kam.

6,23 *Sterkoranisten:* christliche Sekte des 9. Jh.s, die die reale Verwandlung von Brot und Wein in Christi Leib und Blut während des Abendmahls bestritt, da sonst beides verdaut und zu Kot (lat. *stercus*) werden müsse. Die Sterkoranisten glaubten daher nur an eine geistige Anwesenheit Christi während der Wandlung und hielten nicht etwa, wie ihnen nachgesagt wurde, auch den Kot für göttlich.

6,25 *boue de Paris (Lutetiae):* frz., wörtl.: Kot aus Paris, Pariser Straßendreck; Lutetia war der lateinische Name für Paris.
caca du Dauphin: frz., wörtl.: Kacke des Kronprinzen.

6,25 f. *des griechischen Diogenes:* vermutlich D. von Appolonia (um 460 – um 390), griechischer Naturphilosoph.

6,26 *offizinellem:* heilkräftigem.
album graecum: (lat.) griechisches Weiß; als Arznei verwendeter gebrannter Hundekot.

6,34 f. *cul, derrière und das pisser:* (frz.) Hintern, Gesäß und das Pissen.

6,35 f. *filles-à-douleur:* (frz.) Schmerzensmädchen; Analogiebildung zu *filles de joie* (Freudenmädchen).

7,2–4 *Butler ... Peter Pindars:* englische Schriftsteller, die sämtlich die drastische Satire nicht scheuten. Peter Pindar war das Pseudonym des englischen Arztes und Satirikers John Wolcot (1738 bis 1819).

7,16 *salvo titulo:* (lat.) unbeschadet des Rangs oder Titels.
salvia venia: (lat.) mit Verlaub.

7,27–31 *Schon Lessing hat in seinem Laokoon ... aus des feinen Lord Chesterfield Stall- und Küchenstück einer hottentottischen Toilette:* Im 25. Kapitel des *Laokoon* schreibt Lessing: »Das Ekelhafte kann das Lächerliche vermehren; oder Vorstellungen der Würde, des Anstandes, mit dem Ekelhaften in Kontrast gesetzet, werden lächerlich«. Und weiter heißt es dort: »Die drolligsten Züge von dieser Art hat die hottentottische Erzählung: Tquassouw und Knonmquaiha, in dem ›Kenner‹, einer englischen Wochenschrift voller Laune, die man ›dem Lord Chesterfield zuschreibet. Man weiß, wie schmutzig die Hottentotten sind; und wie vieles sie für schön und zierlich und heilig halten, was uns Ekel und Abscheu erwecket. Ein gequetschter Knorpel von Nase, schlappe bis auf den Nabel herabhangende Brüste, den ganzen Körper mit einer Schminke aus Ziegenfett und Ruß an der Sonne durchbeizet, die Haarlocken von Schmer triefend, Füße und Arme mit frischem Gedärme umwunden: dies denke man sich an dem Gegenstande einer feurigen, ehrfurchtsvollen, zärtlichen Liebe; dies höre man in der edeln Sprache des Ernstes und der Bewunderung ausgedrückt, und enthalte sich des Lachens!« Die Passage entnahm Lessing der Zeitschrift *The Connaisseur* (Bd. 1, Nr. 21), die allerdings nicht von Lord Chesterfield herausgegeben wurde, sondern von Colman und Thornton.

7,35 *Vierräuberessig:* Desinfektionsmittel; »angeblich sollen sich vier räuber durch ihn vor der pest bewahrt haben« (Jacob und Wilhelm Grimm, *Deutsches Wörterbuch*, hrsg. von der Deutschen Akademie der Wissenschaften zu Berlin, 14 Bde., Leipzig 1854–1960, Bd. 12,2, Sp. 307 [zit. als: DWb.]).

9,4–6 *wie z. B. der freundliche Tieck im »Phantasus«, mit einem wahren Abscheu gegen die Figur der Kanker dasteht:* In Tiecks Erzählung »Liebeszauber« kommt es zu einem Gespräch zwischen dem ernsten Emil und dem munteren Roderich: »Nervenschwäche, sagte jener, so wie dein übertriebener Abscheu gegen Spinnen und manch anderes unschuldiges Gewürm.

Unschuldig nennst du sie, sagte der Verstimmte, weil sie dir nicht zuwider sind. Für denjenigen aber, dem die Empfindung des Ekels und des Abscheus, dasselbe unnennbare Grauen, wie mir, bei ihrem Anblick in der Seele aufgeht und durch sein ganzes Wesen zuckt, sind diese gräßlichen Untiere, wie Kröten und Spinnen, oder gar die widerwärtigste aller Kreaturen, die Fledermaus, nicht gleichgültig und unbedeutend, sondern ihr Dasein ist dem seinigen auf das feindlichste entgegen gesetzt.«

9,14 *Anamorphosen:* Umbildungen, Zerrbilder.

9,14 f. *Kalibane des Meers:* Caliban: ein Unhold aus Shakespeares *Sturm.*

9,30 f. *den zarten Wieland ... wie er auf einer Vignette:* vgl. Wielands *Beyträge zur Geheimen Geschichte des menschlichen Verstandes und Herzens,* Tl. 1, S. 74; die Vignette zeigt dort allerdings – Jean Paul übertreibt hier – einen Menschen, der sich noch vor der »letzten Wirkung« (so die Fußnote) des Brechpulvers befindet.

13,1 *Summula:* (lat.) Hauptstück oder Abschnitt, anderes Wort für »Kapitel«.

13,4 *Maulbronn:* fiktiver Name, den Jean Paul seines grotesken Charakters wegen wählt; das schwäbische M. ist wohl nicht gemeint.

13,17 *Krüppelfuhre:* lahmes, elendes Gefährt.

13,24 f. *Dîners, Goûters, Soupers:* (frz.) Mittagessen, Nachmittagskaffees, Abendessen.

13,28 *à la Fourchette:* (frz.) mit der Gabel; Anspielung auf das *déjeuner à la fourchette* ›Gabelfrühstück‹.

13,31 f. *Goûter oder Dégoûter:* Wortspiel; frz. *goûter* bedeutet wörtl. ›schmecken‹, *dégoûter* ›anekeln, Ekel erregen‹.

13,35 *Kotsassen:* Bewohner einer Kote, einer Hütte.

14,3 *Töpfer- oder Topf-Kolik:* »eine kolikartige Erkrankung, die dem schädlichen einfluss der zum glasiren von thongeschirren verwendeten Bleiglätte zugeschrieben wird« (DWb. 11,1, Sp. 854).

14,5 *venienti ... currite morbo:* (lat.) man solle der kommenden Krankheit vorbeugen.

14,12 *Prosektoren:* wörtl.: Vorschneider; Assistenten des Chirurgen, die die Zergliederung vorbereiten.

14,15 *Wetterfisch:* der W. oder Schlammpeizker kommt bei schlechtem Wetter an die Oberfläche und gilt daher, ähnlich wie der Laubfrosch, als Wetterprophet.

15,8 f. *des Pastors Göze Eingeweidewürmerkabinett:* Der Naturforscher und ehemalige Theologe Johann August Ephraim G. (1731–93), Verfasser des *Versuchs einer Naturgeschichte der Eingeweidewürmer tierischer Körper* (1782), besaß eine umfangreiche Sammlung von in Spiritus präparierten Eingeweidewürmern, die ihm Kaiser Joseph II. für 1000 Taler abkaufte und der Universität Pavia schenkte (wenige Tage nach dem Verkauf bot ein englischer Anatom sogar 1800 Taler).

15,16 f. *des Berliner Walters Präparaten-Kabinett:* Der Berliner Arzt und Chirurg Friedrich August W. veröffentlichte 1796 unter dem Titel *Anatomisches Musaeum, gesammlet von J. G. Walter und herausgegeben von F. A. Walter* ein von seinem Vater, dem berühmten Anatomen Johann Gottlieb W., erstelltes Verzeichnis von rund 6000 anatomischen Präparaten von allen Teilen des menschlichen Körpers.

16,8–10 *fasciculus exercitationum in rabiem caniem anatomico-medico-curiosarum:* (lat.) etwa: Aufsatz über die anatomisch-medizinisch-merkwürdigen Praktiken gegen die Hundstollwut.

16,28 *Fangkloben:* Vorrichtung zum Vogelfang.

18,13 *der Doktor Jenner:* Der englische Arzt Edward J. (1749–1823) entdeckte die Schutzwirkung der Kuhpockenimpfung gegen die Menschenpocken.

19,3 f. *die drei deutschen Horatier:* Nach der römischen Sage kämpften Drillinge aus dem altrömischen Patriziergeschlecht der Horatier erfolgreich auf der Seite Roms gegen die drei auf Seiten Alba Longas stehenden Brüder aus dem Geschlecht der Curiatier.

19,4 f. *den drei tragischen Curiatiern Frankreichs und Griechenlands:* Gemeint sind wohl die drei französischen Tragödiendichter aus der Zeit der Klassik Alexandre Hardy, Pierre Corneille und Jean Racine sowie die Griechen Aischylos, Sophokles und Euripides. *weiter unten:* vgl. die 28. Summula.

23,8 *Kaisertee:* der auserlesenste chinesische Tee.

23,12 *Cour- und Kuranzuge:* Hof- und Wahlanzug.

24,23 *Fiat!:* (lat.) Es sei!

24,24 *vomieren:* sich übergeben, erbrechen.

25,4 *Petrefakt:* Versteinerung, Überbleibsel einer verschollenen Zeit.

25,7 *Karyatide:* als Frauengestalt geformte Säule, deren Kopf als Gebälkstütze dient.

25,17 *Sic vale!:* (lat.) Damit Lebewohl!

25,32 f. *Beide Meckel:* Philipp Friedrich M. (1756–1803), Professor der Anatomie in Berlin und Halle, und dessen Sohn Johann Friedrich M. der Jüngere (1781–1833), ebenfalls als Professor der Anatomie in Halle. Vgl. auch das Ende der 15. Summula.

28,18 f. *Tempel des Jupiter capitolinus:* An diesem römischen Tempel endeten die Triumphzüge nach siegreichen Kriegen.

28,24 *zirkumflektiert:* gebogen, krumm.

28,31 f. *en robe courte / en longue robe:* (frz.) im kurzen Rock – im langen Rock. Klerus und Hofadel trugen in Frankreich bis zur Revolution die *robe longue*, Militär und Magistratspersonen die *robe courte*.

29,19 *8. Summula:* Die gesamte Summula deutet Freye als Paraphrase von Sternes *Tristram Shandy* I,8 (vgl. Karl Freye, *Jean Pauls »Flegeljahre«. Materialien und Untersuchungen*, Berlin 1907, Nachdr. New York / London 1967, S. 251, Anm.).

29,28 f. *dessen Namen er noch nicht einmal weiß:* vgl. aber 16,6, wo der »Brunnen-Arzt *Strykius*« bereits genannt wird.

30,27 *die Einheit des Ortes:* Anspielung auf die dramentheoretische Forderung des französischen Klassizismus nach Einheit der Handlung, des Ortes und der Zeit.

32,26 f. *Geßners-Schäfer:* Die Schäferidyllen des Schweizers Salomon Geßner (1730–88) waren in der zweiten Hälfte des 18. Jh.s überaus beliebt.

33,35 *Röselsche Insektenbelustigungen:* Der Zoologe August Johann Rösel von Rosenhof (1705–59) veröffentlichte 1746–60 fünf Bände der von ihm selbst illustrierten *Insekten-Belustigungen*.

34,30 f. *de la Lande's und sogar der Demoiselle Schurmann:* Jean Paul hatte sich 1799 in seinen Exzerpten notiert: »De la Lande isset gern Raupen, schmekt wie Kern aus Steinobst; wie Haselnüsse schmekken Spinnen, die auch die Schurmann gern as.« Die Bemerkung stammt aus der Abhandlung *De l'aranéologie* (1797) von Denis Bernard Quatremère-Disjonval, dt. *Araneologie, oder Naturgeschichte der Spinnen* (1798). – Michel Richard Delalande (1657–1726), französischer Komponist.

35,16 *mensa ambulatoria:* (lat.) Freitisch, den ein Schüler in wechselnden Häusern hatte.

36,9 *Schwanzstern:* Komet.

36,23 *Siegwarte:* Anspielung auf Johann Martin Millers (1750–1814) sentimentalen Roman *Siegwart. Eine Klostergeschichte* (1776), in dem Siegwart die ins Kloster gesteckte Geliebte zu entführen versucht.

38,6 *Biesters:* Johann Erich Biester (1749–1816) gab von 1783 bis 1811

die *Berlinische Monatsschrift* und die *Neue Berlinische Monatsschrift* heraus, die letzten namhaften Zeitschriften der Auf-
klärung.

38,30 f. *den Auxiliar-Poeten:* den Gelegenheits- oder Hilfspoeten.

40,7 *Dionysius-Ohren:* Der Tyrann von Syrakus, Dionysios I., hatte
ein Gefängnis errichten lassen, dessen trichterförmige Anlage ihm
alle Gespräche der Gefangenen zutrug.

40,24 *satirische Enkaustik:* hier etwa: brennende, ätzende Satire;
Enkaustik: antike Wachsmaltechnik, bei der die Farbe in den Un-
tergrund eingebrannt wurde.

42,36 *Fat:* (frz.) Geck, Laffe.

43,27 f. *der einzige Mann in diesem feurigen Ofen, der sich nicht mit
Singen helfen konnte:* Anspielung auf die biblische Geschichte von
den drei Jünglingen im Feuerofen (vgl. Dan. 3).

43,34 *Sockus:* leichter und flacher Schuh der antiken Komödienschau-
spieler.
Kothurn: hochsohliger Schuh der Schauspieler in der antiken Tragödie.

47,4 *Drachenschwanze:* »der punct wo der mond in seinem lauf
die ekliptik durchschneidet, wenn er in die südliche breite tritt«
(DWb. 2, Sp. 1325).

47,5 *Haarsterns:* Haarstern: Komet (von griech. *kometes* ›langbe-
haart‹).

47,30 *Ohrfinger:* der zum Ohrreinigen geeignete kleine Finger.

47,35 *Maschinen-Götter:* Anspielung auf den Deus ex machina (lat.,
›Gott aus der Maschine‹), die Göttererscheinung im antiken Theater, die im Augenblick, da die Katastrophe nicht mehr aufhaltbar
scheint, unverhoffte Hilfe bringt und die dramatische Verwicklung
löst.

49,3 *Destillation hinabwärts (dest. per descens.):* Man unterschied bei
der Destillation nach der Richtung, die der Dampf dabei zu nehmen hatte.

53,32 *Nießbrauch:* Wortspiel mit dem Namen Nieß. Nießbrauch ist
eigentlich das Recht, aus einer fremden Sache jeglichen Nutzen zu
ziehen, svw. Nutznießung.

54,20 *Sömmerings:* Samuel Thomas von Soemmering (1755–1830),
Professor der Anatomie.

54 [*] *Zodiakal-Licht:* dem Nordlicht ähnlicher, von der Sonne bei
ihrem Auf- oder Untergang nach der Richtung des Tierkreises aufwärts gehender Lichtschimmer.

55,4 *gotischer:* hier im Sinne von verschnörkelter, verworrener.

55,18 *Haruspizien:* Weissagungen aus den Eingeweiden von Opfertieren.

55,24 *Wandelsterne:* Planeten.

56,12 *der Lavaterschen Bemerkung:* Johann Caspar Lavater (1741 bis 1801), Verfasser vor allem der *Physiognomischen Fragmente zur Beförderung der Menschenkenntnis und Menschenliebe* (4 Bde., 1775–78), die die Zusammenhänge zwischen Körperbau und Charakter zu erkunden versuchen.

56,27 *im königlichen Kabinett zu Chantilly:* im Renaissanceschloß zu Chantilly, eines Städtchens nördlich von Paris.

56,30 *Relais-Läufe:* Wechsel-Läufe.

56 [*] *Unterhaltungen aus der Naturgeschichte:* von Gottfried Tobias Wilhelm, 1792 erschienen.

57,9 *Asse:* As: früheres Handelsgewicht in Deutschland und Holland; 1 As = 0,0480617 g.

57,12 f. *der blinde Angelo:* der im Alter fast erblindete Michelangelo.

58,11 f. *Reims-Fläschchen:* Bei der Taufe des Merowingerkönigs Chlodwig I. durch den Bischof von Reims soll eine Taube ein Ölfläschchen vom Himmel gebracht haben, um den Bekehrten zu salben.

58 [*] *Bechsteins:* Johann Matthäus Bechstein (1757–1822), Naturwissenschaftler und Direktor der Forstlehranstalt Dreißigacker.

59,2 f. *Benevolenz-Kaptanz:* Captatio benevolentia: rhetorische Figur der Bitte um geneigtes Gehör.

59,4 *Provisor:* Vorsteher, Verwalter der Apotheke.

59,8 *Sbirre:* italienischer Polizeidiener; Büttel, Häscher.

59,15 *Protomedikus:* Oberarzt.

60,24 *Mordieu!:* (frz.) Zum Henker!

60,32 *biliösen:* gallsüchtigen.

63,7–11 *der berühmte Zergliederer Johann Friedrich Meckel ... zugeeignet:* vgl. Anm. zu 25,32 f.

67,22 *Pränumerantenwerbung:* Werbung um im voraus Bezahlende.

68,13 *Nepotismus:* Vetternwirtschaft, Begünstigung von Verwandten.

68,26 *18. Summula:* Beruht auf einer in Hof vorgefallenen Begebenheit, die Christian Otto in seinem Brief vom 29. Mai 1804 Jean Paul mitteilte: »Einen Spaß aus Hof muß ich Dir noch mitteilen. Vor kurzem befand sich ein Wasserkünstler da, um in der Saale allerlei Kunststücke zu machen; zugleich ist auch ein Franzose da, der der Beschreibung nach, und sich mit dem Erbauen von engl. Spinnmaschinen, vielleicht auch sogar mit Goldmachen [beschäftigt]. Als der angekündigte Wasserkünstler mit seinen Kunststücken bereits den Anfang gemacht hatte, sprang besagter Franzose auch ins Wasser, machte sie nach, ja zuweilen soll ihm sogar manches besser gelungen sein als jenem. Der eigentliche Künstler geriet darüber in Zorn; erst stellten sie ein gemeinschaftliches Wettschwimmen an, bei dem der Franzose meistens obenan schwamm; das Schauspiel wurde zu einem Seetreffen, denn beide prügelten sich im Wasser tüchtig aus. Als nach gelieferter Schlacht der Künstler mit dem Teller am Ufer herumging und die Höfer Schaumünzen einsammeln wollte, versicherten ihn die Zuschauer, daß sie auf ihn gar nicht, sondern bloß auf den Zwillingsschwimmer gesehen hätten, und so mußte der arme Schelm mit leerem Teller und Tasche und zerprügeltem Rücken abziehen.«

69,21 *Hallore:* Salzsieder (aus Halle an der Saale).

69,22 *Hallpursch:* Bursche, der im Salzbergwerk beschäftigt ist, Salzsieder.

70,14 *Mineur:* Sprenger oder Schanzgräber; auch allg. Bergmann.

71,28 f. *zu siegen wie Cäsar, wenn er käme und – gesehen würde:* variiert den Ausspruch Cäsars: »veni, vidi, vici« (›ich kam, sah und siegte‹).

69,30 *Liebestern:* Venus.

72,27 *zwei Episteln Petri:* Zwei der Briefe im neutestamentlichen Kanon werden dem Apostel Petrus zugeschrieben.

74,15 *Floßrechen:* ein Wehr aus Baumstämmen im Flößerwasser.

74,15 f. *gestachelter Herisson:* mit Stacheln oder Zacken versehener Schlagbaum (von frz. *hérisson* ›Igel‹).

74,35 *Hallers Physiologie:* Albrecht von Haller (1708–88), Schweizer Schriftsteller und Mediziner, veröffentlichte von 1757–66 in 8 Bänden seine *Elementa physiologiae corporis humani.*

75,23 *ein Englisch-Kranker:* englische Krankheit: Bezeichnung für die Rachitis, Knochen- und Rückgratverkrümmung, die erstmals 1650 von dem englischen Arzt Francis Glisson ausführlich beschrieben wurde.

78,28 *galvanische Versuche:* Der italienische Anatom Luigi Galvani (1737–98) hatte in den achtziger Jahren des 18. Jh.s die von ihm so genannte »tierische Elektrizität« entdeckt, als er Zuckungen an einem Froschschenkelpräparat feststellte, wenn er unfern einer Elektrisiermaschine dieses mit dem Präpariermesser berührte.

78,34 *Tantalusfrucht:* Der sagenhafte phrygische König Tantalos mußte, als er sich gegen die Götter vergangen hatte, zur Strafe bis zum Hals im Wasser stehen und Hunger und Durst leiden, während er weder das Wasser noch lockende Früchte, die über ihm hingen, erreichen konnte.

79,3 *Rabenstein:* gemauerter Richtplatz unterm Galgen.

79,9 f. *Treckschuyte:* Schiff, das auf (holländischen) Kanälen von Pferden oder Menschen gezogen wurde.

79,18 *mediatisiert:* einem näheren Herrn als unmittelbar dem Reich unterworfen.

79,29 *Verwandel- oder Meßglöckchen:* das in der katholischen Messe bei der Wandlung (s. Anm. zu 6,23) geläutete Glöckchen, bei der die Gläubigen auf die Knie fallen.

79,35 *Einleg-Messer:* zusammenklappbares Messer.

80,19 *Strykius:* wohl der Rechtsgelehrte Samuel Stryk (1640–1710), seit 1694 Professor an der im selben Jahr gegründeten Universität Halle und deren Direktor.

80,29 f. *des apokalyptischen Tiers:* vgl. Offb. 13.

82,18 f. *Franchement, Mr. Médecin:* (frz.) Offen gesagt, Herr Doktor.

82,19 *detestabeln:* verabscheuungswürdigen, ekelhaften (von frz. *détestable*).

82,27 *Merkurialpillen:* Quecksilberpillen, zur Behandlung entzündlicher Krankheiten und besonders der Syphilis verwendet.

83,12 *contentement:* (frz.) Zufriedenheit; hier etwa: Wohlsein!

83,16 f. *Kodizill:* letztwillige, oft nur noch mündliche, Verfügung.

84,26 *wie eine Memnonstatue zutönte:* Memnon: Sohn der Eos (der Göttin der Morgenröte) und König der Äthiopier in der griechischen Mythologie. Eine der sogenannten Memnonstatuen bei Theben soll, Berichten des Altertums zufolge, bei Sonnenaufgang singende Töne hervorgebracht haben.

86,18 f. *Luthers Tischreden:* Die seit 1531 aufgezeichneten Gespräche Martin Luthers (1483–1546) wurden erstmal 1566 unter dem Titel *Tischreden* veröffentlicht. In ihnen äußert sich der Reformator ohne Zurückhaltung und in oft derber Form zu religiösen und theologischen Problemen, vor allem aber zu Fragen aus fast allen Bereichen des menschlichen Lebens.

89,4 *Gänse-Schwarz:* Gericht aus Gänsegekröse und dem Blut des Tiers.

89,19 *Haller:* s. Anm. zu 74,35.

89,28 *das Malpighische Schleimnetz:* die nach dem italienischen Arzt und Anatomen Marcello Malpighi (1628–94) benannte Keimschicht (untere Schicht der Oberhaut) der menschlichen Haut.

90,9 *Buffon:* George-Louis Leclerc, Comte de B. (1707–88), französischer Naturforscher.

90,17 f. *mythologische Eselohren:* Midas, der antike König der Mydoner in Phrygien, hatte bei einem musikalischen Wettstreit zwischen Apollon und Pan letzterem den Sieg zuerkannt, worauf Apollon seine Ohren in die eines Esels verwandelte.

91,3 *Sessionen:* Versammlungen.

91,10 *Fontangen:* Fontange: haubenartiger, sehr hoher, stufenförmiger Kopfputz des Barock, benannt nach der Herzogin von Fontanges, einer Mätresse Ludwigs XIV., von 1680 bis 1720 in Mode.

91,12 *Incroyable:* im ausgehenden 18. Jh. Bezeichnung für einen Modenarren (von frz. *incroyable* ›unglaublich‹).

91,35 *Zerberus:* Ungeheuer der griechischen Mythologie mit drei Köpfen, Wachhund im Hades, der Unterwelt.

92,7 f. *Heptarchie:* Siebenherrschaft, Regierung von sieben Männern.

92,12 f. *Diesem Magen … ich meine Magus, nicht Stomachus:* Wortspiel; Mage: alte Bezeichnung für einen engen Verwandten; Magus: (lat.) Magier, Zauberkünstler, Geheimwissenschaftler; Stomachus: (lat.) Magen.

93,5 *Titular-Haar:* Titular-: nur dem Titel, dem Namen nach; gemeint ist: Perücke.

93,7 *Fi!:* (frz.) Pfui!

94,5 *Bleizucker:* giftiges Bleisalz der Essigsäure, als Färbemittel verwendet.

95,19 *Euler und Bernoulli:* Leonard E. (1707–83), Mathematiker und Physiker, von grundlegender Bedeutung für die Entwicklung der modernen Mathematik, und Jakob B. (1654–1705), Schweizer Mathematiker, dem bedeutende Fortschritte in der Entwicklung der Infinitesimal- und der Wahrscheinlichkeitsrechnung zu verdanken sind.

95,21 *Koehorn, Rimpler und Vauban:* der Niederländer Menno van Koehoorn (1641–1704), der Deutsche Georg R. (1636–83) und der Franzose Sébastien le Prestre de V. (1633–1707), berühmte Festungsbaumeister.

96,9 *blühende Aarons Rute:* Anspielung auf den grünenden Stab Aarons, der als einziger der von den Fürsten der zwölf Stämme Israel vor der Bundeslade niedergelegten Stäbe sprießt und Blüten treibt; vgl. 4. Mose 17.

96,17 *Wasserast:* im Obstbau ein dünner, schnell emporschießender, keine Früchte tragender Nebentrieb eines Astes.

97,16 *interna non curat Praetor:* (lat.) das Innere kümmert den Prätor nicht. Prätor: Vorsteher des Gerichtswesens im alten Rom.

97,24 *Hamen:* Fischnetz.

98,28 *Phöbus:* Beiname Apollons als Sonnengott (wörtl.: der Leuchtende) in der griechischen Mythologie.

100,8 f. *der allgemeinen Weltgeschichte von Essig und Zopf:* Gemeint sind zwei Lehrbücher der Weltgeschichte; die für das fürstliche Gymnasium in Stuttgart bestimmte *Einleitung zur Allgemeinen weltlichen Historie* des Stuttgarter Abts Johann Georg Essich, erstmals 1707 erschienen, und die an den Gymnasien der Zeit vielbenutzte *Grundlegung der Universal-Historie* von Johann Heinrich Zopf, erstmals 1729 in Halle erschienen und in der Folge immer wieder neu aufgelegt und fortgeführt.

100,27 *Minerva:* 1792 in Berlin gegründete Zeitschrift, *Ein Journal historischen und politischen Inhalts* (Untertitel).

101,3 *Meusel:* Johann Georg M. (1743–1820), Literarhistoriker und Lexikograph, Herausgeber der 3.–5. Auflage von Georg Christoph Hambergers *Das gelehrte Teutschland oder Lexikon der jetzt lebenden teutschen Schriftsteller* (5. Aufl. in 23 Bdn. 1796–1834) und des *Lexikon der vom Jahr 1750 bis 1800 verstorbenen teutschen Schriftsteller* (15 Bde., 1802–16).

101,10 *Theagenes von Thasus:* griechischer Athlet von der Insel Thasos, der bei den Olympischen und anderen Kampfspielen mehr als einhundertvierzigmal in diversen Disziplinen den Sieg davongetragen haben soll.

101,24 *Ruhm-Irus:* Irus: Name eines Bettlers in Homers *Odyssee* (18. Gesang). Irus fordert Odysseus zum Faustkampf heraus und wird von diesem schmachvoll besiegt.

Johann ohne Land: Anspielung auf den glück- und erfolglosen englischen König Johann (John Lackland, reg. 1199–1216), der seinen Beinamen wegen eines fehlgeschlagenen Feldzugs gegen Irland und der Verluste englischer Besitzungen in Frankreich trug.

101,30 *Maroden-Theater:* herumschweifende Theatertruppe.

102,6 f. *Auslaßfigur (figura praeteritionis):* rhetorische Figur, die darin besteht, anzukündigen, man wolle etwas nicht erwähnen, das man dann mit besonderer Ausführlichkeit schildert.

102,17 *Einbläser-Loch:* Einbläser: alte Bezeichnung für den Souffleur im Theater und wörtliche Übersetzung des französischen Worts; gemeint ist also der Souffleurkasten.

delphisches Loch: Anspielung auf das Orakel im alten Delphi, wo die Orakelpriesterin auf einem Dreifuß über einer Erdspalte, aus der Dämpfe emporstiegen, saß und ihre Weissagungen kund-gab.

102,19 *Jünger:* Johann Friedrich J. (1759–97), Lustspieldichter und Romancier, dessen unbedeutende und triviale Romane bald in Vergessenheit gerieten.

102,30 *jene Propheten-Gestalten:* vgl. Jes. 6,2.

104,1 f. *Rebhühnergarn:* zum Fangen von Rebhühnern verwendetes Jagdnetz.

104,2 *Frauen-Tyraß:* Tiraß: Netz zum Fangen von Wildgeflügel.

104,4 f. *wie der ursprüngliche Theudobach (nach Florus) seine Tropäe:* Der römische Geschichtsschreiber Lucius Annaeus Florus (2. Jh. n. Chr.) berichtet in seiner *Epitome rerum romanarum*, einem Abriß der römischen Geschichte in zwei Büchern, von dem Teutonenkönig Theutobochus, der bei der Schlacht von Aquae Sextiae (Aix-en-Provence, 102 v. Chr.) in die Hände der Römer fiel und im Triumphzug des Marius dadurch auffiel, daß er infolge seiner ungeheuren Körpergröße seine Trophäe (die Siegeszeichen, zumeist erbeutete Waffen) überragte.

104,11 *Melpomenens-Dolch:* Melpomene: die antike Muse der Tragödie, in der bildenden Kunst häufig mit der tragischen Maske und, ihrer Beziehung zu Herakles wegen, einer Keule, zuweilen auch einem Schwert, dargestellt.

105,23 *Heischesatz:* Satz, dessen Richtigkeit vorausgesetzt wird, Postulat.

105,26 *Bartstern:* Komet (vgl. Anm. zu 47,5).

107,10 *Integrum:* (lat.) unversehrtes, unangetastetes Ganzes.

107,18 *im neuesten Bande des Kometen:* vgl. Jean Pauls Roman *Der Komet, oder Nikolaus Marggraf,* Bd. 3 (1822), Kap. 17, 1. Gang: »So werden hundert Irrtümer, so wie Einfälle, im gesellschaftlichen Platzregen nicht verstanden; man sieht erst hinterher, wenn man unnütz die einen zu verbessern und die andern zu erläutern denkt, daß niemand uns zuhörte als wir selber.«

107,27–29 *den Hesperus dreimal ... durchgelesen:* Jean Pauls Roman *Hesperus, oder 45 Hundsposttage,* 1792 begonnen, war 1795 erschienen.

108,13 *Peter Ramus:* Pierre de la Ramée (1515–72, lat. Petrus Ramus), französischer Philosoph, wegen seiner antiaristotelischen Lehre heftig bekämpft. Die theologische Fakultät der Pariser Universität, der Sorbonne, veranlaßte 1544 das Verbot seiner Schriften.

109,4 *Genie-Korps:* Ingenieurkorps, Bezeichnung für die mit dem

Bau von Festungen, Verteidigungsstellungen usw. befaßten Offiziere.

109,19 *Approchen:* beim Angriff auf Festungen die zickzackförmigen, der Verbindung der Angriffslinien (Parallelen) untereinander dienenden Laufgräben.

112,11 *Fortifikation:* Befestigung, Festungsbauweise.

113,18 *englische Krankheit:* s. Anm. zu 75,23.

Tissot: Samuel Auguste André David T. (1728–97), Schweizer Arzt, Verfasser zahlreicher, auch ins Deutsche übersetzter medizinischer Abhandlungen, darunter eines *Traité des nerfs et de leurs maladies* (2 Bde., 1778–80, dt. 1781–82).

113 [*] *Confrérie de la Passion:* wohl eine Theatergesellschaft in der westfranzösischen Stadt Angers, die sich der Aufführung von Passionsspielen gewidmet hatte; nicht identisch mit der berühmten, 1402 gegründeten Pariser Confrérie.

114,25 *Bezoar:* steinartige Gebilde aus dem Magen bestimmter Säugetiere, früher als Heilmittel verwendet.

115,2 *Anastomose:* Verflechtung von Blutgefäßen oder Nervensträngen verschiedenen Ursprungs.

115,14 *Noverre:* Jean-Georges N. (1727–1810), Tänzer, Choreograph und Ballett-Theoretiker, einer der großen Neuerer in der Geschichte der Tanzkunst.

115,14 f. *die tragischen Horatier Corneilles:* die Tragödie *Horace* (Urauff. 1640) von Pierre Corneille (1606–84).

115,23 f. *Meibomischen Drüsen:* die erstmals von dem Arzt Heinrich Meibom (1638–1700) beschriebenen Talgdrüsen in den Lidknorpeln des Auges, die ein fettiges Sekret aussondern.

115,24 *Tränenkarunkel:* die Tränenwärzchen im inneren Augenwinkel.

115,31 *obigem Posthalter im ersten Bande:* in der 24. Summula; die Angabe bezieht sich auf die erste Auflage, in der zweiten findet sich die erwähnte Szene im zweiten Band, vgl. S. 92 (s. »Zu dieser Ausgabe«).

115 [*] *Flögels Geschichte der komischen Literatur:* die *Geschichte der komischen Literatur* (4 Bde., 1784–87) von Karl Friedrich Flögel (1729–88).

116,4 f. *Walthers köstlicher Physiologie:* die *Physiologie des Menschen, mit durchgängiger Rücksicht auf die comparative Physiologie der Tiere* (2 Bde., 1807–08) des Chirurgen Philipp Franz von Walther (1782–1849).

116,5 f. *Berliner Zergliederer Walter:* s. Anm. zu 15,16 f.

117,9 f. *des badischen Hofrats Roth Gauner-Liste von 1800:* die *Generaljaunerliste, oder alphabetischer Auszug aus mehrern [...] Listen über die in Schwaben und angränzenden Ländern zu deren großen Nachteil noch herumschwärmenden Jauner, Zigeuner, Straßenräuber, Mörder, Kirch-, Markt-, Tag- und Nacht-Diebe, Falschmünzer, falsche Collectanten, Falschspieler, andere Erzbetrüger und sonstiges liederliches Gesindel [...]* von Friedrich August Roth, 1800 in Karlsruhe erschienen.

118,18 *Young:* Edward Y. (1683–1765), englischer Lyriker und Satiriker.

120,20 *Chauve-souris-Maske:* Fledermausmaske; ein weiter schwarzer Mantel mit übergezogener Kapuze.

123,20 *S. Elms Feuer:* Lichterscheinung von verschiedener Färbung an den Mastspitzen von Schiffen.

124,13 *Lappen eines Gehenkten:* Kleidungsstücke eines Gehenkten wie auch Teile seiner Kleidung galten als zauberkräftig; solche Lappen sollten Glück ins Haus bringen, eine gute Ernte, gutes Gedeihen des Viehs bewirken, Käufer und Gäste anziehen usw.

125,4 *Kästners:* Abraham Gotthelf Kästner (1719–1800), Professor der Mathematik und Physik in Göttingen, Hauptwerke: *Anfangsgründe der Mathematik* (4 Bde., 1758–69), *Geschichte der Mathematik* (4 Bde., 1796–1800).

125,12 *Etourderie:* (frz.) Unbesonnenheit, Unbedachtsamkeit.

125,34 *Liebe-Gleicher:* Gleicher: dichterische Verdeutschung von *Äquator.*

126,30 *scènes à tiroir:* (frz.) in der Dramenkritik Szenen eines Theaterstücks, die nur locker und ohne innere Notwendigkeit zusammenhängen (von frz. *tiroir* ›Schublade‹).

127,32 *Hornung:* alte Bezeichnung für den Monat Februar.

128,21 *Leuwenhoekischen Ei:* Der holländische Naturforscher Antony van Leeuwenhoek (1632–1723) arbeitete unter anderem an der Verbesserung des Mikroskops. Er beschrieb als erster Spermien.

136,10 *Preßhaften:* prest- oder bresthaft: entstellt, gebrechlich, verkrüppelt.

136,34 *Moscati:* Pietro M. (1739–1824), italienischer Arzt und Chirurg.

137,12 *Perpendikelarmen:* Perpendikel: Uhrpendel.

137,31 *Unzer:* Der berühmte Arzt und Psychologe Johann August U. (1727–99) erlangte große Wirksamkeit durch die von ihm seit 1759 herausgegebene Wochenzeitung *Der Arzt.*

137 [*] *Puchelt:* Friedrich August Benjamin P. (1784–1856), Professor der Medizin in Heidelberg, veröffentlichte seine Abhandlung über das Venensystem 1818.

138,4 *von Swieten:* Der Holländer Gerhard van S. (1700–72) war Leibarzt und Berater der Kaiserin Maria Theresia. Als Begründer der Wiener medizinischen Schule war er der Gegenpol des im gleichen Atemzug genannten Haller (s. Anm. zu 74,35).
Sydenham: Der englische Arzt Thomas S. (1624–89) lieferte klassische Beschreibungen der Gicht sowie von Geschlechts- und Infektionskrankheiten.

139,29 *Bolus:* (lat.) Bissen.

139,34 *Parotis:* Ohrspeicheldrüse, die größte der Mundspeicheldrüsen.

139,36 *stenonischen Gang:* Stenonischer Gang: der Ausführungsgang der Ohrspeicheldrüse, 1660 von dem dänischen Arzt Niels Stensen (1638–86, lat. Nicolaus Stenonis) entdeckt.

140,3 *ductus nasalis:* (lat.) Nasengang.

140,12 *Trompetermuskel:* Bezeichnung für den beim Trompeten gespannten Backenmuskel.

140,17 *Sphinkter:* Schließmuskel.

141,1 *Teufelsdreck:* Heilmittel aus dem Gummiharz des Pfriemkrauts, von unangenehmem, scharfem und bitterem Geschmack.

141,35 *Papillotten:* Haarwickel aus Papier.

143,11 f. *weil nach Aretäus schon bloßes Abscheren Wahnsinn heile:* Aretaios: griechischer Arzt des 2. Jh.s v. Chr., der sich zur Heilung von Krankheiten möglichst einfacher Mittel bediente.

143,12 f. *Titusköpfen der Revolution:* Zur Zeit der Französischen Revolution kam kurzes, rund geschnittenes Haar in Mode; Vorbild waren die antiken Büsten und Statuen des römischen Kaisers Titus.

153,36 *auch ich war in Arkadien:* Übersetzung der lateinischen Inschrift »Et in Arcadia ego«, die zuerst auf einem Gemälde des italienischen Malers Bartolommeo Schedoni (um 1570–1615) auftaucht, deutsch erstmals in einem Gedicht von Johann Georg Jacobi (1740–1814), dann u. a. als Motto von Goethes *Italienischer Reise.* Die griechische Landschaft Arkadien, Schauplatz der spätantiken Schäferdichtung und als Land der Musik und Dichtkunst gelobt, wurde später zur Wunschlandschaft schlechthin und zum Äquivalent des »Goldenen Zeitalters«.

154,12 *wie Homer den Zorn Achilles:* Den Hauptgegenstand von Homers *Ilias* bilden der Zorn des Achilles und seine Folgen (vgl.

V. 1: »Singe den Zorn, o Göttin, des Peleiaden Achilles«, Übers. von Johann Heinrich Voß.

154,18 *Isegrimm:* Name des Wolfes in Fabeln und Märchen.

156,22 *Sömmering:* s. Anm. zu 54,20.

157,6 f. *experimentum fiat in corp[oribus] vil[ibus]:* (lat.) Experimente sind an wertlosen Körpern vorzunehmen.

157,16 *Aphroditen- oder Zypris-Seuche:* Lustseuche, Syphilis (die Liebesgöttin Aphrodite wurde auf Zypern besonders verehrt).

157,24 f. *Buridans Esel zwischen Ernst und Lächeln:* Buridan: Johannes B. (gest. nach 1358), französischer Philosoph und Rektor der Universität Paris. Das B. zugeschriebene Gleichnis von dem Esel, der zwischen zwei gleich starken Bündeln Heu (oder zwischen Futter und Wasser) unbeweglich stehenbleibt und verhungert, ist in seinen Schriften nicht überliefert und stammt wahrscheinlich von seinen Gegnern.

157,29 f. *ausgespelzt:* ausgekernt, bis auf den Kern herausgeschält.

158,5 f. *wie der verschluckte Traubenkern den Anakreon:* Der griechische Dichter A. (um 500 v. Chr.) soll, einer Anekdote zufolge, an einer Weintraube erstickt sein.

158,21 *Pitt:* William P. der Jüngere (1759–1806), britischer Staatsmann, von 1783 bis 1801 und erneut ab 1804 Premierminister, Führer der Tories.

158,25 *libierten:* genossen.

159,4 *Kautelarjurisprudenz:* Teil der Rechtswissenschaft, dessen Gegenstand die Vorsichtsmaßnahmen zur Verhütung möglichen Schadens bilden.

159,5 *Injurienklage:* Ehren- oder Beleidigungsklage, Anklage wegen Verunglimpfung.

159,7 *Quistorp:* Das Hauptwerk des Strafrechtlers Johann Christian Edler von Qu. (1737–95), die *Grundsätze des Teutschen peinlichen Rechts,* erschien 1770, in fünfter, stark erweiterter Auflage 1794.

160,7 *Fox:* Charles James F. (1749–1806), britischer Staatsmann, Führer der Whigs und als solcher ein politischer Gegner Pitts (s. Anm. zu 158,21), den er erbittert bekämpfte.

161,7 *Bumper:* »ein volles glas, das man aufstößt« (DWb. 2, Sp. 516).

161,16 *auf die Kapelle gebracht:* genauestens geprüft; Kapelle: Schmelztigel.

163,29 *Schubjacke:* schäbige, nichtswürdige Kerle.

163,30 f. *ein sanfter Ölgarten, wo man Blut schwitzt:* Anspielung auf die Leiden Jesu am Ölberg; vgl. Lk. 22,44.

164,7 *bei Gelegenheit der Hämatosen und Mißgeburten:* vgl. den Beginn der 2. Summula.

164,28 *abstehen:* eingehen, sterben.

164,29 f. *wie ein Wagen voll Krebse, wenn unten ein Schwein durchkriecht:* Der Geruch von Schweinen galt als tödlich für Krebse.

165,9 *Taschen-Wind-Puffer:* Puffer: kleine Büchse, Pistole.

166,30 *Stab-Sanft:* vgl. Sach. 11,7: »Und ich hütet der Schlachtschafe um der elenden Schafe willen. Und nahm zu mir zween Stäbe. Einen hieß ich Sanft, den andern hieß ich Weh, und hütet der Schafe« (Luther, 1534).

167,5 *Lavater:* s. Anm. zu 56,12.

167,12 *Natur-Trepan:* Trepan: Knochenbohrer, insbesondere zur Öffnung der Schädelhöhle.

167,18 f. *als Pestalozzi in seinem Buch der Mütter aufzählt:* Das *Buch der Mütter* (1803) des Schweizer Philosophen und Pädagogen Johann Heinrich P. (1746–1827) behandelt in der ersten »Übung« den menschlichen Körper, in den folgenden die einzelnen Körperteile.

167,26 *Prügel-Disputa:* Disputa: Gemälde von Raffael (*La disputà del sacramento* ›Der Abendmahlsstreit‹, um 1510).

167,34 *Dachsschliefer:* Dachshund (von *schliefen* ›in etwas Enges hineinkriechen‹).

168,13 *Fraisch-Archiv:* Frais oder Freis: alte Bezeichnung für das peinliche Gericht, die Strafgerichtsbarkeit. Im Freis-Archiv wurden die Rechtspfänder des peinlichen Gerichts aufbewahrt.

168,18 f. *Reichsabschied:* Nach einem Reichstag wurden die dort gefällten Entscheidungen im sogenannten Reichsabschied zusammengefaßt (letztmals 1654).

168,31 f. *Esaus und van Dyks Hände:* Esau: vgl. 1. Mose 27; Jakob, der Sohn Isaaks und Zwillingsbruder Esaus, legt sich Felle »um seine Hände und wo er glatt war am Halse« (Luther), um von seinem im Sterben liegenden, nahezu erblindeten Vater für den zuerst auf die Welt gekommenen Bruder, der am ganzen Körper stark behaart ist, gehalten zu werden und so den dem Erstgeborenen zugedachten Segen zu erschleichen. – Der holländische Maler Anthonis van Dyck (1599–1641) war berühmt für seine kunstvoll gemalten Hände.

171,7 *aperturae Jus:* (lat.) Recht der Eröffnung.

171,7 f. *servitus luminum et prospectus:* (lat.) Dienstbarkeit des Lichts und der Aussicht.

172,12 *Liebe-Hesperus:* Liebesstern; Hesperus: der Abendstern (Venus, vgl. Anm. zu 69,30).

173,15 *Reverberier-Feuer:* zurückschlagendes Feuer (eines Hoch- ofens).

174,24 *Scherbenberge Roms:* Gemeint ist der Monte Testaccio in Rom, der aus Abermillionen zerschlagener Krüge und Amphoren aufgeschüttet wurde.

Nachwort

Johann Paul Friedrich Richter wurde 1763 in Wunsiedel im Fichtelgebirge als Sohn eines Pfarrers geboren und wuchs in ländlicher Abgeschlossenheit in Joditz und in dem Städtchen Schwarzenbach auf, wohin sein Vater versetzt wurde. Erst der Besuch des Gymnasiums in Hof führte ihn in eine ansehnlichere Stadt, erst das Studium in Leipzig in die Großstadt und einen Mittelpunkt der deutschen Gesellschaft und Bildung. Leipzig war die Bildungsstätte auch des jungen Lessing und Goethe. Sie überwanden hier ihre provinzielle Enge und Befangenheit, sie fanden den Anschluß an die moderne Zeitbildung und an die Weltliteratur. Jean Paul hingegen hielt hier sich das Besondere, ja Absonderliche seiner Individualität als etwas ihm notwendig Zugehöriges fest. Er wurde hier Schriftsteller – doch Satiriker, Vertreter einer schon absterbenden Gattung. Er erwarb sich ein reiches Wissen – doch nicht eigentlich zur Förderung seiner Gelehrsamkeit und seiner Bildung, sondern seiner Satiren, für die er hier Stoffe, Bilder, Gleichnisse fand. Er sammelte seine Lesefrüchte in vielen Bänden und erschwert manchmal den Zugang zu seinen Werken durch ein zu weit hergeholtes Material. Noch in Leipzig gab er 1783 zwei Bände heraus, die *Grönländischen Prozesse*; 1789 ließ er die *Auswahl aus des Teufels Papieren* folgen. Seine Muster sind hier die Meister der Satire, Persius, Erasmus von Rotterdam, Swift. Er übertrifft auch an Reichtum der Phantasie, an schriftstellerischem Elan alle zeitgenössische Satire, einen Liscow oder Rabener; doch schreibt er nicht als der Satiriker, der sich an den Schwächen seiner Umwelt entzündet. Weit mehr spricht er hier selbst – der Mensch in seiner leidenden Spannung zwischen seiner reichen geistigen Innerlichkeit und der engen Dürftigkeit seines äußeren Lebens, und der sich übende Autor, der kommende Meister der komischen und humoristischen Prosa.

Diese Werke blieben ohne Resonanz. Jean Paul hatte inzwischen aus Geldnot Leipzig verlassen, er hatte Zuflucht suchen müssen bei seiner Mutter, die als Witwe, selbst in bedrängten Verhältnissen, in Hof lebte. Sein Brot erwarb er sich als Hauslehrer. An einen abgelegenen Winkel Deutschlands gefesselt, materiell eingeengt und bedrängt, als Schriftsteller abseitig und absonderlich, schien er in provinzieller Enge verkümmern zu müssen.

Da traf ihn das Erlebnis, das ihn zu sich selbst, das in ihm ganz den Menschen und auch den Dichter erweckte – das Erlebnis des Todes.

Jean Pauls einziger Trost in seinem dunklen Leben war die Freundschaft gewesen – zu zwei jungen Männern namens Oerthel und Hermann. Sie wurden ihm kurz hintereinander durch den Tod entrissen. Am 15. Oktober 1790 schrieb er in sein Tagebuch: »Wichtigster Abend meines Lebens; denn ich empfand den Gedanken des Todes, daß es schlechterdings kein Unterschied ist, ob ich morgen oder in dreißig Jahren sterbe.« Und am 16. November: »Ich richte mich wieder auf, daß der Tod das Geschenk einer neuen Welt sei und die unwahrscheinliche Vernichtung ein Schlaf.«

Auch jetzt spricht aus seiner Dichtung ganz Jean Paul, doch der Mensch, der von des Menschen entscheidendster Grunderfahrung erfüllt ist und der in seiner Dichtung das Problem des Todes zu bewältigen versucht. Diese Erfahrung auch macht ihn zu dem Humoristen.

Bis zu Jean Paul verstand man unter Humor wenig mehr als eine sonderbare, eine skurrile Laune. Jean Paul bezeichnet hiermit zunächst ein bedeutsames Sichverhalten des Menschen zur Wirklichkeit. Der Mensch steht vor dem Tod, vor dem unvermeidlichen Ende, vor der möglichen Vernichtung, dem möglichen Nichts. Dies verdunkelt sein Leben, erfüllt es mit Trauer und Schmerz. Doch ist dies nicht des Menschen letztes Schicksal. Jean Paul hat, wie er sagt, Wege ausgekundschaftet, glücklicher, wenn schon nicht glücklich zu werden. »Der erste, der in die Höhe geht, ist: so weit über das

Gewölke des Lebens hinauszudringen, daß man die ganze äußere Welt mit ihren Wolfsgruben, Beinhäusern und Gewitterableitern von weitem unter seinen Füßen nur wie ein eingeschrumpftes Kindergärtchen sieht. – Der zweite ist: Gerade herabzufallen ins Gärtchen und da sich so einheimisch in eine Furche einzunisten, daß, wenn man aus seinem warmen Lerchennest heraussieht, man ebenfalls keine Wolfsgruben, Beinhäuser und Stangen, sondern nur Ähren erblickt, deren jede für den Nestvogel ein Baum und ein Sonnenschirm und Regenschirm ist.« Mithin kann der Mensch sich vergewissern, daß er aus einer Geborgenheit herkommt, die den Tod noch nicht kennt, und daß er mit dem Tod eine höhere Geborgenheit, in Gott, findet. Doch lebt er selbst im Zwischenzustand zwischen kindlicher Geborgenheit und Erlösung in Gott; er kann das Verlorene und das Kommende nur als Trost sichten; er darf sich nicht daran verlieren. So ist für Jean Paul eigentlich nur ein dritter Weg möglich, den er für den schwersten und klügsten hält: »mit den beiden zu wechseln«. Dies ist dann die humoristische Haltung. Der klassische Dichter erwägt die Möglichkeit einer begrenzten Erfüllung in diesem Leben, wie Goethe im *Wilhelm Meister*. Der Romantiker träumt von einer totalen Erlösung schon in dieser Welt, durch den Zauber einer die letzte Seinstotalität offenbarenden Poesie. Für Jean Paul ist dieses Dasein zu bedingt, als daß er hier einen Halt suchen wird, und er glaubt nicht an eine Erlösung schon in diesem Leben. Die Spannung zwischen den beiden Polen des Absoluten, der Geborgenheit in der Kindheit und nach dem Tode in Gott, hält er als Grundweise der menschlichen Existenz fest.

Dieser Humor ist zunächst nur ein weltanschauliches Sichverhalten; doch führt er, als Erfahrung und Haltung eines Dichters, sofort zu einer humoristischen Dichtung. Dieser Dichter wird Idyllen schreiben, in denen er das Glück der Kindheit und noch kindlicher Menschen malt. Er wird dem Menschen den Blick öffnen über diese Welt der Wolfsgruben und Beinhäuser hinaus, den Blick auf die Absolutheit in Gott nach dem Tode. Hier ist an ihn ein höchster poetischer Anspruch gestellt. Denn hier genügt nicht, Mensch und Leben so darzustellen, wie sie der durchschnittlichen Erfahrung gegeben sind; hier muß der Dichter die letzte Totalität des Seins sichten und sichtbar machen. Die Phantasie des Dichters »macht alle Teile zu Ganzen [...] und alle Weltteile zu Welten, sie totalisiert alles, auch das unendliche All; daher tritt in ihr Reich der poetische Optimismus, die Schönheit der Gestalten, die es bewohnen, und die Freiheit, womit in ihrem Äther die Wesen wie Sonnen gehen. Sie führt gleichsam das Absolute und das Unendliche der Vernunft näher und anschaulicher vor den sterblichen Menschen«.

So wird Jean Paul einmal der Idylliker, er schreibt das *Leben des vergnügten Schulmeisterlein Maria Wutz in Auenthal*, 1790, des kindlich in sich versponnenen Menschen, dessen Leben und Sterben »so sanft und meeresstille« war, dessen Sterben »das Umlegen einer Lilie« ist, »deren Blätter auf stehende Blumen auseinanderflattern«. Zugleich schreibt er nur »eine Art Idylle«, nur einen schönen Traum, der mit der Wirklichkeit nicht verwechselt werden soll. Und er wird der Dichter der kühnen metaphysischen Träume, Visionen, Gesichte; er führt hier den Menschen über diese Welt hinaus, in das Unendliche, bis zu Gott. Hier erweist er sich als Magier der poetischen Phantasie, durch die Größe und Suggestionskraft seiner Bilder, durch den Zauber seiner Sprache, durch die Fülle an übersinnlichen Farben und Tönen.

Doch bleibt Jean Paul nicht hierbei stehen. Er schreibt seine großen, seine vielschichtigen und vieltönigen Romane. Er wird einer der reichsten Darsteller vom Menschen und von der Welt. Er ist das neben Goethe umfassendste poetische Talent dieser Zeit.

Bis ins 17. Jahrhundert hinein war der Roman noch ganz niedere Unterhaltungsliteratur, erfüllt mit Fabelei, meistens aus fernen Zeiten und Räumen. Barockautoren legten hier gerne ihre Gelehrsamkeit nieder. Verbindliche Lebensdarstellung wurde der Roman erst im 18. Jahrhundert, in England, bei den Puritanern, wie besonders bei Richardson; doch auch hier schätzte man am meisten seine Formlosigkeit, wodurch man ungezwungen schildern, den Menschen in seinem Innern eröffnen konnte. Erst Fielding, mit seinem berühmten *Tom Jones* (1749), war um epische Darstellung bemüht.

In Deutschland schrieb Gellert, als Schüler der Engländer, sein *Leben der schwedischen Gräfin von G**** (1747/48), auch einen Roman voller Abenteuer. Doch begegneten sie jetzt als Schicksalsschläge, vor denen der Mensch moralisch sich zu bewähren hatte. Wieland folgte ihm mit seinem *Agathon* (1766/67). Abenteuer und Schicksale herrschen auch hier vor, doch soll das Ergebnis weniger moralische Bewährung als eine genugtuende Formung des Menschen sein. Ein junger Mensch wird durch Philosophie, durch Liebe, durch politische Tätigkeit gebildet. So schreibt Wieland einen Bildungsroman. Goethe vollendet diese Tendenz. Sein *Wilhelm Meister* (1795) ist ein episches Kunstwerk, in besonnener, distanzierter, sachlicher Erzählhaltung geschrieben; es zeigt, wie Wilhelm Meister eine gültige Wesensformung gewinnt: sittliche, urbane und ästhetische Bildung, sich bewährende Tüchtigkeit im Gemeinwesen.

Jean Pauls erste Romane, *Die unsichtbare Loge* und *Hesperus*, erschienen 1793 und 1795. Sie schildern gegenwärtiges Leben, stehen aber in Inhalt und Form dem Barock näher als der klassischen Romankunst. Das Geschehen ist oft abenteuerlich, und statt des epischen Gestaltens herrscht das subjektive Fabulieren. Doch gehört dieses Abenteuerliche für Jean Paul dem menschlichen Leben zu, und das Fabulieren gehört zur humoristischen Darstellung. So nimmt Jean Paul auch den Kern des klassischen Romans auf. Auch er schreibt Bildungsromane. Nur heißt Bildung für ihn, den Tod zu sichten und zu bewältigen. Hierhin führt er die jungen Helden seiner Romane.

Er stellt sie in eine vielgestaltige Lebenswelt, die er bewertet nach ihrem Verhältnis zur metaphysischen, zur übersinnlichen Welt. Er zeigt die Menschen des bloßen kalten Weltverstandes, die gegen diese Wirklichkeit blind sind. Goethe stellt den Adel als eine höhere führende Schicht dar; Jean Paul findet gerade hier und besonders an den Höfen die nüchterne Nutzgesinnung. Er sieht hier mehr satirisch als realistisch. Doch auch seine bürgerlichen Menschen blicken oft nicht über ihren beschränkten Alltag hinaus. Den Diesseitsmenschen stehen entgegen die Jenseitsmenschen, die »hohen Menschen«. Der hohe Mensch ist mehr als ein gerader, ehrlicher, fester Mann, mehr als der bloße große Mensch von Genie; er setzt »zum größern oder geringern Grade aller dieser Vorzüge noch etwas [...], was die Erde so selten hat – die Erhebung über die Erde, das Gefühl der Geringfügigkeit alles irdischen Tuns, und der Unförmlichkeit zwischen unserem Herzen und unserem Orte, das über das verwirrende Gebüsch und den ekelhaften Köder unseres Fußbodens aufgerichtete Angesicht, den Wunsch des Todes und den Blick über die Wolken«. Diese Menschen sind bei Jean Paul meistens Kranke, Leidende, Sterbende, schon entkörpert, schon dem Himmel, der letzten Seligkeit nahe. Die jungen Menschen werden durch solche Menschen gebildet. Ihnen begegnet auch die Liebe als bildende Kraft. Doch wenn Goethe der Realist der Liebe ist, sein Wilhelm Meister Liebe auf verschiedenen Stufen erfährt, bis er zuletzt die Erfüllung bei einer hochgebildeten Frau findet, ist Jean Paul der Idealist der Liebe. Seine Liebenden finden sich in der Unbedingtheit des Herzens, sie erfahren in der Liebe die seligen und seltenen Augenblicke des absolut erfüllten Lebens, sie sind von dem Überweltlichen angerührt worden.

Diese Welt bietet Jean Paul von sich aus dar, als der Erzähler, der stets selbst im Vordergrund steht, mit subjektiver Laune, mit einer Fülle, ja Überfülle von witzigen Einfällen, von Bildern, Vergleichen, Assoziationen, Antithesen, denen der moderne Leser nicht immer zwanglos gewachsen ist. Doch ist dies nur der eine Ton seiner Erzählung. Wenn seine Menschen zu fühlen beginnen, leiht Jean Paul ihnen einen hohen und reinen Ausdruck, ja er fühlt und schwärmt mit ihnen, nur mit der Wehmut des Eingeweihten, der die Flüchtigkeit der großen Augenblicke kennt. Und er versenkt sich mit seinen kleinen Menschen in ihr kindliches Leben und erhebt sich mit den hohen Menschen, mit ihren Visionen, in die hohe Unendlichkeit.

In solcher Schilderung lebt Jean Paul nicht seine subjektive Willkür aus. Er ist ein besonnener, klarer Denker, ein bewußter, handwerklich arbeitender, ein zäh fleißiger Autor. Er stellt bewußt als Humorist dar. Er zeichnet die beschränkte Diesseitswelt scharf, überscharf, um sie in ihrer Endlichkeit zu fixieren. Er führt in die noch ungebrochene Kindheit zurück, er führt über diese Welt hinaus. Er zerreißt wieder diese schönen tröstenden Scheine, damit der Leser sich nicht in romantische Träume verliert. Er macht es zu seiner grundsätzlichen Methode, zu verhindern, daß der Leser auch nur dem epischen Schein verfällt. Er läßt eine durchgängige Illusion nicht aufkommen. Er tritt als bloßer Berichterstatter auf, scheinbar also mit dem Anspruch, wirklich Geschehenes zu berichten, dies aber mit so viel spielender Laune, daß die Fiktion sofort sichtbar wird. Die Kapitel im *Hesperus* nennt er Hundsposttage. Er stellt sich hier als Berghauptmann vor, der auf einer kleinen Insel lebe. Hier sei zu ihm ein Hund gekommen, mit einer Kürbisflasche am Halsband. In der Flasche habe er den Brief eines Mannes namens Knef gefunden, mit der Aufforderung, er möge die Geschichte der Söhne des Fürsten von Flechsendingen schreiben, die dieser auf seinen Reisen in drei gallischen Städten zurückgelassen. Das Anfangsmaterial findet er schon in der Flasche, die weiteren Lieferungen solle ihm der Hund bringen. Am Ende empfängt er den Besuch des ihm befreundeten Dr. Fenk: dieser ist sein Auftraggeber gewesen. Er wird in den Kreis der Personen geführt, deren Leben er berichtet hat, und er erfährt hier, daß auch er ein Sohn des Fürsten ist, der sogenannte Monsieur oder Mosje, der früh verschollen ist. Auch die Erzählung führt Jean Paul nicht konsequent durch;

immer wieder schweift er ab. Den Auftrag, Biograph zu sein, übernimmt er nur unter der Bedingung, daß man ihm solche Abschweifungen, als Extrablättchen, als Schalttage gestattet. Hier ergeht er sich in meistens witzig oder satirisch pointierten Einfällen.

In Jean Pauls ersten Romanen herrscht noch das Todeserlebnis vor, damit die Neigung, die endliche Welt abzutun und sich über sie hinauszuschwingen. Dies tritt schon in dem *Leben des Quintus Fixlein*, 1796, zurück. Hier versenkt sich Jean Paul liebevoll in die beschränkte Welt des kleinen Menschen, in seine Sonderbarkeiten und Verkauztheiten. Er bildet seine Art des Realismus aus, der dem des niederländischen Genremalers zu vergleichen ist. Doch ist dies nur ein neuer Farbton in der reichen Palette seiner Erzählkunst. Diese Erzählweise gipfelt in dem Roman *Blumen-, Frucht- und Dornenstücke oder Ehestand, Tod und Hochzeit des Armenadvokaten F. St. Siebenkäs*, 1796/97, in der komisch-realistischen, launigen und humorvollen Schilderung der Menschen und der Geschehnisse in einer deutschen Kleinstadt. Doch ist dieser Siebenkäs weit mehr ein hoher Mensch als ein beschränkter Kleinbürger. Er scheitert an dem bürgerlichen Leben, und er täuscht seinen Tod vor, um die Freiheit für sein eigenes Leben zu gewinnen und seiner guten Frau Lenette die Freiheit zu geben für das ihr gemäße bürgerliche Leben.

1800–03 trat Jean Paul mit seinem *Titan* hervor, den er im Wetteifer mit dem klassischen Roman Goethes geschrieben hatte. Hier herrscht das Große, das Erhabene vor. Albano, der Held des Romans, ist ein Jüngling von klassischer Schönheit, er ist vom Titanismus bedroht, daß er das Maß des Menschen überspannt; doch gelingt ihm die Bändigung seiner Kräfte und die Bildung zur harmonischen Persönlichkeit. Auch in den *Flegeljahren*, 1804/05, mit denen Jean Paul in die kleine Stadt zurückkehrt, stellt er sich ein höheres Thema, die Erziehung des jungen Schulzensohnes Peter Harnisch.

Für Jean Paul ist der Mensch ein stets problematisches Wesen. Seine Menschen der Idylle stehen noch vor dem eigentlichen Menschsein, seine hohen Menschen sind hierüber schon hinaus. Er stellt nun auch dieses Problematische dar. Problematisch ist Siebenkäs, der im bürgerlichen Leben nicht leben kann, problematisch der durch Titanismus bedrohte Albano. Hier gehen auch titanische Menschen zugrunde, der Roquairol und die Linda. Zu den problematischen Menschen gehören auch die Humoristen, die Jean Paul in seinen Romanen auftreten läßt. Sie sind geistig überlegen, sehen die Schranken ihrer Umwelt und des Daseins überhaupt, sie leben in einer hohen Weltverachtung. Sie entlarven alle Endlichkeit, aber sie erheben sich nicht selbst ins Unendliche. Der bedeutendste dieser Humoristen ist der dämonische Leibgeber, des Siebenkäs nächster Freund und körperlich, geistig, seelisch wie dessen zweites Ich. Er ist eigentlich der Siebenkäs, denn die Freunde haben zum Zeichen der Freundschaft ihre Namen getauscht. Nach seinem vorgetäuschten Tode nimmt Siebenkäs wieder seinen Namen Leibgeber an und lebt als sein Freund Leibgeber fort, während der wahre Siebenkäs allein sein schweifendes Leben fortsetzt. Er tritt dann im *Titan* als Schoppe auf, als Mentor und Freund Albanos. Jean Paul leiht ihm auch Züge von sich selbst, die ihm eigne Geisterfurcht, den Schauder, ein Ich, ein geistiges Sein zu sein. Schoppe wird am Ende wahnsinnig, und als hier plötzlich der ehemalige Armenadvokat wieder vor ihm steht, wie sein zweites Ich, erschüttert dies ihn so, daß er stirbt.

Manche von diesen geistig souveränen Charakteren begnügen sich auch, mit ihrer beschränkten Umwelt ihr Spiel zu treiben, so etwa der reiche Van der Kabel in den *Flegeljahren*. Er ist zwar schon zu Beginn des Geschehens tot, aber er bestimmt das Geschehen durch sein seltsames Testament, dessen Erfüllung zum Inhalt des Romans wird. Noch begrenzter sind solche Chraktere, die, zwar auch geistig überlegen, doch mehr nur ihrer Sonderbarkeit leben. Auch in ihnen macht Jean Paul seine weltanschauliche Stellung geltend. Denn diese Charaktere können wie die Antipoden des Normalen sein; sie schätzen das Normale nicht, und um so

mehr alles, was diesem Normalen widerspricht. Eine solche
Gestalt tritt schon in der *Unsichtbaren Loge* in dem Professor
der Moral Hoppedizel auf. Er spielt mit seiner Umwelt, und
er schockiert sie auch gern mit ekelerregenden Dingen.

In Jean Pauls frühen Romanen stehen diese Sonderlinge am
Rande. Je mehr aber bei dem Dichter die metaphysischen
Antriebe zurücktreten, je mehr er die Menschen mit ihrem
Besonderen und Absonderlichen darstellt, desto mehr können solche Menschen in die Mitte seiner Erzählung treten. In
Des Feldpredigers Schmelzle Reise nach Flätz, 1809, läßt er
einen Feigling sich selbst schildern, der seine Feigheit als Vorsicht und Mut anzupreisen sucht. 1809 auch ließ Jean Paul
Dr. Katzenbergers Badereise erscheinen. Auch hier steht in
der Mitte ein absonderlicher Mensch. Doch ist dieser Katzenberger mehr als nur absonderlich; er ist für eine Möglichkeit des Menschen repräsentativ. Er liebt schlechthin das
Abnorme. Indem dies ihm zur wahren Wirklichkeit, zum
wahren Wert wird, macht er die Bedingtheit, die Relativität
des durchschnittlichen Wirklichkeits- und Wertverhaltens
sichtbar. Er erschüttert den festen Grund dieser Diesseitswelt.

Katzenberger ist der gelehrte und anerkannte Kenner und
Sammler von Mißgeburten; dies ist sein eigentlicher Lebens-
inhalt. Von hier aus wird auch sein Charakter formiert. Er ist
geizig, obwohl er wohlhabend, ja fast reich ist, aber vielleicht
nur, um seiner Leidenschaft, Mißgeburten zu sammeln, frö-
nen zu können. Er ist rücksichtslos aggressiv, besonders
aber, wenn es um den Erwerb einer seltenen Mißgeburt geht.
Er ist rachsüchtig, besonders aber dann, wenn man ihn als
Forscher böswillig kritisiert hat.

Ein solcher Charakter könnte als abwegig und peinlich
empfunden werden. Aber Jean Paul stellt seinen Katzenberger etwas wie den Helden im Epos vor; er gibt ihm ein
gerechtfertigtes Ziel und läßt ihn dieses Ziel erreichen. Katzenberger reist ins Bad, um hier einen Kritiker aufzusuchen,
der ihn sachlich und persönlich angegriffen hat, und um ihn

zu verprügeln. Und damit auch das schöner Menschliche nicht fehlt, stellt der Dichter neben Katzenberger seine menschlich reiche und warme Tochter Theoda. Auch sie reist mit persönlichen Absichten in das Bad, jedoch um hier einen berühmten Bühnendichter kennenzulernen, dessen Stücke sie bewundert und den sie verehrt und liebt.

Durch diese Zielsetzung erregt Jean Paul sofort ein doppeltes Interesse, und er befriedigt es auch durch sonderbare Entwicklungen und Verwicklungen. Doch liegt ihm wenig daran, den Leser nur an dem mageren Faden der Spannung fortzuziehen. Diese Reise ist eine Reise en miniature; und Jean Paul malt sie mit ihren vielen kleinen Vorfällen behaglich aus. Hier lebt etwas von seiner Idylle auf und auch von der liebevollen Mikrologie, mit der er, besonders im *Siebenkäs*, das kleine Leben der Kleinstadt geschildert hat. Auch seinen Katzenberger malt Jean Paul so subtil aus, so launig erzählend, so ohne Schwere und moralisches Gewicht, so frei überschauend und ohne selber Anstoß zu nehmen, daß auch der Leser ihm ohne Anstoß folgt. In der Theoda läßt er die schöne menschliche Innerlichkeit sich offenbaren, besonders in ihren Briefen an ihre vertraute Freundin Bona. Nur der Visionär Jean Paul kann sich in diesem Geschehen nicht mitteilen. Doch fehlen auch hier die Zusätze nicht. In ihnen kommt auch dieser Jean Paul zur Sprache, ja er greift auf frühere Konzeptionen zurück aus der Zeit seiner ersten Romane. Und auch der launig spielende, der witzige und der satirische Jean Paul ist hier ganz da, um so mehr, als er sich in der Erzählung mehr als zuvor zugunsten der epischen Darstellung gezügelt hat.

Otto Mann

Inhalt

Dr. Katzenbergers Badereise

Vorrede zum ersten und zweiten Bändchen der ersten
  Auflage 5
Vorrede zur zweiten Auflage 8

Erste Abteilung

 1. Summula. Anstalten zur Badreise 13
 2. Summula. Reisezwecke 16
 3. Summula. Eine Reisegefährte 17
 4. Summula. Bona 19
 5. Summula. Herr von Nieß 21
 6. Summula. Fortsetzung der Abreise durch Fortset-
    zung des Abschieds 26
 7. Summula. Fortgesetzte Fortsetzung der Abreise . . 27
 8. Summula. Beschluß der Abreise 29
 9. Summula. Halbtagfahrt nach St. Wolfgang 31
10. Summula. Mittags-Abenteuer 34
11. Summula. Wagen-Sieste 39
12. Summula. – die Avantüre – 46
13. Summula. Theodas ersten Tages Buch 49
14. Summula. Mißgeburten-Adel 53
15. Summula. Hasenkrieg 58
16. Summula. Ankunft-Sitzung 63

Zweite Abteilung

17. Summula. Bloße Station 67
18. Summula. Männikes Seegefecht 68
19. Summula. Mondbelustigungen 71
20. Summula. Zweiten Tages Buch 75
21. Summula. Hemmrad der Ankunft im Badeorte –
    Dr. Strykius 77

22. Summula. Nießiana 84
23. Summula. Ein Brief 86
24. Summula. Mittagtischreden 87
25. Summula. Musikalisches Deklamatorium 93
26. Summula. Neuer Gastrollenspieler 95
27. Summula. Nachtrag 100
28. Summula. Darum 101
29. Summula. Herr von Nieß 103
30. Summula. Tischgebet und Suppe 103
31. Summula. Aufdeckung und Sternbedeckung . . 110
32. Summula. Erkennszene 111
33. Summula. Abendtisch-Reden über Schauspiele . . 113
34. Summula. Brunnen-Beängstigungen 117
35. Summula. Theodas Brief an Bona 119
36. Summula. Herzens-Interim 123
37. Summula. Neue Mitarbeiter an allem – Bonas Brief
    an Theoda 126

Dritte Abteilung

38. Summula. Wie Katzenberger seinen Gevatter und
    andere traktiert 135
39. Summula. Doktors Höhlen-Besuch 145
40. Summula. Theodas Höhlen-Besuch 146
41. Summula. Drei Abreisen 150
42. Summula. Theodas kürzeste Nacht der Reise . . . 152
43. Summula. Präliminar-Frieden und Präliminar-
    Mord und Totschlag 154
44. Summula. Die Stuben-Treffen – der gebotene Fin-
    ger zum Frieden 164
45. Summula. Ende der Reisen und Nöten 170

Anhang

Zu dieser Ausgabe 179
Anmerkungen 181
Nachwort 199

Erzählungen und Romane
der deutschen Romantik

IN RECLAMS UNIVERSAL-BIBLIOTHEK

Arnim, Achim v.: *Isabella von Ägypten*. Nachw. von Werner Vordtriede. 8894[2] – *Die Kronenwächter*. Nachw. von Paul Michael Lützeler. 1504[4] – *Die Majoratsherren*. Nachw. von Gustav Beckers. 9972 – *Der tolle Invalide auf dem Fort Ratonneau. Owen Tudor*. Nachw. von Kurt Weigand. 197

Bonaventura: *Nachtwachen*. Anh.: *Des Teufels Taschenbuch*. Hrsg. von Wolfgang Paulsen. 8926[2]

Brentano, Clemens: *Der Dilldapp u. a. Märchen*. 6805 – *Gedichte*. Ausw. und Nachw. von Paul Requadt. 8669. – *Die Geschichte vom braven Kasperl und dem schönen Annerl*. 411 – *Gockel und Hinkel*. 450 – *Die mehreren Wehmüller und ungarischen Nationalgesichter*. Nachw. von Detlev Lüders. 8732

Chamisso, Adelbert v.: *Peter Schlemihls wundersame Geschichte*. 93 – dazu *Erl. und Dok*. Hrsg. von D. Walach. 8158

Eichendorff, Joseph v.: *Ahnung und Gegenwart*. Hrsg. von Gerhart Hoffmeister. 8229[4] – *Aus dem Leben eines Taugenichts*. 2354 – *Dichter und ihre Gesellen*. Hrsg. von Wolfgang Nehring. 2351[4] – *Das Marmorbild. Das Schloß Dürande*. 2365

Fouqué, Friedrich de la Motte: *Undine*. 491

Hoffmann, E. T. A.: *Die Bergwerke zu Falun. Der Artushof*. Nachw. von Hans Pörnbacher. 8991 – *Doge und Dogaresse*. Nachw. von Benno v. Wiese. 464 – *Die Elixiere des Teufels*. Hrsg. von Wolfgang Nehring. 192[4] – *Das Fräulein von Scuderi*. 25 – dazu *Erl. und Dok*. Hrsg. von Hans Ulrich Lindken. 8142[2] – *Der goldne Topf*. Nachw. von Konrad Nussbächer. 101[2] – dazu *Erl. und Dok*. Hrsg. von Paul-Wolfgang Wührl. 8157[2] – *Kater Murr*. Hrsg. von Hartmut Steinecke. 153[6] – *Klein Zaches genannt Zinnober*. Nachw.

von Gerhard R. Kaiser. 306[2] – dazu *Erl. und Dok.* Hrsg.
von Gerhard R. Kaiser. 8172[2] – *Kreisleriana.* Hrsg. von
Hanne Castein. 5623[2] – *Das Majorat.* 32 – *Meister Floh.*
Hrsg. von Wulf Segebrecht. 365[3] – *Meister Martin, der
Küfner und seine Gesellen.* 52 – *Nußknacker und Mausekö-
nig.* 1400 – *Prinzessin Brambilla.* 8 Kupfer nach Callotschen
Originalblättern. Hrsg. von Wolfgang Nehring. 7953[2] –
Rat Krespel. Die Fermate. Don Juan. Nachw. von Josef
Kunz. 5274 – *Der Sandmann. Das öde Haus. Nachtstücke.*
Hrsg. von Manfred Wacker. 230 – *Des Vetters Eckfenster.*
Nachw. und Anm. von Gerard Koziełek. 231

Kleist, Heinrich v.: *Die Marquise von O... Das Erdbeben in
Chili.* Nachw. von Christian Wagenknecht. 8002 – *Michael
Kohlhaas.* Nachw. von Paul Michael Lützeler. 218 – dazu *Erl.
und Dok.* Hrsg. von Günther Hagedorn. 8106 – *Sämtliche
Erzählungen.* Nachw. von Walter Müller-Seidel. 8232 [3] –
*Die Verlobung in St. Domingo. Das Bettelweib von Locarno.
Der Findling.* 8003 – *Der Zweikampf. Die heilige Cäcilie.
Sämtliche Anekdoten. Über das Marionettentheater und an-
dere Prosa.* 8004

Novalis: *Heinrich von Ofterdingen.* Textrev. und Nachw. von
Wolfgang Frühwald. 8939[2]

Schlegel, Friedrich: *Lucinde.* Hrsg. von Karl Konrad Polheim.
320[2]

Tieck, Ludwig: *Die beiden merkwürdigsten Tage aus Siegmunds
Leben. Fermer, der Geniale.* Hrsg. von Wolfgang Biesterfeld.
7822 – *Der blonde Eckbert. Der Runenberg. Die Elfen.*
Nachw. von Konrad Nussbächer. 7732 – *Franz Sternbalds
Wanderungen.* Studienausg. 16 Abb. Hrsg. von Alfred An-
ger. 8715[5] – *Liebesgeschichte der schönen Magelone und
des Grafen Peter von Provence.* Nachw. von Eduard Mornin.
731

Philipp Reclam jun. Stuttgart

Jean Paul

IN RECLAMS UNIVERSAL-BIBLIOTHEK

Dr. Katzenbergers Badereise. Anmerkungen von Max Meier. Nachwort von Otto Mann. 18 [3]

Des Feldpredigers Schmelzle Reise nach Flätz mit fortgehenden Noten; nebst der Beichte des Teufels bei einem Staatsmanne. Mit einem Nachwort von Kurt Schreinert. 293

Leben des Quintus Fixlein, aus funfzehn Zettelkästen gezogen; nebst einem Musteil und einigen Jus de tablette. Mit einem Nachwort von Ralph-Rainer Wuthenow. 164 [4]

Leben des vergnügten Schulmeisterlein Maria Wutz in Auenthal. Eine Art Idylle. Mit Anmerkungen und einer biographischen Notiz. 119

Selberlebensbeschreibung. Konjektural-Biographie. Mit einem Nachwort von Ralph-Rainer Wuthenow. 7940 [2]

Siebenkäs. Herausgegeben von Carl Pietzcker. 274 [8]

Philipp Reclam jun. Stuttgart